KB196502

같이살자
가맹사업

사례로 알아보는 가맹사업 분쟁의 모든 것
같이 살자 가맹사업

2018년 8월 31일 초판 발행
2020년 1월 20일 2판 발행

지은이 | 백광현
발행인 | 송상근
발행처 | 삼일인포마인
등록번호 | 1995. 6. 26 제3-633호
주 소 | 서울특별시 용산구 한강대로 273 용산빌딩 4층
전 화 | 02)3489-3100
팩 스 | 02)3489-3141

ISBN 978-89-5942-813-7 13360

사례로 알아보는 가맹사업 분쟁의 모든 것

같이살자 가맹사업

백광현 지음

SAMIL | 삼일인포마인

서 문

프랜차이즈 업계가 연이은 이슈로 잡음이 끊이지 않고 있다. 가맹본부가 부담해야 할 광고비를 부당하게 가맹점주에 떠넘기고, 가맹본부가 가맹점주에 물품을 공급하면서 부당한 통행세와 리베이트를 받고 있으며, 가맹점주들의 협상요구에 대해서는 교묘한 보복조치를 취하는 사례가 잇달아 적발되고 있다. 심지어 어느 치킨 프랜차이즈 오너의 성추행 사건으로 해당 브랜드의 불매운동이 확산되어 오히려 가맹점주들이 피해를 입고 있으며, 토종 커피전문점 프랜차이즈 성공 신화의 주인공이라 불리는 프랜차이즈 오너가 극단적인 선택으로 삶을 마감하기도 했다.

이에 공정위는 '가맹분야 불공정관행 근절대책'을 내놓고 프랜차이즈 업계의 본격적인 수술에 나섰다. 가맹본부에 대한 가맹점주의 정보불균형 해소, 협상력 제고, 피해방지수간 확충, 가맹점주단체의 지위 강화 및 광역지자체에 대한 조사 · 처분권 일부 위임 등을 골자로 하는 강력한 대책으로, "을(乙)의 눈물을 닦아주겠다."고 취임사에서 밝힌 김상조 전(前) 공정거래위원장의 말을 실행에 그대로 옮기려는 것으로 보인다.

원래 프랜차이즈 사업의 정상적인 비즈니스 모델은 가맹점주의 매출액이나 이익의 일부를 가맹본부가 로열티로 수취하는 것인데, 우리나라에서는 로열티보다는 식자재와 같은 필수물품 공급 마진에 의존하는 형태로 변형되어 있다. 이러한 근본적인 문제점을 개선하기 위해 공정위는 프랜차이즈 비즈니스 모델을 '로열티 모델'로 점차 바꿔가는 것을 목표로 삼고 있는 것으로 보인다.

이처럼 수술대에 오른 프랜차이즈 업계의 문제점이 향후 입법적으로 해결될지 여부는 별론으로 하더라도, 가맹본부로서는 변경되는 가맹 분야 제도에 관하여 꾸준한 관심을 가지고, 종래 관행적으로 해왔던 행위가 새로운 제도에 따라 위법으로 평가될 수 있는지를 항시 모니터링 할 필요가 있다. 이런 과정을 통해 소규모 창업, 유통혁신, 소비자 신뢰확보라는 프랜차이즈의 긍정적 기능이 다시 살아날 수 있을 것으로 믿는다.

이 책을 쓰면서 의도하였던 것은 바로 누군가에게 '필요한' 책이 되는 것이었다. 필자가 변호사로서 활동하면서 "당신은 어떤 변호사입니까?"라는 질문을 받았을 때, 뭐라고 대답할 수 있을까라는 고민을 해 본 적이 있다. 이 때 누군가에게 '좋은' 변호사, 또는 실력이 '최고'인 변호사가 떠올랐다. 하지만 그 전에 먼저 내 도움이 필요한 단 한 명의 누군가에게 '필요한' 변호사, 더 나아가 내 주위에 있는 사람들에게 '필요한' 변호사가 되는 것, 그래서 내가 무엇 때문에 하루하루 열심히 살아가고 있는지를 알고 사는 것도 괜찮을 거라는 생각을 해 본 적이 있다.

이처럼 이 책 또한 필자가 다년간 법무법인과 대학강단, 그리고 여러 기업들에서 공정거래를 포함한 가맹분야에 대해 직접 겪은 실무나 강의 등의 경험을 살려 특히 가맹분야에 종사하는 가맹본부의 실무자나 가맹점주, 프랜차이즈 창업을 하려는 분들께 실제 사례를 통해 현실감 있고 생생한 내용을 전달함으로써 어쩌면 딱딱할 수 있는 가맹사업법 내용을 떠나 정말 그 분들께 '필요한' 책이 되었으면 하는 작은 바람에서 이 책을 쓰기 시작했다.

다시 말해 이 책은 가맹분야의 어려운 법률이론에 치우치기보다는, 최근 가맹분야의 흐름을 파악하고 그 흐름에 따른 실제 사례를 공정위와 법원에서 어떻게 처리하고 있는지를 알기 쉽고 흥미 있게 설명함으로써 가맹본부나 가맹점주들 모두에게 실질적인 도움을 줄 수 있는 책이 되고자 하는 것이었다. 이런 의도에서 야심차게 시작한 작업이었지만 막상 원고 작업을 하다 보니 필자의 부족함을 뼈저리게 느꼈고, 이렇게 사람들 앞에 이 책을 내놓는다는 것이 필자의 부족함을 그대로 드러내는 것 같아 한없이 부끄럽고 두려운 마음이 앞선다. 이처럼 많이 부족하지만 이 책이 그래도 가맹사업에 몸 담고 있는 가맹본부의 실무자들과 가맹점주들에게 작게나마 도움이 되기를 바라며 한편으로는, 앞으로 이 책의 부족한 면을 필자 스스로도 계속적으로 보완해 나갈 것을 약속드린다.

한편, 이 책이 나온 지 어느덧 1년 여가 지났다. 그 동안 가맹분야에 대한 법령이나 고시, 지침 등이 많이 제·개정되었고 중요한 심결례도 많이 나왔다. 이번 개정판에서는 그간의 각종 제도가 변경된 사항과 주요 심결례들을 반영하였으며, 특히 공정거래위원회 주요 정책과 주요 소관법률에 대해서도 참고자료로 추가하였다.

부족한 필자를 믿고, 이 책이 나올 때까지 많은 격려와 용기를 주신 삼일인포마인 송상근 대표이사님, 조원오 전무님, 조윤식 이사님, 임연혁 과장님, 황은경 대리님, 그리고 편집부 여러분들께 거듭 감사의 말씀을 드린다. 끝으로 가뜩이나 바쁜 업무로 함께 시간을 보내지 못하면서 책까지 쓴답시고 그나마 함께 하던 시간도 반납하였음에도 불평 없이 오히려 묵묵히 응원해 준 가족들에게도 이 자리를 빌려 미안한 마음과 고맙다는 말을 전한다.

아무쪼록 '가맹사업' 하면 더 이상 '갑(甲)의 횡포'나 '을(乙)의 눈물'을 떠올리기보다는 이 책의 제목처럼 가맹본부와 가맹점주가 '같이 잘 사는' 모습이 떠오르길 바라며, 이 책이 독자분들에게 작지만 필요한 도움이 되기를 바란다.

2020년 1월 삼성동에서

백 광 현

차 례

참고자료 247

PART 1

최근 동향 파악하기

가맹분야 불공정관행 근절대책

공정거래위원회(이하 '공정위')는 지난 2017. 7. 18. '가맹분야 불공정관행 근절대책'(이하 '가맹대책')을 발표[1]했다. 가맹본부에 대한 가맹점사업자의 정보 불균형 해소, 협상력 제고, 피해 방지 수단 확충, 가맹점사업자단체의 지위 강화, 광역지자체에 대한 조사·처분권 일부 위임 등을 골자로 하는 강력한 대책이다.

발표 당일 김상조 전(前) 공정거래위원장은 JTBC와의 인터뷰를 통하여 가맹대책의 취지와 그 기저에 깔린 규제 철학에 대하여 직접 설명하는 시간을 가졌다.[2] 김 전(前) 위원장은 "프랜차이즈 사업의 정상적 비즈니스 모델은 가맹점의 매출액이나 이익의 일부를 가맹본부가 로열티(royalty)로 수취하는 것인데, 우리나라에서는 로열티보다는 식자재와 같은 필수물품 공급 마진에 의존하는 형태로 변형되어 있다"고 지적했다.

공정위는 프랜차이즈 비즈니스 모델을 '로열티 모델'로 점차 바꿔가는 것을 정책 목표로 삼고 있다. 공정위가 앞으로 추진할 주요 제도의 내용을 살펴보면 다음과 같다.

1 필수품목 관련 정보 공개 강화

가맹대책 가운데 맨 앞에 소개된 정책 과제는 '필수물품' 관련 정보공개서 의무 기재 사항을 확대하는 것이다. '정보공개서'란 공정위에 등록 및 홈페이지(franchise.ftc.go.kr)를 통하여 상시 공

1) 공정위 2017. 7. 18.자 보도자료 참고.
2) JTBC, 2017년 7월 18일, "김상조 공정위 대책, 엄격한 법 집행 중요…인력 확충 진행" 참조.

시되며 신규 가맹점 모집 시 반드시 제공 및 설명이 이루어져야 하는 서류로, 가맹점사업자와 가맹본부 사이의 정보 불균형을 해소하고 가맹희망자에게 합리적 판단 기준을 제공하는 역할을 한다.

'필수물품'이란 가맹본부가 가맹사업의 통일성 유지 명목으로 가맹점사업자에게 직접 또는 가맹본부가 지정한 제3자를 통하여 공급하는 물품을 말한다. 외식 프랜차이즈의 경우 식자재, 부재료, 일회용품 등이 대표적인 필수물품이다. 2016년 서울시의 실태조사에 따르면, 가맹점사업자가 구매하는 물품 중 필수물품의 금액 비중이 평균 87.4%에 달한다.

그런데 가맹본부가 필수물품을 시중가격과 비교해 비싸게 공급하면서 그 구매원가를 밝히지 않는다거나, 납품업체로부터 리베이트(rebate)를 수령한다거나, 혹은 가맹본부의 특수관계인으로부터 이를 공급받도록 하는 등으로 인한 분쟁 사례가 많았다. 예를 들어, 2017년 문제된 피자 프랜차이즈의 경우는 특수관계인이 세운 회사를 통하여 가맹점에 치즈를 시중가격 대비 비싸게 공급하는 이른바 '치즈통행세'를 부과하였다.

따라서 가맹대책은, 가맹본부가 필수물품의 납품업체로부터 지급받는 대가(리베이트와 판매장려금 등), 필수물품 공급에 관여하는 가맹본부의 특수관계인에 관한 세부정보, 가맹점 매출액 대비 필수물품 구매금액 비율 등을 정보공개서 의무 기재 사항에 추가한다는 내용을 담고 있다.

이와 비교하여 현행 법령은 필수물품의 품목명만을 정보공개서 의무 기재 사항으로 정하고 있었다(가맹사업거래의 공정화에 관한 법률[3] 시행령 [별표 1] 6. 가.). 참고로 정보공개서 기재 사항 가운데 중요 사항이 누락되면 정보공개서 등록이 취소될 수 있으며, 이 경우 수정한 정보공개서의 재등록이 완료될 때까지 신규 가맹점 모집을 할 수 없는 불이익을 받는다.

나아가 공정위는 외식업종 가맹본부의 필수물품 마진율 분석 결과를 연내에 공개할 계획이다. 공정위는 이번 제도를 통하여 필수물품 마진율 인하를 유도하고, 가맹본부나 그 특수관계인이 '통행세'를 함부로 취득할 수 없게 될 것으로 기대하고 있다.

2 광고·판촉행사 시 개별적 사전 동의 의무화

가맹대책에는 가맹점사업자의 협상력을 높이기 위한 조치가 다수 포함되어 있는데, 그 가운데

3) 이하 약칭하여 '가맹사업법'이라 한다.

단연 눈에 띄는 것은 광고·판촉행사에 관하여 개별 가맹점사업자의 사전 동의가 의무화된다는 것이다.

현재 외식업종 표준가맹계약서는 광고의 경우 가맹점사업자의 50%, 판촉행사(예를 들어 1+1, 통신사 제휴할인 등)의 경우 가맹점사업자의 70% 이상이 동의하면 실시할 수 있도록 정하고 있다. 현행법에 따르면, 가맹점사업자가 비용을 분담하는 광고·판촉행사가 실시되는 경우 그 집행 내역이 가맹점사업자에게 통보되어야 하며(가맹사업법 제12조의6), 가맹본부가 가맹점에게 광고·판촉비용을 부담하도록 강요하는 행위가 금지된다(가맹사업법 시행령 [별표 2] 3. 나.).

한편, 국회에 계류 중인 가맹사업법 개정안 가운데에는, 가맹점사업자의 비용 부담이 수반되는 광고·판촉행사의 경우 여기에 동참하려는 가맹점사업자 전원의 사전 동의를 받도록 하는 법안이 있다(2016. 10. 25.자 이학영 의원 대표 발의). 공정위는 가맹대책을 통하여 위 법안의 내용을 아예 정책 추진 과제로 삼은 것이다.

국회에서는 위 법안에 대한 반대 의견도 제시되어 있다. 가맹본부의 경영의 자유가 제한되고, 가맹점사업자 전원의 사전 동의를 얻는 데 시간적·경제적으로 과다한 비용이 소요되어 현실성이 떨어지며, 현행법상 거래상 지위 남용 행위로 일정 부분 규율이 가능함에도 과잉 규제를 한다는 것이다.[4] 그런데 공정위가 위 법안을 지지하는 입장임을 밝힘에 따라 위 법안의 통과 가능성이 높아졌다.

위 법안이 통과될 경우, 전국적 규모의 가맹본부로서는 광고·판촉행사를 실시하기 위하여 가맹점사업자 전원의 동의 절차를 거치기 어려워 사실상 그 비용을 스스로 부담할 수밖에 없을 것이다. 이 때 가맹본부가 지출하는 광고·판촉비용은 결국 가맹금(royalty)에 반영될 것으로 예상되므로, 이 또한 김상조 전(前) 공정거래위원장이 제시한 '로열티 모델로의 전환 유도'라는 정책 목표 달성을 위한 포석이 될 것으로 보인다.

3 가맹본부 오너 리스크(owner risk)에 의한 손해배상책임 도입

어느 치킨 프랜차이즈 오너(owner)의 성추행 사건이 언론에 대서특필되면서 해당 브랜드의 불매운동이 확산된 사실이 있다. 불매운동에 동참하는 여론만큼이나 그러한 불매운동이 가맹본부

4) 정무위원회 검토 보고서(의안 번호 2002898).

보다 오히려 가맹점사업자들에게 더 큰 피해를 끼친다는 우려도 만만치 않다.

이에 국회에서는 가맹본부에게 브랜드 이미지를 훼손하는 등의 행위를 금지하고, 가맹본부 또는 그 경영진·임직원의 책임 있는 사유로 발생한 가맹점사업자의 손해에 대한 배상책임을 가맹계약서에 의무 기재하도록 하는 가맹사업법 개정안이 발의되었다(2017. 6. 20.자 김관영 의원 대표발의, 2017. 7. 7.자 이양수 의원 대표발의, 2017. 8. 4.자 유동수 의원 대표발의 등). 공정위 또한 위 법안의 내용을 이번 가맹대책에서 언급하며 정책 추진 과제로 삼고 있다.

가맹점사업자가 가맹본부 오너 등 개인의 위법·부도덕한 행위로 인하여 입은 손해를 배상받기 위해 현행법상 주장할 수 있는 권리로는 민법 제750조 불법행위에 따른 손해배상책임이 있지만, 그러한 손해가 배상 범위 내인 통상손해에 해당하는지 혹은 배상 범위를 벗어나는 특별손해에 해당하는지가 쟁점이 될 수 있어 실효성을 거두기 어려웠다.

그런데 위 법안이 통과될 경우 오너 등 개인의 위법·부도덕한 행위로 인한 가맹점사업자의 손해는 통상손해로 판단될 것이므로 배상을 받기가 용이해진다. 물론, 손해액의 입증이 여전히 난제일 수 있으나, 가맹본부의 입장에서는 오너 등의 개인적 일탈행위까지 법률 리스크로서 관리해야 할 필요성이 커진 것이다.

4 광역지자체에게 조사·처분권 일부 위임

김상조 전(前) 공정거래위원장은 JTBC와의 인터뷰에서 "우리나라에 가맹본부가 4,200개, 가맹점사업자가 22만 명이나 있는데, 공정위 가맹거래과 직원은 8명밖에 안되어 법을 집행하는 데 한계가 있다"고 말하였다.

그 대책으로 제시된 것이 바로 광역지방자치단체(이하 "광역지자체")에게 불공정거래행위에 관한 조사권 및 처분권의 일부를 위임하는 것이다. 현장에서 법 위반을 확인하여 신속히 조치할 수 있는 유형은 시·도지사가 조사할 수 있도록 하고, 이에 대해서는 공정위의 심결을 거치지 않고 직접 과태료를 부과한다는 것이 그 내용이다.

광역지자체의 조사·처분 대상이 되는 법 위반 행위 유형으로는 가맹계약서 제공·보존의무 위반, 정보공개서 등록·제공의무 위반, 가맹금 예치의무 위반, 가맹점 예상수익 정보 제공의무 위반 등이 거론되고 있다. 정보공개서의 등록·심사·취소 관련 업무, 가맹거래 분쟁조정협의회

운영 역시 시·도에 이양될 전망이다.

한편, 위법성 판단에 대해 전문적 판단이 필요한 허위·과장정보 제공, 영업지역 침해, 매장 리뉴얼 강요 등에 대해서는 여전히 공정위가 조사·처분권을 보유할 계획이다. 김상조 전(前) 공정거래위원장은 "서울시와 경기도와는 이미 실무적인 협의를 거의 마무리하는 단계에 있다"고 밝혔다.[5] 이로 인하여 가맹분야 공정위의 법 집행 역량이 대폭 보강될 것이며, 실태 조사 등의 강도가 높아지고 신고 사건의 처리 속도 또한 빨라질 것으로 예상된다.

5 알아두기

김상조 전(前) 공정거래위원장은 가맹대책 발표 이전인 2017. 4. 10.에도 "퇴직자들이 생계를 위해 가장 쉽게 접근할 수 있는 영역이 프랜차이즈다. 그런데 가맹본부의 부당한 갑질에 대응할 수 있는 능력이 너무 떨어진다. 문제 해결의 시작은 정보 공개다. 가맹본부와 가맹점사업자 사이 계약 내용이 폭넓게 공개되도록 만들겠다. 투명성을 확보해서 시장과 사회가 압력을 가할 수 있도록 하겠다."고 밝힌 바 있다.[6] 이번 가맹대책 역시 이러한 규제 철학이 충실히 반영되어 있다.

이번 가맹대책에서 제시된 정책과제는 대부분 지속적으로 추진되거나 추진될 예정이다. 공법적 규제의 내용 자체가 크게 강화됨은 물론, 광역지자체와의 행정력 연계까지 이루어져 강도 높은 집행 또한 뒷받침될 것으로 예상된다.

이번 가맹대책이 시행되면, 가맹본부로서는 필수물품의 매출액에 대한 비율 및 특수관계인 관여 여부 등을 공개해야 하므로, 필수물품 공급 마진으로 가맹금 수익을 대체하는 구조를 유지하기 어렵게 된다. 또한 광고·판촉행사 역시 가맹점사업자 전원의 사전 동의를 얻지 않는 한 자신의 비용으로 진행해야 하므로 그러한 비용을 가맹금에 반영하는 것을 피하기 어려울 것이다.

가맹금의 액수는 가맹희망자의 의사 결정에 큰 영향을 미치는 요소이다. 그런데 공정위가 가진 문제의식은, 가맹본부가 눈앞의 가맹금은 적게 책정해놓고 막상 가맹점을 차리고 나면 필수물품 구매비용, 광고·판촉비용 등 명목으로 가맹점사업자의 예상을 뛰어넘는 많은 금액을 떼어간다는 것이었다. 공정위는 이를 해결하기 위하여 기존의 가맹거래 관행을 근본부터 바꾸기 위한 작업에 착수하였다.

---

5) JTBC, 같은 기사.

6) 조선일보, 2017년 7월 10일자 "官治 반대해온 내가 '팔 비틀기' 하겠나…대기업 스스로 변해야" 참조.

한편, 가맹사업법에 따른 규제는 매우 엄격한 데 비하여, 그 적용 범위가 지나치게 광범위하다는 지적은 꾸준히 제기되고 있다. 현행법상 가맹본부가 5개 이상의 가맹점을 두고 있거나 연 매출액이 5,000만 원[7]을 넘기만 하면 예외 없이 가맹사업법 규율 대상이 된다. 그런데 겨우 5개의 가맹점을 둔 가맹본부, 또는 매출액 5,000만 원을 갓 넘긴 가맹본부의 경우 개별 가맹점사업자와의 관계에서 거래상 우월적 지위에 있다고 보기 어려울 정도로 영세한 경우가 많다. 그러한 영세한 가맹본부들에게 대기업화된 프랜차이즈와 동일한 규제를 부과할 경우, 준법 역량이 부족한 영세한 가맹본부나 중소기업들의 법 위반 비중이 훨씬 높아질 수밖에 없다.

위와 같은 문제점이 향후 입법적으로 해결될지 여부는 별론으로 하더라도, 가맹본부들로서는 변경되는 가맹 분야 제도에 관하여 꾸준한 관심을 가지고, 종래 관행적으로 하여왔던 행위가 새로운 제도에 따라 위법으로 평가될 수 있는지를 항시 모니터링 하는 것이 바람직하다.

7) 가맹사업 시작 전 동일한 내용의 직영점 사업을 하고 있었던 경우 매출액 기준은 2억 원이다.

보복조치 금지규정 신설 등

가맹점주와 같은 경제적 약자의 권익을 두텁게 보호해 주기 위한 가맹사업법 개정안이 2017. 12. 29. 국회 본회의에서 의결되었다[8].

1 광역자치단체도 정보공개서 등록·취소 업무 수행

정보공개서 등록・취소 업무가 보다 신속하게 이루어질 수 있도록 공정위 이외에 광역자치단체도 해당 업무를 수행할 수 있도록 하였다.

2 가맹본부의 일방적 영업지역 변경행위 금지

가맹본부가 가맹점주와의 합의 없이 일방적으로 영업지역을 변경하는 행위를 새로운 위법행위로 명시하고, 그 위반행위에 대해서는 과징금 부과 등의 조치를 취할 수 있도록 했다.

3 보복조치 금지규정 신설

법 위반행위로 피해를 당한 가맹점주가 신고, 분쟁 조정신청, 서면 실태조사를 포함한 조사에

---

8) 공정위 2017. 12. 29.자 보도자료 참고.

협조했다는 이유로 가맹본부가 계약 해지 등을 통해 보복하는 행위를 새로운 위법행위로 명시했다.

4 3배소 적용대상에 '보복행위' 추가

가맹본부의 가맹점주에 대한 보복행위도 3배소[9] 적용대상으로 추가했다.

5 신고포상금 제도 도입

가맹본부의 법 위반행위를 공정위에 신고 또는 제보하고, 이를 입증할 수 있는 증거자료를 제출한 자에게는 포상금을 지급하는 제도를 신설했다.

6 알아두기

개정 가맹사업법 시행으로 정보공개서 등록 · 취소 업무를 시 · 도에서도 수행할 수 있게 됨에 따라 가맹희망자가 창업 여부를 결정하는 데 필요한 최신의 정보를 적시에 제공받을 수 있을 것으로 기대된다.

또한, 가맹본부의 보복행위도 3배소 적용대상에 추가됨으로써 보복행위가 억제됨은 물론이고, 법 위반행위에 대한 신고 · 제보도 보다 활발하게 이루어질 것으로 기대된다.

9) 기존 3배소 적용대상은 허위·과장 정보제공, 부당한 거래거절에 한하여 규정하였다.

지자체를 통한 분쟁해결 등

공정거래조정원에만 설치된 가맹사업거래분쟁조정협의회를 광역지방자치단체에도 설치할 수 있도록 하여, 지방에 소재한 가맹점주가 보다 신속하고 편리하게 피해를 구제받을 수 있도록 하기 위한 가맹사업법 개정안이 2018. 2. 28. 국회 본회의를 통과했다[10].

1 프랜차이즈 분쟁, 지자체를 통해서도 해결 가능

개정 가맹사업법은 현재 공정거래조정원에만 설치된 가맹사업거래분쟁조정협의회를 각 시·도에도 설치할 수 있도록 규정했다. 이에 따라 각 시·도는 가맹본부와 점주 간 분쟁을 조정하기 위해 9명의 조정위원으로 구성된 분쟁조정협의회를 설치할 수 있게 되며, 분쟁 당사자들은 시·도에 설치되는 분쟁조정협의회를 통해서도 공정거래조정원과 동일한 분쟁조정 서비스를 받을 수 있게 된다.

또한, 조정절차와 내용의 공정성을 확보하기 위해 시·도 분쟁조정협의회도 △ 가맹본부의 이익을 대표하는 조정위원 3명, △ 가맹점주의 이익을 대표하는 조정위원 3명, △ 공익을 대표하는 조정위원 3명씩 동수로 구성되도록 했다.

10) 공정위 2018. 2. 28.자 보도자료 참고.

2 시·도 분쟁조정협의회 작성 조정조서에도 '재판상화해' 효력 부여

분쟁조정이 성립되어 시·도 분쟁조정협의회가 작성한 조정조서에도 재판상 화해의 효력이 부여된다. 이에 따라 시·도 분쟁조정협의회를 통해 조정이 이루어진 경우에도 가맹본부가 조정 결과를 이행하지 않으면 가맹점주는 별도의 소 제기 없이 법원에 조정조서 내용대로 강제집행해 줄 것으로 청구할 수 있게 된다.

3 알아두기

개정 가맹사업법이 시행되면, 가맹점주 등 분쟁 당사자는 공정거래조정원 또는 각 시·도에 설치된 분쟁조정협의회에 조정을 신청할 수 있게 되며, 분쟁 당사자가 서로 다른 협의회에 분쟁조정을 신청하거나, 여러 협의회에 중복하여 분쟁조정을 신청한 경우에는, △ 공정거래조정원에 설치된 분쟁조정협의회, △ 가맹점주의 주된 사업장이 있는 시·도에 설치된 분쟁조정협의회, △ 가맹본부의 주된 사업장이 있는 시·도에 설치된 분쟁조정협의회 중 가맹점주가 선택한 협의회에서 조정을 담당하게 된다.

정보공개서 기재 내용 확대 등

앞서 살펴 본 가맹분야 불공정관행 근절에 대한 공정위의 강력한 의지를 표명하듯, 공정위는 지난해 7월 발표한 '가맹분야 불공정관행 근절 대책'의 실천과제 중 하나로 가맹희망자에게 필요한 정보공개를 확대로 하는 가맹사업법 시행령 개정안을 2019. 1. 1.부터 시행하는 등 가맹점주나 가맹희망자의 권익보호를 위한 제도개선과 법집행 강화에 힘쓰고 있다.

2018. 3. 26. 국무회의를 통과한 가맹사업법 시행령 개정안[11] 내용과 함께 현재 추진 중인 가맹사업법령 내용을 중심으로 프랜차이즈 가맹희망자나 가맹점주가 알아두면 좋은 Tip은 다음과 같다.

1 정보공개서 기재 내용 확대

프랜차이즈 선진국이라 불리는 미국에 비해 우리나라 가맹본부는 정보공개가 매우 부족하다. 가맹본부가 가맹점에 식자재를 공급하면서 매입단가에 마진을 붙여 가맹금을 수취하거나 마진 부가 여부・규모 등의 정보가 사전에 제공되지 않는다. 미국 FTC에서 가맹본부・계열사가 식자재 등 공급과정에서 이윤 수취 여부 및 그 내용을 공개하도록 하는 것과 대조적이다.

이처럼 가맹본부가 직접・특수관계인을 통하여 수령하는 리베이트, 특수관계인이 인테리어 시공 등 가맹사업에 참여하여 수취하는 이윤은 가맹점주의 비용부담과 밀접히 연관되나, 해당 정보가 제공되지 않는 것이 우리나라 프랜차이즈 업계의 가장 큰 문제점이었다.

11) 공정위 2018. 3. 26.자 보도자료 참고.

공정위는 가맹본부가 구입 요구 품목을 통해 수취하는 차액가맹금, 가맹본부의 특수관계인이 가맹사업에 참여하면서 취하는 경제적 이득의 내용을 정보공개서에 기재토록 하는 내용의 가맹사업법 시행령을 2019. 1. 1.부터 시행했다.

우선, 공정위는 가맹본부가 브랜드 통일성 유지와 무관한 품목까지 자신으로부터만 구입하도록 강제하면서 높은 마진을 챙기는 불합리한 관행을 해소하기 위해, △ 구입요구 품목별 차액가맹금(가맹점주가 가맹본부로부터 공급받는 상품에 대하여 가맹본부에게 지급하는 대가 중 적정한 도매가격을 넘는 대가) 수취 여부, △ 가맹점 1곳당 전년도에 가맹본부에게 지급한 차액가맹금의 평균 액수, △ 가맹점 1곳당 전년도 매출액 대비 차액가맹금의 평균 비율, △ 주요 품목별 전년도 공급 가격의 상・하한을 정보공개서에 기재하도록 했다.

다만, 정보공개서에 공급 가격의 상・하한을 기재해야 할 구체적인 품목은 추후 고시를 통해 정해질 예정인데, 공정위는 그 품목을 구입요구 품목 중 매출액 기준으로 상위 50%에 해당하는 품목으로 정할 계획이라고 한다.

다음으로, 가맹본부의 특수관계인이 가맹사업 과정에 참여하면서 취득하는 경제적 이익은 그동안 일명 '치즈통행세' 문제와 같은 가맹점의 비용 증가를 초래해 왔다는 점을 고려하여, △ 가맹사업에 참여하는 특수관계인(배우자, 계열회사 등)의 명칭, △ 특수관계인이 경제적 이익을 취하는 상품・용역의 명칭, △ 전년도에 특수관계인에게 귀속된 이익(매출액 등)의 내용도 정보공개서에 기재하도록 규정했다.

또한, 가맹본부 및 특수관계인이 가맹점주에게 물품을 공급하면서 납품업체 등으로부터 판매장려금, 리베이트 등 경제적 이익을 취득하는 경우, △ 판매장려금, 리베이트 등 경제적 이익을 제공하는 납품업체 리스트, △ 가맹본부나 특수관계인 수취한 판매장려금, 리베이트 등 경제적 이익의 내용을 정보공개서에 기재하도록 규정했다.

마지막으로, △ 가맹본부가 가맹점주의 영업지역 내에서 가맹점주가 판매하는 상품과 동일・유사한 상품을 대리점, 온라인, 홈쇼핑 등 다른 유통채널을 통해 판매하는 경우 그에 관한 내용도 정보공개서에 기재하도록 규정했다.

[정보공개서 기재사항 확대 내용]

구분	정보공개사항
1	구입요구 품목별 차액가맹금 수취 여부
2	가맹점 1곳당 전년도에 가맹본부에게 지급한 차액가맹금의 평균 액수
3	가맹점 1곳당 전년도 매출액 대비 차액가맹금의 평균 비율
4	주요 품목별 전년도 공급 가격의 상・하한
5	가맹사업에 참여하는 특수관계인(배우자, 계열회사 등)의 명칭
6	특수관계인이 경제적 이익을 취하는 상품・용역의 명칭
7	전년도에 특수관계인에게 귀속된 이익(매출액 등)
8	판매장려금, 리베이트 등 경제적 이익을 제공하는 납품업체 리스트
9	가맹본부나 특수관계인 수취한 판매장려금, 리베이트 등 경제적 이익의 내용
10	가맹본부가 가맹점주의 영업지역 내에서 가맹점주가 판매하는 상품과 동일・유사한 상품을 대리점, 온라인, 홈쇼핑 등 다른 유통채널을 통해 판매하는 경우 그에 관한 내용

2 점포환경 개선비용 지급절차 개선

기존 가맹사업법은 가맹본부가 점포환경 개선비용의 일부(점포의 이전・확장 수반: 100분의 40, 미수반: 100분의 20)를 부담하도록 하면서 지급절차를 시행령에 위임하고 있으며, 시행령은 가맹점주의 지급청구일[12])로부터 90일 이내에 가맹본부 부담액을 지급하도록 규정하고 있었다.

따라서 가맹점주가 가맹본부 또는 가맹본부가 지정한 업체를 통해 점포환경 개선을 한 경우, 가맹본부가 공사비용을 명확히 인지하고 있으므로 점포환경 개선공사 완료일을 지급청구일로 의제하고 있는바, 이를 명확히 규정할 필요가 있었다.

이번에 개정된 시행령은 가맹점이 가맹본부 또는 가맹본부가 지정한 자를 통해 점포환경 개선공사를 시행한 경우, 가맹본부에 대해 비용청구를 하지 않더라도 공사 완료일로부터 90일 이내에 점포환경 개선 공사비용을 가맹본부로부터 지급받도록 규정했다.

12) 가맹점주는 공사계약서 등 공사비용을 증명할 수 있는 서류를 갖추어 가맹본부에게 가맹본부 부담액의 지급을 청구해야 한다.

3 심야 영업 단축시간 확대 및 그 판단기준 완화

기존 시행령은 가맹점주가 오전 1시부터 6시(5시간)까지의 심야 시간대에 6개월 간 영업손실이 발생한 경우, 가맹본부에 해당 시간의 영업 단축을 요구할 수 있도록 규정하고 있었다.

하지만 영업종료 후 정리나 영업개시 전 준비를 위해 소요되는 시간을 감안할 때 실제 단축시간은 5시간보다 짧고, 영업손실 발생이 명백히 예견되는 경우에도 6개월을 기다려야 해 가맹점주에게 부담으로 작용하고 있었다.

이번에 개정된 시행령에서는 영업손실이 발생한 가맹점에 대해 영업단축이 허용되는 심야 시간대로 기존의 '1시~6시' 시간대에 '0시~6시' 시간대로 추가되었고, 영업손실이 발생했는지 여부를 판단하는 기준으로 삼는 기간이 이전의 6개월에서 3개월로 단축되었다.

4 알아두기

가맹점주가 계약기간 중 점포를 이전하려면 반드시 가맹본부의 승인을 얻도록 하는 내용이 계약서에 포함되는 경우가 종종 있다.

이는 가맹사업법상 가맹점주의 준수사항 중 "가맹본부의 동의를 얻지 않은 경우 사업장의 위치 변경 금지"를 반영한 것인데, 점포 이전으로 타 가맹점의 영업지역을 침해하거나 브랜드 통일성을 훼손시키는 경우를 방지하기 위한 것일 뿐, 가맹본부에게 점포 이전 승인에 대한 재량권을 부여한 것으로 해석되어서는 아니된다는 것이 공정위의 입장이다.

그러나, 현실에서는 가맹점주가 임대료 상승, 건물주의 갱신거절 등으로 점포를 불가피하게 이전해야 하는 경우, 가맹본부는 위 조항을 빌미로 점포 이전 승인을 거부하거나, 영업지역 축소 등을 승인조건으로 내세우는 등 가맹점주들이 피해를 입는 경우가 발생한다.

이처럼 △ 가맹계약 기간 중 불가피하게 점포 이전이 필요한 경우가 발생할 수 있으므로, 예비창업자는 계약 체결 전 계약 내용을 꼼꼼히 살펴 자신의 점포 이전에 대한 권리 등이 포함되도록 요구해야 한다.

그러므로 가맹희망자는 가맹계약 체결 시 계약 내용에 가맹점주의 점포 이전에 대한 권리를 포함하도록 하여 가맹본부의 자의적인 승인 거부에 따른 피해와 불필요한 분쟁을 방지할 필요가 있다.

일반적으로 가맹계약은 가맹본부가 미리 마련한 계약서에 가맹희망자가 서명하는 방식으로 체결되는데, 가맹희망자는 계약체결 전 계약서에 점포 이전에 대한 가맹점주의 권리가 보장되어 있는지 확인하고, 누락된 경우 이를 추가하도록 요구해야 한다.

한편, △ 가맹희망자는 가맹계약 체결 여부를 결정하기 이전에 정보공개서, 가맹계약서, 예상 매출액 산정서 등을 꼼꼼히 읽어봐야 하고, △ 계약 체결과정에서 지급하는 초기 가맹금은 가맹본부에 직접 지급하지 말고, 은행 등 금융기관에 예치하면 안전하다.

[가맹희망자가 알아두면 좋은 Tip 3가지]

가맹계약 기간 중 불가피하게 점포이전이 필요한 경우가 발생할 수 있으므로, 계약 체결 전 계약 내용을 꼼꼼히 살펴 점포이전에 대한 권리 등이 포함되도록 요구하세요

가맹계약 체결 여부를 결정하기 이전에 정보공개서, 가맹계약서, 예상 매출액 산정서 등을 꼼꼼히 읽어보세요

계약 체결과정에서 지급하는 초기 가맹금은 가맹본부에 직접 지급하지 말고, 은행 등 금융기관에 예치하세요

한편, 가맹사업법에 따라 가맹점주는 △ 10년의 사업기간을 보장(계약갱신요구권) 받고, △ 가맹본부 또는 가맹본부가 지정한 자를 통해 점포 환경 개선 공사를 시행한 경우, 가맹본부에 대해 비용 청구를 하지 않더라도 공사 완료일로부터 90일 이내에 점포 환경 개선 공사 비용을 가맹본부로부터 지급받을 수 있다.

또한, △ 가맹본부가 가맹점주와의 합의 없이 행하는 가맹점 영업지역 변경 행위나 피해를 당한 가맹점주가 공정위에 신고, 분쟁조정 신청, 공정위의 조사에 협조했다는 이유로 계약 해지 등을 통해 보복하는 가맹본부의 행위를 한 경우 피해를 당한 가맹점주는 손해액의 3배까지 배상 받을 수 있다.

뿐만 아니라, △ 공정위가 보급한 표준계약서에 따르면, 최저임금 상승 등으로 인해 가맹점주의 부담이 증가되는 경우 가맹점주는 가맹본부에게 가맹금 조정을 요청할 수 있도록 하면서, 요청을 받은 가맹본부는 요청일로부터 10일 이내에 협의를 개시해야 한다고 규정하고 있다.

[가맹점주가 알아두면 좋은 Tip 4가지]

10년의 사업기간을 보장받으세요 (계약갱신 요구권)

점포 환경 개선 공사를 시행한 경우, 공사완료일로부터 90일 이내에 점포 환경 개선 비용을 가맹본부로부터 받으세요

가맹본부로부터 공정위 신고, 조정신청, 조사 협조 등을 이유로 보복당하여 피해를 입은 경우 손해액의 3배까지 배상받으세요

최저 임금 상승 등으로 가맹금이 부담되는 경우 가맹본부에 가맹금 조정 요청을 해보세요

이번 가맹사업법 시행령 개정안이 본격 시행되면 정보공개서 기재사항이 확대되어 프랜차이즈를 하려는 예비창업자가 충분한 정보를 토대로 창업 여부를 합리적으로 결정하는 데 큰 도움이 될 것으로 기대된다. 특히, 가맹본부로부터 구입요구 품목을 공급받는 과정에서 소요되는 비용 규모가 보다 투명하게 제공되어 향후 가맹본부와 가맹점주 간 분쟁예방에도 기여할 것으로 생각된다.

또한, 점포환경 개선 비용 지급절차를 개선함에 따라 가맹점주가 가맹본부에 대해 공사대금 지급을 청구할 수 있다는 점을 알지 못해 피해를 보거나, 가맹본부의 횡포를 우려해 청구자체를 포기하는 문제가 해소될 것으로 예상된다.

한편, 공정위는 개정된 시행령을 반영하여 '가맹사업거래 정보공개서 표준양식에 관한 고시'를 개정할 계획이라고 하며, 아울러 쓰레기통, 세제 등과 같이 브랜드 통일성과 무관한 단순 공산품까지 구입을 강제하여 가맹점주의 비용 부담을 높이는 행위에 대해서 감시할 계획이라고 밝혔다.

신고포상금 세부기준 마련 등

공정위는 2018. 4. 17. 개정 가맹사업법(2018. 1. 16. 공포) 시행을 위해 필요한 신고포상금 세부기준 등을 담은 가맹사업법 시행령 개정안을 마련하였고[13], 2018. 7. 3. 국무회의를 통과했다[14].

1 신고포상금 세부기준 마련

2018. 1. 16. 공포된 개정 가맹사업법(2018. 7. 17. 시행)은 가맹거래법 위반 행위를 신고 또는 제보하고 이를 입증할 수 있는 증거자료를 제출한 자에게 포상금을 지급할 수 있도록 하면서, 지급대상 · 지급기한 등 세부기준은 시행령에서 정하도록 위임하고 있는데, 이번 시행령 개정안은 그 세부기준을 마련한 것으로, 시행령 개정안은 시정조치 대상이 되는 법 위반행위(부당한 점포환경 개선 강요, 부당한 영업시간 구속, 부당한 영업지역 침해 등 18개 법 위반행위)를 신고 또는 제보하고 이를 입증할 수 있는 증거자료를 최초로 제출한 자를 포상금 지급 대상으로 하되, 위반 행위를 한 가맹본부 및 그 위반행위에 관여한 현직 임직원은 포상금 지급대상에서 제외했다.

또한, 신고 또는 제보된 행위를 공정위가 법 위반행위로 의결한 날로부터 3개월 이내에 포상금이 지급되도록 지급기한을 규정했다.

신고 포상금 지급액수 산정에 관한 구체적인 기준 등 포상금 지급에 필요한 세부사항은 공정

13) 공정위 2018. 4. 17.자 보도자료 참고.
14) 공정위 2018. 7. 3.자 보도참고자료 참고.

위가 정하여 고시하도록 규정했다.

2 과태료 부과기준 정비

가맹사업법 과태료 부과대상 행위이면서 시행령에 그 구체적인 기준이 설정되어 있지 않은 △ 현장조사 거부 · 기피, △ 공정위 출석 요구에 대한 불응, △ 서면 실태조사를 포함한 공정위 조사과정에서 자료 미제출 · 허위자료 제출, △ 심판정 질서 유지 의무 위반, △ 공정위의 서면 실태조사 과정에서 가맹점주의 자료 제출을 방해하는 가맹본부의 행위에 대해 최근 3년 동안 과태료 부과처분을 받은 횟수를 기준으로 과태료를 부과하도록 규정했다.

3 알아두기

이번 시행령 개정을 통해 신고포상금 제도가 본격적으로 시행되면, 사회적 감시망의 확대를 통해 법 위반 행위의 적발이 쉬워지고, 가맹본부들이 법 위반행위를 스스로 자제토록 하는 효과가 있을 것으로 기대된다.

또한 일부 미비된 과태료의 부과기준을 시행령에 구체적으로 설정하여, 수범자의 예측 가능성이 높아지고 법체계의 통일성이 제고될 것으로 기대된다.

개정 시행령은 개정 가맹사업법 시행에 맞추어 신고 포상금 세부기준은 2018. 7. 17.부터, 과태료 부과기준은 2018. 10. 18.부터 시행했다.

서울·인천·경기와 가맹분야 협업

공정위는 가맹사업법 개정에 따라 2019년부터 공정위와 함께 정보공개서 등록 · 관리 업무를 수행할 시 · 도로 서울시 · 인천시 · 경기도를 명시하는 등의 내용을 담은 가맹사업법 시행령 개정안을 마련했다[15].

1 정보공개서 등록·관리 업무 수행 지자체 명시

가맹사업법 개정으로 그간 공정위가 전담하던 정보공개서 등록 · 관리 업무를 2019. 1. 1.부터 광역지자체도 수행할 수 있게 되었다.

이에 따라 시행령 개정안에서는 정보공개서 등록 · 관리 업무를 수행할 시 · 도로 우선 서울시 · 인천시 · 경기도[16]를 명시하고, 이들이 관할 지역에 소재한 가맹본부의 정보공개서를 등록 · 관리하도록 규정했다.

한편, 앞으로 위 3곳 이외의 시 · 도가 정보공개서 등록 · 관리 업무에 참여할 경우, 그들 시 · 도는 공정위가 고시로 지정할 수 있도록 했다.

---

15) 공정위 2018. 9. 7.자 보도자료 참고.

16) 이들 3개 시·도의 경우 별도의 전담조직을 두고 가맹분야 실태조사·분쟁조정을 진행하는 등 업무 여건이 성숙되어 있으며, 그 관할 지역 내에 전체 가맹본부의 68.2%가 소재하고 있다는 점을 고려했다. 타 시·도 및 해외 소재 가맹본부는 현행과 같이 공정위가 공정거래조정원에 업무를 위탁하여 수행한다.

더불어, 정보공개서 등록 · 관리 업무를 수행하는 각 지자체가 동일한 원칙 · 절차에 따라 일관되게 업무를 처리할 수 있도록 공정위가 통일된 사무처리지침[17]을 마련해 각 시 · 도에 제공할 수 있는 근거를 규정했다.

2 정보공개서 변경 등록 · 신고 관련 과태료 부과 권한 위임

정보공개서 변경 등록 · 신고 의무를 위반한 가맹본부는 과태료가 부과되는데, 현행 규정상 그 부과권자는 공정위로 한정되어 있었다. 이번 시행령 개정안은 시 · 도에 정보공개서를 등록한 가맹본부가 변경 등록 · 신고 의무를 위반한 경우 시 · 도지사가 직접 과태료를 부과 · 징수하도록 했다.

3 시 · 도 분쟁조정협의회 세부 운영 규정 마련

가맹사업법 개정(2018. 3. 27.)에 따라, 공정거래조정원에만 설치되어 있는 분쟁조정협의회를 2019. 1. 1.부터 각 시 · 도도 설치하여 조정 업무에 참여할 수 있는데, 이 경우 같은 사안에 대해 복수의 협의회에 조정 신청 중복 접수될 수 있다[18].

이 때 각 협의회가 조정 신청의 중복 접수 여부를 인지하지 못할 경우 불필요한 조정 절차를 진행하게 될 우려가 있으므로, 개정안에서는 이를 예방하기 위해 분쟁 당사자가 협의회에 제출하는 조정신청서에 '다른 협의회에 조정을 신청한 사실이 있는 경우 그 내역'을 기재하도록 했다.

아울러, 시 · 도에서 설치된 분쟁조정협의회가 조정을 종료한 경우 그 결과를 공정위 및 해당 시 · 도지사에게 보고하도록 했다.

4 알아두기

정보공개서 등록 업무를 서울시 · 인천시 · 경기도에서도 수행하게 됨에 따라 정보공개서 등록 심사가 신속화되어 가맹희망자가 창업 여부를 결정하는 데 필요한 정보를 제때 제공받을 수 있

17) 주요 내용으로는 정보공개서 기재사항별 세부 심사기준, 등록 · 심사를 위해 가맹본부가 제출해야 할 증빙자료의 범위 등이다.

18) 이 경우에는 가맹점주가 선택한 협의회가 조정을 진행하게 된다.

을 것으로 기대된다.

아울러, 시 · 도 분쟁조정협의회 운영을 위한 세부 사항이 명확히 마련됨에 따라, 2019년부터 가맹점주들이 가까운 시 · 도협의회의 분쟁 조정을 통해 보다 신속하고 편리하게 피해를 구제받게 될 것으로 보인다.

오너리스크로 인한 가맹점주의 손해배상 청구권 강화

가맹본부나 그 임원이 위법행위나 가맹사업의 명성·신용을 훼손하는 등 사회상규에 반하는 행위를 하여 가맹점주에게 손해(매출 감소 등)가 발생하면, 가맹본부 측에 그 배상책임이 있다는 점을 계약서에 명시하도록 가맹사업법이 개정(2019. 1. 1. 시행)되었다[19].

그 동안 일부 가맹본부의 임원의 위법·부도덕한 행위로 인해 해당 브랜드의 이미지가 실추되어 가맹점주가 매출 급감 등의 피해를 입는 사례가 연이어 발생하였으나, 점주들이 이에 대한 가맹본부 측의 책임을 묻기 어려운 문제가 있었다.

이에 개정 가맹사업법은 가맹본부나 그 임원이 위법행위나 가맹사업의 명성·신용을 훼손하는 등 사회상규에 반하는 행위로 점주에게 손해를 입히면, 가맹본부 측이 그 배상 책임을 진다는 내용을 계약서에 기재토록 의무화했다.

개정 가맹사업법의 시행으로, 가맹계약서에 가맹본부·임원의 위법·부도덕한 행위로 인한 손해에 대해 가맹본부 측이 책임을 진다는 내용이 명기되므로, 가맹점주들에게는 가맹본부나 그 임원의 일탈행위로 인해 발생한 손해에 대해 가맹본부 측으로부터 배상을 받을 수 있다는 점을 보다 확실히 해 주면서 가맹본부 측에게는 관련 일탈행위를 하지 않도록 억제케 하는 효과도 있을 것으로 기대된다.

---

19) 공정위 2018. 9. 20.자 보도참고자료 참고.

참고로, 가맹사업법 시행 이후 최초로 체결되거나 갱신되는 가맹계약부터 개정법의 내용을 적용받게 된다.

분쟁조정제도 정비 등

1 분쟁조정제도 정비

기존에는 조사 개시 제한 기간(거래 종료 후 3년) 내에 신고가 이루어진 경우에만 그 기간 이후에도 공정위가 조사를 개시할 수 있도록 규정하고 있어, 분쟁 조정을 신청했으나 조정이 성립되지 않고 3년 기간이 경과된 경우에는 공정위가 조사를 개시할 수 없게 되므로 신고 건에 비해 피해자 권리 구제가 어려워질 우려가 있었다.

이에 개정 가맹사업법[20]은 3년 기간 내에 분쟁 조정이 신청된 경우에도 신고된 경우와 동일하게 공정위가 조사를 개시할 수 있도록 규정했다.

또한, 기존에는 분쟁 조정의 처리 유형을 거부, 중지 또는 종료로 구분하고 있는데 그 사유가 중복되는 등의 문제가 있어, 개정 가맹사업법은 분쟁 조정의 처리 유형을 공정거래법, 하도급법 등 다른 법률과 동일하게 각하, 종료로 구분하고 중복되는 사유를 정비했다.

2 분쟁조정의 실효성 제고

기존에는 가맹본부와 점주 간의 분쟁조정에서 합의가 이루어지기만 하면 시정조치가 면제되

20) 공정위 2018. 12. 10. 보도자료 참고.

기 때문에, 가맹본부가 합의사항을 이행하지 않더라도 이후 신고된 사건에 대해 공정위가 시정조치를 부과할 수 없었으나, 이제는 분쟁당사자가 합의사항 이행결과를 공정위에 제출하도록 하고 이행이 완료된 경우에만 공정위 시정조치가 면제되도록 했다.

3 처분시효 신설

기존에는 조사 개시 제한 기간만 규정하고 있고, 시정조치나 과징금 등에 대한 처분시효가 없어 피조사인이 장기간 법적 불확실성에 노출되고, 피해자의 신속한 권리구제도 어려워질 우려가 있었다.

이에 공정거래법, 하도급법 등 다른 법률과 같이 처분시효를 신설하여, 조사개시일 또는 신고일로부터 3년까지만 공정위가 처분을 부과할 수 있도록 했다.

정보공개서 표준양식 고시 개정안

공정위는 가맹본부가 가맹점주에게 판매가격을 미리 알려야 하는 주요 품목의 범위와 시행령 개정에 따른 기재사항 양식을 반영한 '가맹사업거래 정보공개서 표준양식에 관한 고시' 개정안을 마련했다[21].

개정된 표준양식 고시에서는 가맹본부가 정보공개서를 신규·변경 등록할 때 참고할 수 있도록 신설 기재사항 작성방법과 기재 양식을 포함했다.

[정보공개서 표준양식 고시 개정안 주요 내용]

구분	개정안 내용
시행령 개정 반영	① 주요 품목의 범위에 대한 정의
	② 차액가맹금 규모에 대한 내용 기재 양식
	③ 차액가맹금 수취 여부 및 주요 품목의 공급가격 기재 양식
	④ 특수관계인의 경제적 이익 기재 양식
	⑤ 판매장려금 관련 사항 기재 양식
	⑥ 다른 유통채널을 통한 공급사항 기재 양식
기타 개정 반영	⑦ 가맹사업 업종 분류의 세분화
	⑧ 민법개정에 따른 용어 정비
	⑨ 기타 항목에 대한 기재방법 안내 보완

21) 공정위 2018. 12. 31.자 보도참고자료 참고.

1 공개 대상 가맹점주 구매 가격 관련 주요 품목의 범위

가맹사업을 선택하려는 창업 희망자에게 의미있는 정보를 제공하기 위해서는 가맹점 운영 과정에서 거래 비중이 높은 품목에 대한 구매 가격 정보가 필요하다.

따라서, 직전연도 공급 가격 공개 대상이 되는 주요 품목의 범위를 지난 해에 전체 가맹점사업자의 품목별 구매 대금 합을 기준으로 순위를 정하여 상위 50%에 해당하는 품목으로 정했다.

예를 들어, A가맹본부가 가맹점사업자에게 100개의 품목을 공급(필수, 권장)하는 경우 이 중 50개 품목에 대한 지난 해 공급가격의 상・하한을 기재하되, 그 50개는 전체 가맹점사업자가 가맹본부 또는 가맹본부가 지정한 자로부터 구매한 구입가격의 합이 높은 순으로 정한다.

이를 통해, 가맹희망자는 자신이 구매해야 할 품목에 대한 가격 정보를 확인하여 추후 운영과정에서의 지출 규모를 예측할 수 있고, 가맹본부를 선택할 때 같은 업종의 다른 가맹본부와 비교도 가능할 것이다.

2 차액 가맹금 규모에 대한 내용 기재

가맹희망자가 가맹점 운영 과정에서 부담하게 될 차액 가맹금을 모르고 계약을 체결하는 문제를 해결하고자 그 규모에 대한 내용을 정보공개서에 기재하도록 함에 따라, 정보공개서 표준양식에 가맹점당 평균 차액 가맹금 지급 규모와 가맹점의 총 매출액에서 차지하는 차액 가맹금의 비율을 기재하도록 했다.

3 차액 가맹금 수취 여부 및 주요 품목 공급 가격 기재

가맹희망자가 계약 체결 전 품목별 차액 가맹금의 존재와 주요 품목에 대한 구매 가격 정보를 충분히 알 수 있게 관련 내용을 정보공개서에 기재하도록 했다. 이에 위해 전체 공급 품목별 차액 가맹금 부가 여부를 표시하고, 주요 품목에 대한 지난 해 공급 가격 상・하한 정보를 기재토록 했다.

4 특수관계인의 경제적 이익 기재

가맹본부의 특수관계인이 가맹사업에 참여하여 필수 품목 등의 공급과정, 운송 과정 등에서 경제적 이익을 얻는 경우 이는 가맹점주 비용 부담과 밀접히 관련되므로, 그 내용을 공개하도록 했다. 이를 위해 정보공개서 표준양식에는 특수관계인과 가맹본부와의 관계, 관련 상품・용역, 경제적 이익의 내용 등을 기재하도록 했다.

5 판매장려금 관련 사항 기재

가맹본부 또는 특수관계인이 공급업체로부터 판매장려금을 수령 시 필수 품목의 가격에 영향을 미치게 되므로 관련 정보를 가맹희망자에게 제공할 필요가 있다. 이를 위해 가맹본부나 특수관계인이 직전 사업연도에 납품업체 등으로부터 지급받은 대가 관련 내용을 기재하도록 했다.

6 다른 유통채널을 공급사항 기재

가맹본부가 가맹점과 경쟁하는 동일・유사한 상품이나 용역을 대리점 또는 온라인 등 다른 유통 채널을 통해 공급하는 경우에는 소속 가맹점의 매출 등에 상당한 영향을 미치게 된다. 이를 위해 가맹점의 영업지역 내 다른 사업자에게 동일・유사한 상품・용역의 공급 여부, 온라인 등 비대면 방식의 공급 여부를 기재하도록 했다.

7 알아두기

표준양식 고시에 따라 가맹본부는 이를 참고하여 정보 공개 대상으로 새롭게 도입된 내용을 정보공개서 작성 과정에서 충실히 반영해야 할 것이고, 이를 통해 구입 요구 품목의 공급 과정이 보다 투명하게 되어 가맹본부와 가맹점주 사이에 불필요한 분쟁이 감소할 것으로 예상되며, 가맹희망자에게 실질적으로 필요한 정보가 제공됨에 따라 창업을 합리적으로 검토하여 신중하게 결정할 수 있을 것으로 기대된다.

표준가맹계약서 개정

공정위는 편의점 자율규약의 실효성 확보 및 그간 법령 개정사항을 반영한 외식・도소매・교육서비스・편의점 등 4개 업종의 표준가맹계약서를 개정했다[22].

1 편의점주의 위약금 감경·면제 사유 신설

자율규약의 위약금 부담없는 희망 폐업 가능 취지를 고려하여, 가맹점주의 책임없는 사유를 경쟁 브랜드의 근접 출점, 재건축・재개발 등으로 상권이 급격히 악화된 경우, 질병・자연재해 등으로 인해 더 이상 가맹점 운영이 불가한 경우 등으로 구체화했다.

영업 위약금 감경 기준은 가맹점주의 책임없는 사유로 일정 기간 이상 상당한 정도의 영업 수익률 악화가 지속되어 폐업하고자 하는 경우로 명시하고, 면제 기준은 가맹점주의 책임없는 사유로 인해 일정 기간[23] 이상 영업 적자가 누적되는 경우로 규정했다.

가맹점주의 책임없는 사유로 영업 적자 등 발생 시 원칙적으로 감면 대상이므로, 그럼에도 불구하고 위약금을 청구하고자 하는 가맹본부가 '가맹점주의 귀책사유'를 입증하도록 했다.

그간 계약 기간 중 중도 해지 시 월 평균 이익 배분금 기준으로 본부에게 위약금을 지불해야

22) 공정위 2019. 1. 24.자 보도자료 참고.
23) 면제·감경 규정의 '일정 기간'의 범위는 가맹본부와 가맹점주가 협의하여 결정하도록 했다.

했으나, 이제 편의점주의 책임없는 사유로 희망 폐업 시 계약서에 근거하여 위약금 감경이나 면제를 받을 수 있게 되었다.

2 편의점주의 영업시간 단축 허용 요건 완화

가맹점주의 인간다운 삶과 휴식권 보장 차원에서 가맹점주가 명절 당일・직계 가족의 경조사 영업 단축을 요청하면 가맹본부는 특별한 사정이 없는 한 이를 허용하도록 명시했다.

이를 위해 가맹본부에 휴무 신청 사전 공지, 신청 접수 후 일괄 승인 등 의견 수렴 방식과 절차[24]를 구체화했다.

이는 점주 개별 신청 후 본부의 별도 승인 하에 휴무하는 관행에 비해 가맹점주가 휴무 의사를 보가 자유롭게 표시할 수 있도록 한 것이다.

한편, 영업시간은 가맹본부와 가맹점주가 협의하여 결정하도록 하고, 시행령 개정사항을 반영했다.

기존 영업 손실에 따른 영업시간 단축 요건인 심야 시간대의 범위를 1시~6시에서 0시~6시로 변경하고, 영업 손실 발생 기간을 6개월에서 3개월로 단축했다.

3 오너리스크에 따른 가맹본부의 배상 책임 명시

임원의 위법행위에 등에 대한 가맹본부의 손해 배상 책임이 있음을 명확히 하기 위해 오너리스크 배상 책임 계약서 기재를 의무화하는 가맹사업법 개정 사항 내용을 반영했다.

전 업종 표준계약서에 일반적 배상 책임 외에 오너리스크로 인한 손해 배상 청구가 가능하다는 내용의 조항을 추가했다.

앞으로 가맹본부나 임원의 위법 행위 등으로 인해 이미지 실추, 매출액 급감 시 가맹점주는 계약서 기재사항을 근거로 적극적인 권리행사를 할 수 있으며, 가맹본부의 일탈행위도 방지될 것으로 기대된다.

---

24) 가맹본부는 명절 6주 전 POS 등을 통해 휴무신청 관련 사항을 일괄 공지하고 휴무 의사가 있는 가맹점주 신청 시, 가맹본부는 명절 당일로부터 4주 전까지 승인 여부를 통지하도록 명시하였다.

4 영업지역 변경 요건 강화

가맹점주의 영업지역 보호를 위해 가맹본부는 계약 기간 중 또는 계약 갱신 과정에서 가맹점주의 영업지역을 축소할 수 없으며, 계약 갱신 과정에서 시행령이 규정하는 구체적인 사유[25]가 발생한 경우에 한하여 가맹본부와 가맹점사업자 간 합의[26] 시 기존 영업지역을 변경할 수 있도록 관련 조항을 개정했다.

계약을 체결할 때 약속한 영업지역이 가맹점주의 매출에 중대한 영향을 미치므로, 계약 기간 중에는 영업지역을 엄격히 보호하고 계약을 갱신할 때에서도 일정 요건 충족 시에 한하여 영업지역 변경이 가능하도록 하기 위함이다.

5 보복조치 및 불이익 제공행위 금지 규정 신설

기존에는 가맹본부의 준수 사항에 보복목적의 관리 · 감독 금지만 규정되었으나, 다양한 보복행위 유형을 포괄할 수 있도록 보호범위를 확대했다.

가맹사업법상 보복조치 외에도 보복목적의 근접 출점, 출혈 판촉행사, 사업자단체 활동 등을 이유로 한 불이익 제공행위를 금지하도록 규정했다.

이는 보복조치 금지조항 신설 및 가맹본부의 보복목적의 불이익 제공행위에 대한 시정조치 사례 등을 반영한 것으로, 가맹점주의 정당한 권리 구제 수단을 보호하기 위함이다.

6 알아두기

표준가맹계약서 개정 내용이 개별 가맹계약에 반영될 경우, 가맹점사업자의 오너리스크를 줄이고, 영업지역 보호 등 가맹점주의 권익 보호에 도움이 될 것으로 보이며, 특히 편의점 표준계약서 개정을 통해 편의점주의 희망 폐업 시 위약금 감면 부담을 줄여주고 명절 · 경조사 시 휴무 신청도 자유롭게 이루어질 것으로 기대된다.

---

25) 가맹사업법 시행령 제13조의4(계약 갱신 시 영업지역 변경사유): 재건축, 재개발, 신도시 건설 등 상권의 급격한 변화 발생 시, 상권의 거주인구, 유동인구가 현저히 변동 시, 소비자의 기호변화 등, 기타 이에 준하는 경우.

26) 가맹사업법 제12조의4 2항: 가맹본부가 가맹계약 갱신과정에서 상권의 급격한 변화 등 대통령령으로 정하는 사유가 발생하여 기존 영업지역을 변경하기 위해서는 가맹점사업자와 합의해야 한다.

10년 이상 장기 점포의 안정적 계약 갱신을 위한 가이드라인

공정위는 2019. 5. 28. 가맹분야 '장기 점포의 인정적 계약 갱신을 위한 지침(가이드라인)'을 마련·발표했다.

현행 가맹사업법은 가맹점주의 계약갱신요구권을 10년간 인정하고 이를 위한 구체적인 갱신 절차를 규정하고 있으나, 해당 기간 이후의 계약 갱신 기준 및 절차는 규정하고 있지 않다.

한편, 10년 계약갱신요구권과 별도로 가맹본부의 계약 갱신 거절에 부당성이 인정되면 불공정거래 행위로 제재의 대상이 되나, 이미 계약 갱신이 거절된 이후 부당성 여부를 개별적으로 판단하는 데 시간이 소요되어 점주의 실질적 피해 구제에 한계가 있었다.

장기점포는 오랜 기간 동안 상권 개척·고객 확보를 통해 브랜드의 발전에 기여해 온 측면이 있은 만큼, 사업 파트너로서 윈-윈 관계를 정립하기 위해 특별한 사유가 없는 한 계약을 갱신하도록 하고, 갱신 기준과 절차를 투명화하여 가맹점주가 가맹본부를 신뢰하고 안정적으로 경영 활동에 전념할 수 있는 여건을 마련하고자 했다.

1 계약 갱신 기준

가맹본부가 장기점포 운영자와 계약 갱신을 원칙적으로 허용하되, 다음과 같은 특별한 사유가 있는 경우에만 계약 갱신을 거절할 수 있도록 규정했다.

우선, 영업방침 미준수, 관련 법령 위반 등 가맹사업법 제13조 제1항 단서의 계약 갱신거절

가능 사유에 해당하는 경우에는 갱신거절이 가능하다. 해당 규정에 따르면 10년 이내에 가맹점주가 계약 갱신을 요청하더라도 가맹금 미지급, 관련 법령 위배 등의 '정당한 사유'가 있어도 가맹본부가 계약 갱신을 거절할 수 있는데. 장기 점포 운영자도 이에 준하는 사유가 있으면 갱신 거절이 가능하도록 한 것이다.

다음으로, 가맹본부가 사전에 통지한 평가 방식 등에 따라 가맹점에 대한 평가를 실시한 결과, 일정 기준(예: 2년 연속 하위 10%)에 미달해도 갱신 거절이 가능하다. 이는 가맹본부가 자신의 경영상 판단에 따라 갱신을 거절할 수 있도록 허용하면서도, 객관적이고 투명한 기준에 따라 갱신 여부를 판단하도록 한 것이다.

2 평가 시스템 도입

가맹본부가 경영상 판단에 따라 계약 갱신 여부를 결정할 때 사전에 공개된 평가 시스템을 마련하도록 규정했다. 평가 지표・평가 방식 등은 가맹본부가 자율적으로 마련하여 운용할 수 있도록 하되, 투명성・수용성・피드백 절차 등 평가 시스템이 포함해야 할 요소를 규정했다.

3 부당한 계약 갱신 거절 금지

계약 갱신 거절의 특별한 사유가 있어도 다음과 같은 사유로 계약 갱신을 거절할 때는 가맹사업법상 금지되는 부당한 계약 갱신 거절에 해당될 수 있다는 점을 명시했다.

첫째, 가맹본부의 권유 또는 요구에 따라 장기 점포 운영자가 점포 환경 개선을 실시한 경우, 투자금 회수에 충분한 기간이 경과되지 않았음에도 가맹본부가 계약 갱신을 거절하는 경우이다.

둘째, 장기 점포 운영자가 관련 법령에 의해 허용되는 행위를 했다는 이유로 가맹본부가 계약 갱신을 거절하는 경우이다. 예를 들어, 가맹점 단체 구성・가입・활동 등을 이유로 계약 갱신을 거절한 경우, 부당한 점포 환경 개선 강요, 부당한 영업시간 구속, 부당한 영업지역 침해 등에 불응하거나 이의를 제기했다는 이유로 계약 갱신을 거절한 경우, 분쟁조정 신청, 서면 실태조사에 대한 협조, 신고 및 조사에 대한 협조를 했다는 이유로 계약 갱신을 거절하는 경우이다.

4 계약 갱신 절차

계약 종료를 앞둔 장기 점포 운영자가 계약 갱신 여부를 사전에 예측하고 갱신 과정에서 본부와 점주가 충분한 의사소통 과정을 거칠 수 있도록 갱신 절차를 각 단계별로 구체화했다.

① 계약 종료 180일~150일 전에 가맹본부가 계약 갱신 여부를 통지한다. 계약 갱신 가능 여부를 본부가 먼저 통지하지 않는 경우 점주는 계약이 자동 갱신될 것이라는 신뢰를 갖게 되어, 향후 분쟁으로 이어지게 되므로 본부가 점주의 계약 갱신 가능 여부를 먼저 통지하도록 한 것이다.

② 점주는 30일 내에 이의 제기 또는 유예 기간을 신청하고, 본부는 30일 내에 검토 결과와 그 사유를 통지한다. 상권의 급격한 변화 등 부득이한 사유로 평가 기준에 미달한 경우 유예 기간을 재기할 수 있도록 한 것이다.

③ 위의 절차에도 불구하고 갱신 거절을 통지받은 점주는 갱신 거절의 부당함을 30일 내에 계약 갱신을 재요청하고, 본부는 30일 내에 검토 결과와 사유를 통지하도록 하였다. 분쟁 조정 신청, 법 위반 신고를 통해 사후적으로 분쟁을 해결하기보다는 계약 기간 만료 전 가맹본부와 점주가 협의를 통해 분쟁을 사전에 예방하도록 한 것이다.

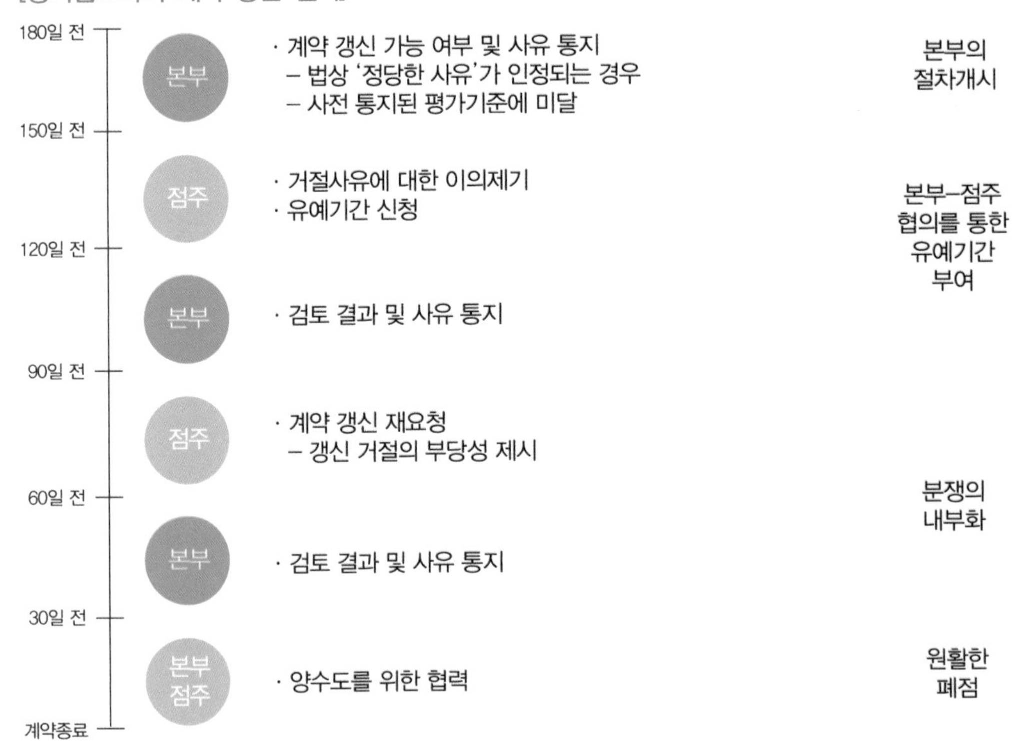

5 계약 종료 후 조치

위 절차에도 불구하고 갱신이 거절되면 점주의 피해를 최소화하기 위해 가맹본부는 장기 점포 운영자가 점포를 원활히 양도할 수 있도록 협력해야 한다는 점을 명시했다.

즉시해지 사유 정비 등

1 가맹점 창업 정보의 품질 제고

가맹본부는 창업을 희망하는 점주와 가맹계약을 체결하기 전에 가맹점 · 직영점 수, 3년간 개 · 폐점 현황 등 시행령이 정하는 사항을 기재한 정보공개서를 제공해야 한다. 한편, 가맹본부 중 중소기업이 아니거나 가맹점 수 100개 이상인 경우에는 예상 매출액 산정서를 제공해야 하며, 광역지자체 소재 가맹점이 5개 이상이면 인근 5개 점포의 매출액 중 차상위 · 차하위 매출액을 예상 매출액의 상 · 하한으로 제공하고 있다.

다만 가맹본부가 정보공개서 및 예상 매출액 산정서를 통해 제공하는 정보는 점주의 합리적인 창업결정에 미흡한 측면이 있다.

우선, 가맹본부의 건전성, 해당 브랜드의 시장 평가, 가맹점의 안정적 운영 여부를 확인하기 위해 평균 가맹점 운영 기간 정보가 필요하나, 정보공개서상 출 · 폐점 현황만이 제공되고 있다.

다음으로, 상권 변화 등으로 인한 매출 부진을 고려하여 가맹희망자는 가맹본부의 안정적 점포 운영을 위한 지원 사항을 확인할 필요가 있으나, 정보공개서상 해당 정보가 기재되지 않고 있다.

마지막으로, 점포 예정지 인근에 소재한 경쟁 브랜드 가맹점의 분포는 매출액에 큰 영향을 미치나, 예상 매출액 산정서에 기재된 인근 가맹점 매출액은 이를 반영하지 못하는 한계가 있다.

이에 개정안은 직전 사업연도 말 기준 평균 가맹점 운영기간, 가맹본부가 가맹점의 안정적 점포 운영을 위한 지원을 제공하는 경우 지원 조건 및 금액을 정보공개서 기재사항으로 추가하고, 가맹점 영업지역 내에 소재하는 경쟁 브랜드 가맹점의 수 및 위치를 예상 수익 상황 근거자료로 추가했다.

2 가맹 계약 즉시 해지 사유 정비

가맹본부가 가맹 계약을 해지하기 위해서는 점주에게 시정 기회를 부여하는 것이 원칙이나, 시행령이 정하는 사유[27]가 있을 경우에는 시정 기회 부여 없이 즉시 해지가 가능하다.

다만 시행령상 즉시 해지 사유 중 다소 추상적이고 불명확한 사유가 있어 예를 들어, 영업 방침이나 원재료 품질에 문제를 제기한 점주에게 가맹본부가 허위사실 유포를 이유로 계약을 즉시 해지할 경우 시정 기회 없이 계약을 해지 당한 점주들은 추후 허위사실이 아닌 것으로 밝혀지더라도 회복할 수 없는 손해를 입게 되는 등 가맹본부의 자의적 해석에 의해 즉시 해지가 가능하다는 문제가 있다.

이에 추상적이거나 다른 사유와 중복된 즉시 해지 사유를 삭제하고 해당 사유가 있는 경우에는 일반적 해지 절차에 따르도록 했다.

즉 허위사실 유포로 가맹본부의 명성 · 신용의 훼손, 영업 비밀 또는 중요 정보 유출 사유는 삭제하고, 해당 사유 발생 시 법원 판결을 통해 법 위반이 확인된 후 즉시 해지가 가능하도록 '법령 위반을 근거로 행정 처분을 받은 경우'에 '법원 판결을 받은 경우'를 추가 · 보완했다.

행정처분을 받은 후 시정 기한 내에 시정하지 않은 경우, 공중의 건강이나 안전상 급박한 위해 발생 사유의 경우, 관계 당국에 의한 행정 처분을 부과받은 경우와 중복되므로 삭제했다.

3 계약 갱신 거절의 부당성 판단 기준 구체화

영업 개시 후 10년 이내에는 점주의 계약갱신요구권이 인정되어 특별한 문제가 없는 한 계약

27) 점주의 파산·부도·천재지변으로 경영 불가능, 허위사실 유포, 행정 처분 부과, 영업비밀 유출로 가맹사업에 중대한 장애 초래, 관련 법령 위반으로 행정처분·형사처벌 부과, 공중에 급박한 위해 발생 우려, 7일 이상 영업 중단 등

갱신이 이루어지고 있다.

한편, 10년 이상 가맹점도 부당한 계약 갱신 거절 행위는 금지되고 있으나, 부당성 판단 기준이 구체화되어 있지 않은 상황이다.

이에 부당한 계약 갱신 거절의 세부 유형을 3가지로 구분하고, 각 유형별 부당성 판단 기준을 구체화했다.

① 직영점을 설치할 목적의 갱신 거절: 가맹본부가 자신의 이익 증진을 위해 정당한 이유 없이 가맹점을 직영점으로 전환하는 행위는 부당성이 인정된다. 다만 점주로부터 가맹점을 양수하거나, 점주의 갱신 요청 자체가 없었던 경우는 예외 사유에 해당한다.

② 특정 가맹점주에 대한 차별적인 갱신거절: 가맹점단체 활동 방해 등 다른 부당한 목적 달성을 위한 수단으로 특정 점주에 대한 갱신거절은 부당성이 인정된다. 다만 가맹본부가 사전에 공개된 평가 방식에 따라 평가를 실시하고 그 결과 갱신을 거절한 경우는 예외 사유에 해당한다.

③ 인테리어 비용 회수 기간 제공 없는 갱신 거절: 가맹본부가 매출 증진 목적으로 인테리어 개선토록 한 후 일정한 비용 회수 기간 제공 없이 갱신을 거절하는 행위는 부당성이 인정된다.

PART 2

주요 내용 맛 보 기

가맹사업(Franchaise)이란

가맹사업법은 가맹사업의 공정한 거래질서를 확립하고 가맹본부와 가맹점사업자가 대등한 지위에서 상호보완적으로 균형있게 발전하도록 함으로써 소비자의 증진과 국민경제의 건전한 발전에 이바지하지 위해 2002. 5. 13. 제정되어 2002. 11. 1.부터 시행되었다.

가맹사업(Franchaise)이란 가맹본부가 가맹점사업자로 하여금 자기의 상표 · 서비스표 · 상호 · 간판 그 밖의 영업표지를 사용하여 일정한 품질기준에 따라 상품(원재료 및 부재료를 포함한다) 또는 용역을 판매하도록 함과 아울러 이에 따른 경영 및 영업활동 등에 대한 지원 · 교육과 통제를 하고, 가맹점사업자는 영업표지 등의 사용과 경영 및 영업활동 등에 대한 지원 · 교육의 대가로 가맹본부에 가맹금을 지급하는 계속적인 거래관계를 말한다.

[가맹사업의 성립 요건]

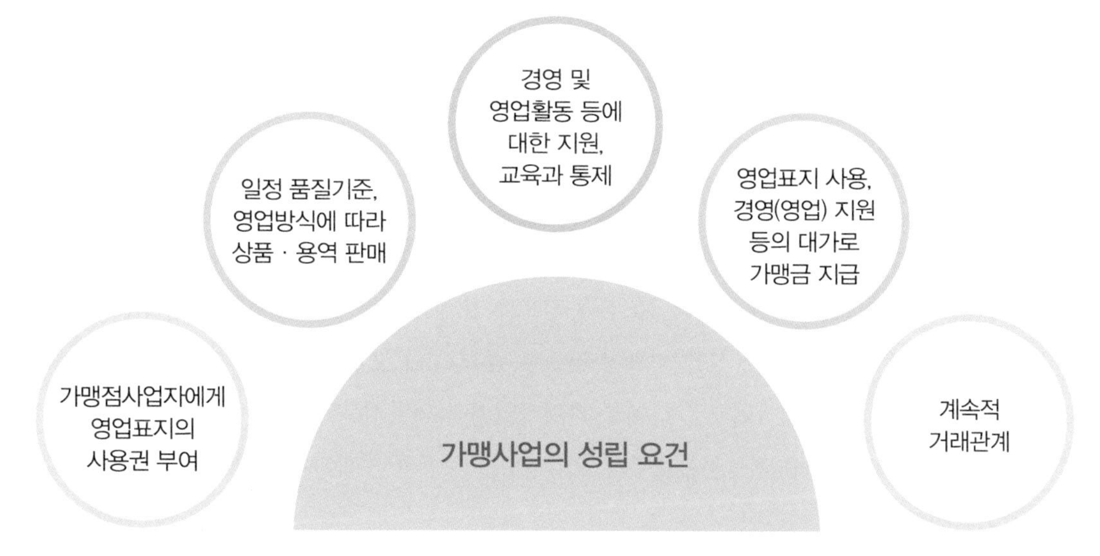

여기서 '가맹본부'라 함은 가맹사업과 관련하여 가맹점사업자에게 가맹점운영권을 부여하는 사업자를 말하며, '가맹점사업자'라 함은 가맹사업과 관련하여 가맹본부로부터 가맹점운영권을 부여받은 사업자를 말한다. 가맹본부와 가맹점사업자 사이에는 가맹계약이 존재하게 되며, 이는 양 당사자 간 의사의 합치에 의하여 성립되는 상사계약으로 기본적으로 사적자치의 원칙이 적용된다 할 것이며, 이에 따라 각 당사자의 권리 · 의무가 발생하게 된다.

다만 가맹사업관계는 그 성격상 양 계약당사자의 이해관계가 대립되는 일반적인 거래계약관계가 아니라 기본적으로 상대방을 통하여 자신의 단점을 보완하고 장점을 살려나가는 가맹본부와 가맹점사업자 사이의 상호의존적 사업방식으로서, 신뢰관계를 바탕으로 가맹점사업자의 개별적인 이익보호와 가맹점사업자를 포함한 전체적인 가맹조직의 유지발전이라는 공동의 이해관계를 가지고 있는 특수한 관계이다.

가맹사업관계의 '공동의 이해관계를 가진 특수한 관계'라는 성격에 따라 가맹사업법은 가맹사업거래의 기본원칙으로서 가맹사업당사자에 대하여 신의성실의 의무를 부과하고, 가맹본부와 가맹점사업자에 대하여 일반거래관계의 당사자보다 높은 수준의 준수사항을 각각 규정하고 있다.

따라서, 가맹사업에서는 가맹사업의 통일성과 가맹본부의 명성을 유지하기 위하여 합리적으로 필요한 범위 내에서 가맹점사업자가 판매하는 상품 및 용역에 대하여 가맹점사업자로 하여금 가맹본부가 제시하는 품질기준을 준수하도록 요구하고, 그러한 품질기준의 준수를 위하여 필요한 경우 가맹본부가 제공하는 상품 또는 용역을 사용하도록 요구할 수 있다.

이와 관련하여 대법원[28]은 "가맹점사업자가 치킨제품을 판매할 때 양배추샐러드와 백깍두기를 선택적으로 제공하는 것을 사실상 방치하면서 신선육을 공급함에 있어서도 양배추샐러드는 가맹점사업자의 신청에 따라 공급하던 영업정책을, 원고의 영업표지의 이미지 제고와 경쟁력 강화를 위하여 치킨제품을 판매할 때 양배추샐러드를 무료로 제공하도록 하면서 신선육을 공급함에 있어서도 일정한 양의 양배추샐러드를 의무적으로 공급받도록 하는 것으로 변경하였다고 하더라도 이는 가맹사업의 목적달성을 위하여 필요한 범위 내의 통제라고 할 것이고, 그것이 거래상 지위를 이용하여 가맹점사업자로 하여금 가맹사업의 목적달성을 위하여 필요한 범위를 벗어나서 판매상품(원재료 포함)을 가맹본부로부터 구입하도록 강제하는 행위에 해당한다고 볼 수 없다고"고 판단했다.

28) 대법원 2005. 6. 9. 선고 2003두7484 판결 참조.

가맹금이란

가맹금이란 ① 가입비 · 입회비 · 가맹비 · 교육비 또는 계약금 등 가맹점사업자가 영업표지의 사용허락 등 가맹점운영권이나 영업활동에 대한 지원 · 교육 등을 받기 위하여 가맹본부에 지급하는 대가, ② 가맹점사업자가 가맹본부로부터 공급받는 상품의 대금 등에 관한 채무액이나 손해배상액의 지급을 담보하기 위하여 가맹본부에 지급하는 대가, ③ 가맹점사업자가 가맹점운영권을 부여받을 당시에 가맹사업을 착수하기 위하여 가맹본부로부터 공급받는 정착물 · 설비 · 상품의 가격 또는 부동산의 임차료 명목으로 가맹본부에 지급하는 대가, ④ 가맹점사업자가 가맹본부와의 계약에 의하여 허락받은 영업표지의 사용과 영업활동 등에 관한 지원 · 교육, 그 밖의 사항에 대하여 가맹본부에 정기적으로 또는 비정기적으로 지급하는 대가, ⑤ 그 밖에 가맹희망자나 가맹점사업자가 가맹점운영권을 취득하거나 유지하기 위하여 가맹본부에 지급하는 모든 대가로서 명칭이나 지급형태를 묻지 않는다.

[가맹금의 의의]

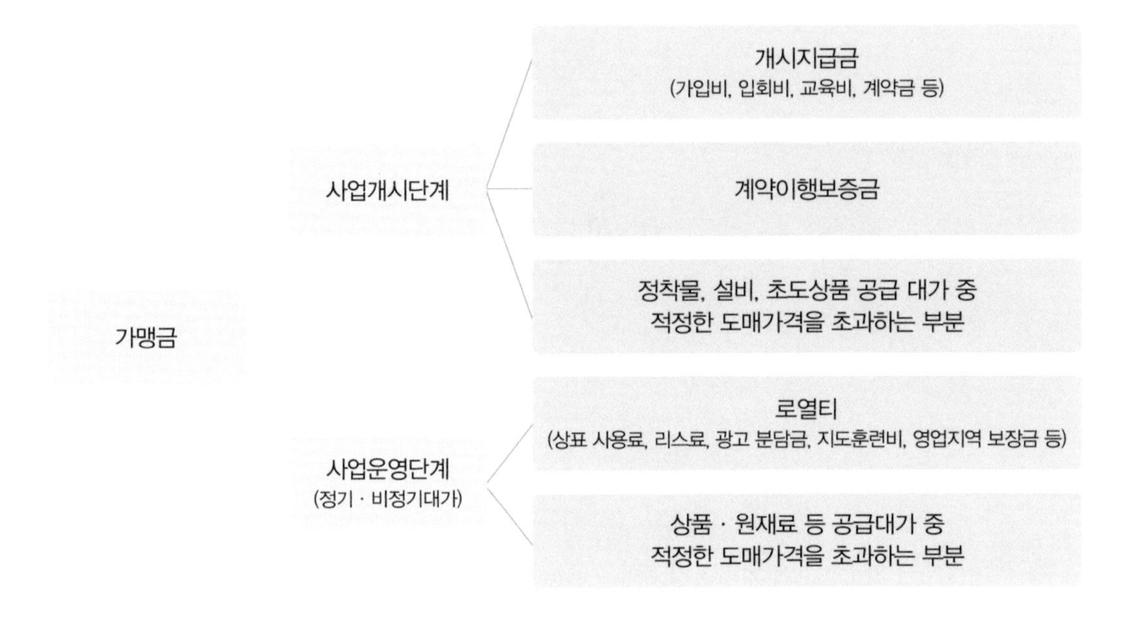

다만, 가맹본부에 귀속되지 아니하는 것으로서 ① 소비자가 신용카드를 사용하여 가맹점사업자의 상품이나 용역을 구매한 경우에 가맹점사업자가 신용카드사에 지불하는 수수료, ② 소비자가 상품권을 사용하여 가맹점사업자의 상품이나 용역을 구매한 경우에 가맹점사업자가 상품권 발행회사에 지급하는 수수료나 할인금, ③ 소비자가 전자금융거래법 제2조 제11호에 따른 직불전자지급수단·선불전자지급수단 또는 전자화폐를 사용하거나 전자금융거래법 제2조 제19호에 따른 전자지급결제대행 서비스를 이용하여 가맹점사업자의 상품이나 용역을 구매한 경우에 가맹점사업자가 지급수단 발행회사나 지급결제 대행회사에 지급하는 수수료나 할인금, ④ 가맹본부로부터 공급받는 정착물·설비·상품에 대한 대가로 가맹본부에 지급하는 금액 중 적정한 도매가격, ⑤ 그 밖에 가맹본부에 귀속되지 아니하는 금전으로서 소비자가 제3의 기관에 지불하는 것을 가맹본부가 대행하는 것 등은 가맹금이 아니다.

결국 가맹금은 그 명칭 여하를 불문하고 가맹본부가 가맹점사업자로부터 가맹사업과 관련하여 수령하는 일체의 수익을 말한다, 따라서 소위 가맹금이라는 금원 속에는 다양한 성격의 금원이 포함되어 있기 마련이고, 나아가 가맹본부와 가맹점사업자가 가맹계약 체결 시에 가맹금이라는 명목으로 수령하는 금원 중에는 그 성질이 본래의 가맹금이 아닌 금원도 상당 부분 포함되어 있을 수 있다.

가맹사업법 주요 내용

1 정보공개서의 등록 등

가맹본부는 가맹희망자에게 제공할 정보공개서를 공정거래위원회에 등록해야 하며, 기재사항 중 중요사항이 변경된 경우에는 정해진 기한 이내에 공정거래위원회에 변경등록을 하여야 한다.

2 가맹금 예치제도

가맹본부가 가맹점사업자로 하여금 가입비・입회비・가맹비・교육비 또는 계약금 등 가맹사업법 제2조 제6호 가목 및 나목에 해당하는 대가를 금전으로 지급받는 경우, 이를 직접 수령할 수 없으며, 대통령령이 정해진 예치기관에 일정기간 예치하도록 하여야 한다. 다만, 가맹본부가 가맹점사업자 피해보상보험 계약 등을 체결한 경우에는 직접 수령이 가능하다.

(1) 법 규정

가맹사업법 제2조(정의)

이 법에서 사용하는 용어의 정의는 다음과 같다.
1.～5. 생략

6. "가맹금"이란 명칭이나 지급형태가 어떻든 간에 다음 각 목의 어느 하나에 해당하는 대가를 말한다. 다만, 가맹본부에 귀속되지 아니하는 것으로서 대통령령으로 정하는 대가를 제외한다.
가. 가입비·입회비·가맹비·교육비 또는 계약금 등 가맹점사업자가 영업표지의 사용허락 등 가맹점운영권이나 영업활동에 대한 지원·교육 등을 받기 위하여 가맹본부에 지급하는 대가
나. 가맹점사업자가 가맹본부로부터 공급받는 상품의 대금 등에 관한 채무액이나 손해배상액의 지급을 담보하기 위하여 가맹본부에 지급하는 대가
다.~마. 생략

제6조의5(가맹금 예치 등)

① 가맹본부는 가맹점사업자(가맹희망자를 포함한다. 이하 이 조, 제15조의2 및 제41조 제3항 제1호에서 같다)로 하여금 가맹금(제2조 제6호 가목 및 나목에 해당하는 대가로서 금전으로 지급하는 경우에 한하며, 계약체결 전에 가맹금을 지급한 경우에는 당해 가맹금을 포함한다. 이하 "예치가맹금"이라 한다)을 대통령령으로 정하는 기관(이하 "예치기관"이라 한다)에 예치하도록 하여야 한다. 다만, 가맹본부가 제15조의2에 따른 가맹점사업자 피해보상보험계약 등을 체결한 경우에는 그러하지 아니하다.
②~⑧ 생략

(2) 위법성 성립요건

가맹사업법 제6조의5 제1항에 의하면 가맹본부는 가맹점사업자('가맹희망자'를 포함한다)로 하여금 가맹사업법 제2조 제6호 가.목 및 나.목에 해당하는 가맹금(이하 '예치가맹금')을 예치기관에 예치하도록 규정하고 있다. 다만, 가맹본부가 가맹사업법 제15조의2에 따른 가맹점사업자 피해보상보험계약 등을 체결한 경우에는 예외적으로 예치가맹금을 예치하지 않아도 된다.

따라서, 가맹본부가 가맹점사업자로 하여금 예치가맹금을 예치하도록 하지 않은 행위가 법 위반에 해당되기 위해서는 ① 가맹본부가 가맹점사업자로 하여금 예치가맹금을 예치기관에 예치하도록 하지 아니한 사실이 있어야 하고, ② 가맹본부가 가맹점사업자 피해보상보험계약 등을 체결한 사실이 없어야 한다.

3 정보공개서 등 제공

가맹본부는 가맹희망자에게 정보공개서 및 인근가맹점 현황문서를 제공해야 하며, 정보공개서를 제공한 후 14일(변호사 또는 가맹거래사의 자문을 받은 경우 7일)이 지나기 전에 가맹희망자와 가맹계

약을 체결할 수 없다.

가맹계약에 있어서는 영업지식과 경험이 부족한 가맹점사업자로서는 가맹점 운영에 관한 축적된 경험을 가진 가맹본부가 제공하는 정보를 신뢰하고 그에 기초하여 점포를 선정하고 영업활동을 전개할 수 밖에 없어 가맹점주의 영업상의 성패는 계약체결과정에 있어서의 입지선정과 그 이후의 교육훈련, 경영비법의 전수 등 가맹본부가 제공하는 정보에 크게 의존한다고 할 것이므로, 가맹본부는 계약체결 이후에는 물론이고 계약체결과정에 있어서도 계약체결 여부에 대한 객관적인 판단자료가 되는 정확한 정보를 제공할 신의칙상 의무를 부담하는 것이다.

(1) 법 규정

가맹사업법 제7조(정보공개서 제공의무 등)

① 생략

② 가맹본부는 제1항에 따라 정보공개서를 제공할 경우에는 가맹희망자의 장래 점포 예정지에서 가장 인접한 가맹점 10개(정보공개서 제공시점에 가맹희망자의 장래 점포 예정지가 속한 광역지방자치단체에서 영업 중인 가맹점의 수가 10개 미만인 경우에는 해당 광역지방자치단체 내의 가맹점 전체)의 상호, 소재지 및 전화번호가 적힌 문서(이하 "인근가맹점 현황문서"라 한다)를 함께 제공하여야 한다. 다만, 정보공개서를 제공할 때 장래 점포 예정지가 확정되지 아니한 경우에는 확정되는 즉시 제공하여야 한다.

③ 가맹본부는 등록된 정보공개서 및 인근가맹점 현황문서(이하 "정보공개서등"이라 한다)를 제1항의 방법에 따라 제공하지 아니하였거나 정보공개서등을 제공한 날부터 14일(가맹희망자가 정보공개서에 대하여 변호사 또는 제27조에 따른 가맹거래사의 자문을 받은 경우에는 7일로 한다)이 지나지 아니한 경우에는 다음 각 호의 어느 하나에 해당하는 행위를 하여서는 아니 된다.

1. 가맹희망자로부터 가맹금을 수령하는 행위. 이 경우 가맹희망자가 예치기관에 예치가맹금을 예치하는 때에는 최초로 예치한 날(가맹본부가 가맹희망자와 최초로 가맹금을 예치하기로 합의한 때에는 그 날)에 가맹금을 수령한 것으로 본다.
2. 가맹희망자와 가맹계약을 체결하는 행위

(2) 위법성 성립요건

가맹사업법 제7조 제3항은 가맹본부가 가맹희망자에게 ① 공정위에 등록된 정보공개서를 제공하지 아니하였거나, ② 정보공개서를 제공한 날부터 14일[29]이 지나지 아니한 경우에는 가맹

29) 가맹희망자가 정보공개서에 대하여 변호사 또는 가맹사업법 제27조에 따른 가맹거래사의 자문을 받은 경우에는 7일로 한다.

계약을 체결하거나 가맹금을 수령하는 행위를 금지하고 있다.

따라서 정보공개서를 제공하지 아니한 행위가 법 위반에 해당되기 위해서는 ① 공정위에 등록된 정보공개서를 제공하지 아니한 상태에서 가맹계약을 체결하거나 가맹금을 수령하는 행위가 있거나, ② 공정위에 등록된 정보공개서를 제공한 날부터 14일이 지나지 아니한 상태에서 가맹계약을 체결하거나 가맹금을 수령한 행위가 있어야 한다.

4 허위·과장된 정보제공 금지

가맹본부는 가맹희망자나 가맹점사업자에게 정보를 제공함에 있어 사실과 다르게 정보를 제공하거나 사실을 부풀려 정보를 제공하는 행위, 계약의 체결 · 유지에 중대한 영향을 미치는 사실을 은폐하거나 축소하는 방법으로 정보를 제공하는 행위를 해서는 안 되며, 가맹계약 체결 시 예상매출액 산정서를 제공해야 한다.

(1) 법 규정

가맹사업법 제9조(허위·과장된 정보제공 등의 금지)

① 가맹본부는 가맹희망자나 가맹점사업자에게 정보를 제공함에 있어서 다음 각 호의 행위를 하여서는 아니 된다.
1. 사실과 다르게 정보를 제공하거나 사실을 부풀려 정보를 제공하는 행위(이하 "허위·과장의 정보제공행위"라 한다)
2. 계약의 체결·유지에 중대한 영향을 미치는 사실은 은폐하거나 축소하는 방법으로 정보를 제공하는 행위(이하 "기만적인 정보제공행위"라 한다)

② 제1항 각 호의 행위의 유형은 대통령령으로 정한다.

가맹사업법 시행령 제8조(허위·과장 정보제공행위 등의 유형)

① 법 제9조 제1항 제1호에 따른 허위·과장의 정보제공행위의 유형은 다음 각 호와 같다.
1. 객관적인 근거 없이 가맹희망자의 예상수익상황을 과장하여 제공하거나 사실과 다르게 가맹본부가 최저수익 등을 보장하는 것처럼 정보를 제공하는 행위
2. 가맹희망자의 점포 예정지 상권의 분석 등과 관련하여 사실 여부가 확인되지 아니한 정보를 제공하는 행위
3. 가맹본부가 취득하지 아니한 지식재산권을 취득한 것처럼 정보를 제공하는 행위
4. 제1호부터 제3호까지의 규정에 따른 행위에 준하여 사실과 다르게 또는 사실을 부풀려 정보

를 제공하는 행위로서 공정거래위원회가 정하여 고시하는 행위

가맹사업거래상 허위·과장 정보제공행위 등의 유형 지정고시(제정 2019. 11. 20. 공정거래위원회고시 제2019-8호)

Ⅰ. 목 적

이 고시는 「가맹사업거래의 공정화에 관한 법률」(이하 "법"이라 한다) 제9조 제2항, 같은 법 시행령(이하 "영"이라 한다) 제8조 제1항 제4호 및 동조 제2항 제3호 규정에 따라 가맹사업거래에서 금지되는 허위·과장의 정보제공행위 및 기만적인 정보제공행위(이하 "허위·과장의 정보제공행위 등"이라 한다)의 유형을 정하고, 아울러 허위·과장 정보제공행위 등에 해당될 수 있는 사례를 구체적으로 예시함으로써 가맹본부의 법위반 행위를 사전에 방지하고, 법 집행의 객관성과 효율성을 제고하는 데 그 목적이 있다.

이 고시는 가맹사업거래에서 허위·과장의 정보제공행위 등에 해당될 수 있는 공통적이고 대표적인 사항을 중심으로 규정되었으므로 고시에 열거되지 아니한 행위라고 해서 법 제9조 제1항에 따른 허위·과장의 정보제공행위 등에 해당되지 않는 것은 아니다. 또한, 특정행위가 이 고시에서 제시된 허위·과장의 정보제공행위 등에 해당될 수 있는 사례(예시)와 유사하더라도, 최종적인 법위반 해당 여부는 개별 사안의 구체적인 사실관계에 대한 입증 및 위법성 심사를 통해 결정된다.

Ⅱ. 허위·과장의 정보제공행위의 세부 유형

1. 영 제8조 제1항 제1호에 따른 "객관적인 근거 없이 가맹희망자의 예상수익상황을 과장하여 제공하거나 사실과 다르게 가맹본부가 최저수익 등을 보장하는 것처럼 정보를 제공하는 행위"에 해당될 수 있는 사례는 다음과 같다.

〈예시〉

가. 객관적인 근거 없이 가맹희망자의 예상매출액, 영업이익, 순이익 등(이하 "예상매출액 등"이라 한다)을 임의로 부풀려 제공
- 40평대 이상 가맹점의 17%만이 매출액 5200만 원을 초과함에도 불구하고, 객관적인 근거 없이 40평대 가맹점의 예상매출액이 5200만 원이라고 정보를 제공한 경우
- 객관적인 근거 없이 가맹점 평균매출액을 27% 부풀린 금액을 예상매출액으로 제공한 경우
- 가맹점 창업성공사례에 대한 매출액 정보를 제공하면서, 실제 매출액 보다 20% 부풀려진 금액을 제공한 경우

나. 객관적인 근거 없이 수익상황이 좋은 특정 점포 또는 특정 시기를 기준으로 예상매출액 등을 산정하여 제공
- 객관적인 근거 없이 인지도, 규모, 가맹점 수 등이 다른 타 가맹본부 가맹점 매출액을 기준으로 예상매출액을 산정하여 제공한 경우
- 객관적인 근거 없이 매출액 상위 2개 가맹점의 매출액을 기준으로 예상매출액을 산정하여 제공한 경우
- 객관적인 근거 없이 점포 예정지 인근 가맹점이 아닌 매출액이 2배 이상 높은 타지역 가맹점 매출액을 기준으로 예상매출액을 산정하여 제공한 경우

- 면적차이에 대한 조정 없이 점포 예정지보다 매장면적이 1.7배 넓은 가맹점의 매출액을 예상매출액으로 제공한 경우
- 객관적인 근거 없이 다른 가맹점의 성수기 또는 개점 직후 매출액만을 기준으로 예상매출액을 산정하여 제공한 경우

다. 예상매출액 등 산정방식을 사실과 다르게 제공
- 시행령 제9조 제4항에 따른 방식으로 예상매출액 범위를 산정하였다고 정보를 제공하였으나, 실제로는 이와 다른 기준으로 예상매출액 범위를 산정하여 예상매출액이 상당히 부풀려진 경우
- 전체 가맹점의 실제매출액을 기준으로 예상매출액을 산정하였다고 정보를 제공하였으나, 실제로는 임의적인 기준으로 예상매출액을 산정하여 예상매출액이 부풀려진 경우

라. 사실과 다르게 최저수익 등을 보장하는 것처럼 정보를 제공
- 객관적인 근거없이 "평균 ㅇㅇ원 투자시 최소 "월 ㅇㅇ백만 원의 매출, 월 ㅇㅇ백만 원의 영업이익" 등의 표현을 사용하여 가맹희망자들에게 수익이 보장되는 사업인 것처럼 정보를 제공한 경우

2. 영 제8조 제1항 제2호에 따른 "가맹희망자의 점포 예정지 상권의 분석 등과 관련하여 사실 여부가 확인되지 아니한 정보를 제공하는 행위"에 해당될 수 있는 사례는 다음과 같다.

〈예시〉
- 점포 예정지 인근 지역에 동종업종 점포가 다수 존재함에도 불구하고, 동종업종 점포가 없는 것처럼 정보를 제공한 경우

3. 영 제8조 제1항 제3호에 따른 "가맹본부가 취득하지 아니한 지식재산권을 취득한 것처럼 정보를 제공하는 행위"에 해당될 수 있는 사례는 다음과 같다.

〈예시〉
- 가맹본부가 상표권을 취득한 사실이 없음에도 불구하고, 상표권을 취득한 것처럼 "가맹본부가 사용을 허용하는 지식재산권", "출원 제00-00호", "등록 제00-00호" 등의 표현이 기재된 정보를 제공한 경우
- 특허 출원만 하고 등록은 되지 않은 상태에서 "특허받은 ㅇㅇ를 사용"이라는 표현이 기재된 정보를 제공한 경우
- 자신의 협력회사에 대한 특허보유현황을 자신에 대한 현황인 것처럼 기재한 정보를 제공한 경우

4. 영 제8조 제1항 제4호에 따른 "제1호부터 제3호까지의 규정에 따른 행위에 준하여 사실과 다르게 또는 사실을 부풀려 정보를 제공하는 행위로서 공정거래위원회가 정하여 고시하는 행위"란 다음 각 목에 해당하는 행위로 한다.

가. 회사 연혁, 사업실적, 가맹점 현황, 임직원 현황, 재무현황, 자산보유현황 등 가맹본부에 관한 정보를 사실과 다르게 또는 부풀려서 제공하는 행위

〈예시〉
- 가맹점수가 20~40여 개에 지나지 않음에도 불구하고 개업 후 현재까지 한 번이라도 계

약이 체결되었던 가맹점 누적수를 대략적으로 추산하여 650개 가맹점이 영업 중이라고 정보를 제공한 경우
- 가맹본부의 자본금이 5천만 원, 상시근로자수가 8명이고 공장을 보유하고 있지 않음에도 자본금 2억 원, 상시근로자수 17명에 공장을 보유한 것처럼 기재한 정보를 제공한 경우
- 자신의 협력회사를 자신의 자회사인 것처럼 알리는 한편, 협력회사의 연혁, 기술제휴현황, 생산설비현황 등을 자신의 현황인 것처럼 정보를 제공한 경우
- 가맹본부가 개인사업자임에도 법인사업자인 것처럼 보이기 위해 상호를 '주식회사' ㅇㅇ로 기재하고, 대표를 대표이사로, 직원을 이사로 기재한 정보를 제공한 경우
- 외국계 회사의 커피 프랜차이즈 사업 운영권에 관해서만 업무위탁 계약을 체결했음에도 불구하고 커피, 커피머신, 프랜차이즈 사업권 등의 여러 사업권한에 관한 독점총판계약을 체결한 것처럼 정보를 제공한 경우
- 유명인과 이름 및 초상권만을 사용하는 계약을 맺었을 뿐임에도 해당 유명인이 지분참여를 한 것처럼 정보를 제공한 경우
- 100대 프랜차이즈에 선정되어 인증서를 받은 것에 불과함에도 100대 프랜차이즈 대상을 수상한 것처럼 정보를 제공한 경우
- 실재하지 않는 가맹점을 창업에 성공한 가맹점인 것처럼 성공사례를 작성하여 정보를 제공한 경우

나. 가맹점사업자에게 공급하는 상품, 용역, 설비, 원·부재료 등에 대한 정보를 사실과 다르게 또는 부풀려서 제공하는 행위

〈예시〉
- 자신이 공급하는 ㅇㅇ 등 재료 가격이 경쟁사 ◇◇ 등의 공급가격보다 비쌈에도 불구하고, 해당 재료 가격이 경쟁사 ◇◇ 등의 공급가격보다 저렴한 것처럼 정보를 제공한 경우
- OEM 방식으로 생산하는 제품을 공급함에도 불구하고, 직영공장에서 생산하는 제품을 공급하는 것처럼 정보를 제공한 경우
- 자신이 공급하는 의료기기가 유럽에서 가장 낮은 단계의 등급(Class1)을 얻었음에도 불구하고 최고 등급을 얻은 것처럼 '국내최초 유럽 메디컬 의료기기 1등급을 획득' 등의 표현을 기재한 정보를 제공한 경우
- 자신이 공급하는 ㅇㅇ를 다른 사업자가 먼저 제조한 사실이 있음에도 불구하고, 자신이 ㅇㅇ를 최초로 제조했다고 정보를 제공한 경우
- 자신이 공급하는 ㅇㅇ에 대한 제조기술을 사실과 다르게 특정 장인에게 전수받은 것처럼 정보를 제공한 경우
- 가맹점에 공급하는 상품·용역 등이 대리점, 온라인 등 다른 유통채널을 통해서도 공급됨에도 불구하고, 가맹점을 통해서만 공급되는 것처럼 정보를 제공한 경우

다. 가맹본부가 제공하는 경영 및 영업활동 등에 대한 지원 등에 관한 정보를 사실과 다르게 또는 부풀려서 제공하는 행위

〈예시〉
- 온라인 판매지원을 제공하지 않음에도 이를 제공하는 것처럼 정보를 제공한 경우
- 원·부자재가 아닌 완제품에 한해서만 반품을 받아줌에도 불구하고, 모든 제품에 대하여

반품을 받아주는 것처럼 정보를 제공한 경우

- 관련인력이 전혀 없음에도 불구하고, 전문인력을 통한 경영활동 자문을 제공하는 것처럼 정보를 제공한 경우
- 금융기관과 아무런 업무상 제휴가 없음에도 불구하고, 금융기관과 제휴를 통해 우대 신용대출이 가능한 것처럼 정보를 제공한 경우

라. 가맹금 등 가맹사업을 개시 · 영위하는 동안 가맹점사업자에게 발생하는 경제적 부담을 사실과 다르게 제공하는 행위

〈예시〉

- 가맹점주가 원가의 50%를 분담하는 판촉물 행사시, 판촉물 원가는 매입원가에 영업직접비, 판매직접비, 일반관리비, 물류비 등 판매관리비를 포함하여 산정함에도 불구하고 매입원가에 물류비만 포함하여 원가를 산정하는 것처럼 정보를 제공한 경우
- 사실과 다르거나 객관적인 근거 없이 업계 최저 창업비용이라거나, 경쟁사에 비해 창업비용이 가장 적은 것처럼 정보를 제공한 경우

Ⅲ. 기만적인 정보제공행위의 세부 유형

1. 영 제8조 제2항 제1호에 따른 "중요사항을 적지 아니한 정보공개서를 가맹희망자에게 제공하는 행위"에 해당될 수 있는 사례는 다음과 같다.

〈예시〉

- 점포예정지 인근 가맹점 존재여부 및 변동현황을 누락한 정보공개서를 가맹희망자에게 제공한 경우
- 공정거래위원회로부터 시정조치를 받은 사실을 누락한 정보공개서를 가맹희망자에게 제공한 경우

2. 영 제8조 제2항 제2호에 따른 "가맹본부가 가맹점사업자에게 지원하는 금전, 상품 또는 용역 등이 일정 요건이 충족되는 경우에만 지원됨에도 불구하고 해당 요건을 제시하지 아니하면서 모든 경우에 지원되는 것처럼 정보를 제공하는 행위"에 해당될 수 있는 사례는 다음과 같다.

〈예시〉

- 본사에 이익이 되는 조건을 충족하는 경우에만 창업경영안전자금이 지원됨에도 불구하고 이를 제시하지 않고 가맹점 30호점까지는 제한 없이 창업경영안전자금이 지원되는 것처럼 정보를 제공한 경우
- 24시간 영업을 하는 경우에만 판매장려금 또는 전기료가 지원됨에도 불구하고 이를 제시하지 않고 조건 없이 판매장려금 또는 전기료가 지원되는 것처럼 정보를 제공한 경우

3. 영 제8조 제2항 제3호에 따른 "제1호 또는 제2호에 따른 행위에 준하여 계약의 체결·유지에 중대한 영향을 미치는 사실을 은폐하거나 축소하는 방법으로 정보를 제공하는 행위로서 공정거래위원회가 정하여 고시하는 행위"는 다음 각 목의 행위로 한다.

가. 가맹본부에 관한 중요사실을 은폐하거나 축소하는 방법으로 정보를 제공하는 행위

〈예시〉

- 유아대상 교육원을 운영하는 가맹본부의 교육원 운영방식이 현행 법령 등에 위배되는 것

이어서 행정적 제재나 형사처벌을 받을 수 있다는 사정 등을 알리지 않은 경우
- 해외업체와 체결한 독점수입계약이 곧 만료되어 해당 상품을 취급하는 다른 업체가 등장할 수 있다는 사실을 충분히 예견할 수 있었음에도 불구하고 이를 알리지 않은 경우

나. 가맹점사업자에게 공급하는 상품, 용역, 설비, 원·부재료 등에 관한 중요사실을 은폐하거나 축소하는 방법으로 정보를 제공하는 행위

〈예시〉
- 가맹점사업자에게 제공한 서비스표가 자신이 등록한 서비스표가 아니고 이에 서비스표 사용과 관련한 법적분쟁이 발생될 것이라는 점을 충분히 예견할 수 있었음에도 이에 대한 정보를 알리지 않은 경우
- 자신이 제공하는 교재와 커리큘럼이 "학부모 설문조사 결과 80% 이상 만족도를 내고 있다"는 정보를 제공하면서, 해당 설문조사가 자신의 서비스를 이용해 본 경험이 없는 학부모들을 대상으로 한 것임을 밝히지 않은 경우
- 자신이 제공하는 교재가 시중에서 쉽게 구할 수 있는 교재에 로고만 삽입한 것임에도 불구하고, 이를 알리지 않은 경우

다. 가맹본부가 제공하는 경영 및 영업활동 등에 대한 지원 등에 관한 중요사실을 은폐하거나 축소하는 방법으로 정보를 제공하는 행위

〈예시〉
- 푸드코트 가맹점은 창업경영안전자금이 지원되지 않음에도 불구하고 이를 알리지 않고, 단순히 창업경영안전자금이 지원되다고 정보를 제공한 경우
- 개점 후 1년간만 판매장려금을 지원해 줌에도 불구하고 이를 알리지 않고, 단순히 판매장려금을 지원한다고 정보를 제공한 경우

라. 가맹금 등 가맹사업을 개시·영위하는 동안 가맹점사업자에게 발생하는 경제적 부담에 관한 중요사실을 은폐하거나 축소하는 방법으로 정보를 제공하는 행위

〈예시〉
- 월 지출비용에 대한 정보를 제시하면서, 인테리어, 집기류 구입비 등 상당한 비용이 추가로 소요된다는 사실을 알리지 않고 자신이 제시한 비용이 가맹사업시 발생하는 비용의 전부인 것처럼 정보를 제공한 경우
- 일정요건을 충족하는 가맹계약자에게만 가맹비를 면제해 줌에도 이를 알리지 않고 누구나 가맹비를 면제받을 수 있는 것처럼 정보를 제공한 경우

마. 가맹희망자의 예상수익상황 또는 점포예정지 상권과 관련한 중요사실을 은폐하거나 축소하는 방법으로 정보를 제공하는 행위

〈예시〉
- 수익상황이 이례적으로 좋은 특정 가맹점의 매출액을 제공하면서, 이를 알리지 않고 실제 가맹점 매출액이라고만 정보를 제공한 경우
- 점포예정지 건물에 동일업종 점포가 다수 입점할 것이라는 사실을 알고 있었음에도 불구하고 이를 알리지 않은 경우

(2) 위법성 성립요건

가맹사업법 제9조 제1항은 가맹본부는 가맹희망자에게 정보를 제공함에 있어, 허위 또는 과장된 정보를 제공하여서는 아니 된다고 규정하고 있으므로 허위・과장된 정보제공행위가 성립하기 위해서는 ① 가맹본부가 가맹희망자에게 정보를 제공하면서 ② 사실과 다르거나 사실보다 과장된 정보를 제공하거나 중요사항을 누락하였어야 한다.

5 거래거절 등 행위 금지

(1) 법 규정

가맹사업법 제12조(불공정거래행위의 금지)

① 가맹본부는 다음 각 호의 1에 해당하는 행위로서 가맹사업의 공정한 거래를 저해할 우려가 있는 행위를 하거나 다른 사업자로 하여금 이를 행하도록 하여서는 아니 된다.

1. 가맹점사업자에 대하여 상품이나 용역의 공급 또는 영업의 지원 등을 부당하게 중단 또는 거절하거나 그 내용을 현저히 제한하는 행위

2.~5.(생략)

② 제1항 각호의 규정에 의한 행위의 유형 또는 기준은 대통령령으로 정한다.

가맹사업법 시행령 제13조(불공정거래행위의 유형 또는 기준)

① 법 제12조 제2항의 규정에 의한 불공정거래행위의 유형 또는 기준은 별표 2와 같다.

② (생략)

[별표2] 불공정거래행위의 유형 또는 기준(제13조 제1항 관련)

1. 거래거절

법 제12조 제1항 제1호에 해당하는 행위의 유형 및 기준은 다음 각목의 어느 하나와 같다. 다만, 가맹점사업자의 계약위반 등 가맹점사업자의 귀책사유로 가맹사업의 거래관계를 지속하기 어려운 사정이 발생하는 경우에는 그러하지 아니하다.

가. 영업지원 등의 거절

정당한 이유없이 거래기간 중에 가맹사업을 영위하는 데 필요한 부동산·용역·설비·상품·원재료 또는 부재료의 공급과 이에 관련된 영업지원, 정보공개서 또는 가맹계약서에서 제공하기로 되어 있는 경영 및 영업활동에 관한 지원 등을 중단 또는 거절하거나 그 지원하는 물량 또는 내용을 현저히 제한하는 행위

나.~다.(생략)

2.~5. (생략)

(2) 위법성 성립요건

가맹사업법 제12조 제1항 제1호의 부당한 영업지원 등의 거절행위가 성립하기 위해서는 가맹본부가 정당한 이유 없이 거래기간 중 상품공급을 중단 또는 거절하거나 그 내용을 현저히 제한하여야 한다.

다만, 가맹점사업자의 계약위반 등 가맹점사업자의 귀책사유로 가맹사업의 거래관계를 지속하기 어려운 사정이 발생한 경우에는 위법이 아니라고 인정될 수 있다.

6 거래상대방 구속행위 금지

(1) 법 규정

가맹사업법 제12조(불공정거래행위의 금지)

① 가맹본부는 다음 각 호의 1에 해당하는 행위로서 가맹사업의 공정한 거래를 저해할 우려가 있는 행위를 하거나 다른 사업자로 하여금 이를 행하도록 하여서는 아니 된다.

1. (생략)
2. 가맹점사업자가 취급하는 상품 또는 용역의 가격, 거래상대방, 거래지역이나 가맹점사업자의 사업활동을 부당하게 구속하거나 제한하는 행위

3.~5. (생략)

② 제1항 각호의 규정에 의한 행위의 유형 또는 기준은 대통령령으로 정한다.

가맹사업법 시행령 제13조(불공정거래행위의 유형 또는 기준)

① 법 제12조 제2항의 규정에 의한 불공정거래행위의 유형 또는 기준은 별표 2와 같다.

② (생략)

[별표2] 불공정거래행위의 유형 또는 기준(제13조 제1항 관련)

1. (생략)
2. 구속조건부 거래

법 제12조 제1항 제2호에 해당하는 행위의 유형 및 기준은 다음 각 목의 어느 하나와 같다.

가. (생략)

나. 거래상대방의 구속

부동산·용역·설비·상품·원재료 또는 부재료의 구입·판매 또는 임대차 등과 관련하여 부당하게 가맹점사업자에게 특정한 거래상대방(가맹본부를 포함한다)과 거래할 것을 강제하

는 행위. 다만, 다음의 요건을 모두 충족하는 경우에는 그러하지 아니하다.
(1) 부동산·용역·설비·상품·원재료 또는 부재료가 가맹사업을 경영하는 데에 필수적이라고 객관적으로 인정될 것
(2) 특정한 거래상대방과 거래하지 아니하는 경우에는 가맹본부의 상표권을 보호하고 상품 또는 용역의 동일성을 유지하기 어렵다는 사실이 객관적으로 인정될 것
(3) 가맹본부가 미리 정보공개서를 통하여 가맹점사업자에게 해당 사실을 알리고 가맹점사업자와 계약을 체결할 것

다. ~ 마. (생략)

(2) 위법성 성립요건

가맹사업법 제12조 제1항 제2호 및 법 시행령 제13조 제1항 관련 [별표 2] 제2호 나목에 규정된 거래상대방의 구속행위가 성립하기 위해서는, 가맹본부가 가맹점사업자에게 특정한 거래상대방(가맹본부 포함)과 거래하도록 강제하고 그러한 행위가 가맹사업의 목적달성을 위한 필요한 범위를 넘어 부당하여야 한다.

한편, 위의 행위가 가맹사업의 목적달성을 위한 필요한 범위 내에 있는지 여부는 가맹사업의 목적과 가맹계약의 내용, 가맹금의 지급방식, 가맹사업의 대상인 상품과 공급 상대방이 제한된 상품과의 관계, 상품의 이미지와 품질을 관리하기 위한 기술관리 · 표준관리 · 유통관리 · 위생관리의 필요성 등에 비추어 가맹점사업자에게 품질기준만을 제시하고 임의로 구입하도록 하여서는 가맹사업의 통일적 이미지와 상품의 동일한 품질을 유지하는 데에 지장이 있는지에 따라 결정되어야 한다.[30)]

30) 대법원 2006. 3. 10. 선고 2002두332 판결 등 참조

7 불이익제공 행위 금지

(1) 법 규정

가맹사업법 제12조(불공정거래행위의 금지)

① 가맹본부는 다음 각호의 1에 해당하는 행위로서 가맹사업의 공정한 거래를 저해할 우려가 있는 행위를 하거나 다른 사업자로 하여금 이를 행하도록 하여서는 아니 된다.

1. ~ 2. (생략)

3. 거래상의 지위를 이용하여 부당하게 가맹점사업자에게 불이익을 주는 행위

② 제1항 각호의 규정에 의한 행위의 유형 또는 기준은 대통령령으로 정한다.

가맹사업법 시행령 제13조(불공정거래행위의 유형 또는 기준)

① 법 제12조 제2항의 규정에 의한 불공정거래행위의 유형 또는 기준은 별표 2와 같다.

② (생략)

[별표 2] 불공정거래행위의 유형 또는 기준(제13조 제1항 관련)

1. ~ 2. (생략)

3. 거래상 지위의 남용

법 제12조 제1항 제3호에 해당하는 행위의 유형 및 기준은 다음 각목의 어느 하나와 같다. 다만, 다음 각목의 어느 하나에 해당하는 행위를 허용하지 아니하는 경우 가맹본부의 상표권을 보호하고 상품 또는 용역의 동일성을 유지하기 어렵다는 사실이 객관적으로 인정되는 경우로서 해당 사실에 관하여 가맹본부가 미리 정보공개서를 통하여 가맹점사업자에게 알리고 가맹점사업자와 계약을 체결하는 경우에는 그러하지 아니하다.

가. ~ 마. (생략)

바. 가목부터 마목까지의 행위에 준하는 경우로서 가맹점사업자에게 부당하게 불이익을 주는 행위

(2) 위법성 성립요건

불이익제공행위에 있어서 불이익에 해당하기 위해서는, 그 행위의 내용이 상대방에게 다소 불이익하다는 점만으로는 부족하고, 구입 강제, 이익제공 강요, 판매목표 강제 등과 동일시할 수 있을 정도로 일방 당사자가 자기의 거래상의 지위를 부당하게 이용하여 그 거래조건을 설정 또는 변경하거나 그 이행과정에서 불이익을 준 것으로 인정되어야 하고, 또한 거래상 지위를 부당하게 이용하여 상대방에게 불이익을 준 행위인지 여부는 당해 행위의 의도와 목적, 효과와 영향 등과 같은 구체적 태양과 상품의 특성, 거래의 상황, 해당 사업자의 시장에서의 우월적 지위의

정도 및 상대방이 받게 되는 불이익의 내용과 정도 등에 비추어 볼 때 정상적인 거래관행을 벗어난 것으로서 공정한 거래를 저해할 우려가 있는지 여부에 따라 결정되어야 한다.[31)]

한편, 가맹점사업자 모두에게 적용되는 가맹본부의 정책 변경을 불이익제공 행위로 보기 위해서는 개별 가맹점사업자에게 미치는 부분적인 불이익만을 판단할 것이 아니라 전체 가맹점사업자에게 미치는 불이익의 정도를 종합적으로 판단하여야 한다.

8 부당한 점포환경개선 강요 금지

(1) 법 규정

가맹사업법 제12조의2(부당한 점포환경개선 강요 금지 등)

① (생략)

② 가맹본부는 가맹점사업자의 점포환경개선에 소요되는 비용으로서 대통령령으로 정하는 비용의 100분의 40 이내의 범위에서 대통령령으로 정하는 비율에 해당하는 금액을 부담하여야 한다. 다만, 다음 각 호의 어느 하나에 해당하는 경우에는 그러하지 아니하다.

1. 가맹본부의 권유 또는 요구가 없음에도 가맹점사업자의 자발적 의사에 의하여 점포환경개선을 실시하는 경우
2. 가맹점사업자의 귀책사유로 인하여 위생·안전 및 이와 유사한 문제가 발생하여 불가피하게 점포환경개선을 하는 경우

③ 제2항에 따라 가맹본부가 부담할 비용의 산정, 청구 및 지급절차, 그 밖에 필요한 사항은 대통령령으로 정한다.

가맹사업법 시행령 제13조의2(점포환경개선 비용부담의 범위 및 절차)

① (생략)

② 법 제12조의2 제2항 각 호 외의 부분 본문에서 "대통령령으로 정하는 비용"이란 다음 각 호의 비용을 말한다.

1. 간판 교체비용
2. 인테리어 공사비용(장비·집기의 교체비용을 제외한 실내건축공사에 소요되는 일체의 비용을 말한다). 다만, 가맹사업의 통일성과 관계 없이 가맹점사업자가 추가 공사를 함에 따라 드는 비용은 제외한다.

③ 법 제12조의2 제2항 각 호 외의 부분 본문에서 "대통령령으로 정하는 비율"이란 다음 각 호의 구분에 따른 비율을 말한다.

---

31) 대법원 2006. 9. 8. 선고 2003두7859 판결, 대법원 2006. 3. 10. 선고 2002두332 판결 등 참조

1. 점포의 확장 또는 이전을 수반하지 아니하는 점포환경개선의 경우 : 100분의 20
2. 점포의 확장 또는 이전을 수반하는 점포환경개선의 경우: 100분의 40

④ 가맹점사업자는 법 제12조의2 제2항 각 호 외의 부분 본문에 따른 금액(이하 "가맹본부부담액"이라 한다)의 지급을 청구하려면 가맹본부에 공사계약서 등 공사비용을 증명할 수 있는 서류를 제출하여야 한다.

⑤ 가맹본부는 제4항에 따른 지급청구일부터 90일 이내에 가맹본부부담액을 가맹점사업자에게 지급하여야 한다. 다만, 가맹본부와 가맹점사업자 간에 별도의 합의가 있는 경우에는 1년의 범위에서 가맹본부부담액을 분할하여 지급할 수 있다.

⑥ 가맹본부는 점포환경개선이 끝난 날부터 3년 이내에 가맹본부의 책임 없는 사유로 계약이 종료(계약의 해지 또는 영업양도를 포함한다)되는 경우에는 가맹본부부담액 중 나머지 기간에 비례하는 부담액은 지급하지 아니하거나 이미 지급한 경우에는 환수할 수 있다.

(2) 위법성 성립요건

가맹사업법 제12조의2 제2항에 따른 위반행위가 성립하기 위해서는 가맹본부가 가맹점사업자의 점포환경개선에 소요되는 비용으로서 간판교체 비용 또는 인테리어 공사비용[32]을 부담하지 않거나 법정비율[33] 미만으로 부담하여야 한다.

또한, 가맹점사업자가 공사계약서 등 공사비용을 증명할 수 있는 서류를 제출하여 점포환경개선 비용의 지급을 청구하는 경우에는 지급청구일부터 90일을 경과할 때까지 법정비율에 해당하는 금액을 지급하지 않을 때 위반행위가 성립한다.

다만 가맹점사업자가 가맹본부의 권유 또는 요구가 없음에도 자발적 의사에 의하여 점포환경개선을 실시하거나, 가맹점사업자의 귀책사유로 인하여 위생·안전 및 이와 유사한 문제가 발생하여 불가피하게 실시하는 경우에는 예외가 인정된다.

9 부당한 영업시간 구속 금지

가맹본부는 정상적인 거래관행이 비추어 부당하게 가맹점사업자의 영업시간을 구속하는 행위를 하여서는 아니 된다.

32) 인테리어 공사비용 중 장비·집기의 교체비용이나 가맹사업의 통일성과 관계없는 추가공사 비용은 제외한다.
33) 가맹사업법 시행령 제13조의2 제3항 각 호의 구분에 따른 비율로서 점포환경개선이 점포의 확장 또는 이전을 수반하는 경우에는 100분의 40, 수반하지 아니하는 경우에는 100분의 20이다.

가맹사업법 제12조의3(부당한 영업시간 구속 금지)

① 가맹본부는 정상적인 거래관행에 비추어 부당하게 가맹점사업자의 영업시간을 구속하는 행위(이하 "부당한 영업시간 구속"이라 한다)를 하여서는 아니 된다.

② 다음 각 호의 어느 하나에 해당하는 가맹본부의 행위는 부당한 영업시간 구속으로 본다.

1. 가맹점사업자의 점포가 위치한 상권의 특성 등의 사유로 대통령령으로 정하는 심야 영업시간대의 매출이 그 영업에 소요되는 비용에 비하여 저조하여 대통령령으로 정하는 일정한 기간 동안 영업손실이 발생함에 따라 가맹점사업자가 영업시간 단축을 요구함에도 이를 허용하지 아니하는 행위
2. 가맹점사업자가 질병의 발병과 치료 등 불가피한 사유로 인하여 필요 최소한의 범위에서 영업시간의 단축을 요구함에도 이를 허용하지 아니하는 행위

가맹사업법 시행령 제13조의3(부당한 영업시간 구속 금지의 판단기준)

① 법 제12조의3 제2항 제1호에서 "대통령령으로 정하는 심야 영업시간대"란 오전 0시부터 오전 6시까지 또는 오전 1시부터 오전 6시까지를 말한다.

② 법 제12조의3 제2항 제1호에서 "대통령령으로 정하는 일정한 기간"이란 가맹점사업자가 영업시간 단축을 요구한 날이 속한 달의 직전 3개월을 말한다.

10 부당한 영업지역 침해 금지

가맹본부는 가맹계약 체결 시 가맹점사업자의 영업지역을 설정하여 가맹계약서에 기재해야 하며, 정당한 사유 없이 가맹점사업자의 영업지역 안에 동일한 업종의 직영점이나 가맹점을 설치할 수 없다.

가맹사업법 제12조의4(부당한 영업지역 침해금지)

① 가맹본부는 가맹계약 체결 시 가맹점사업자의 영업지역을 설정하여 가맹계약서에 이를 기재하여야 한다.

② 상권의 급격한 변화 등 대통령령으로 정하는 사유가 발생하는 경우에는 가맹계약 갱신과정에서 가맹본부와 가맹점사업자가 합의하여 기존 영업지역을 합리적으로 변경할 수 있다.

③ 가맹본부는 정당한 사유 없이 가맹계약기간 중 가맹점사업자의 영업지역 안에서 가맹점사업자와 동일한 업종(수요층의 지역적·인적 범위, 취급품목, 영업형태 및 방식 등에 비추어 동일하다고 인식될 수 있을 정도의 업종을 말한다)의 자기 또는 계열회사(「독점규제 및 공정거래에 관한 법률」 제2조 제3호에 따른 계열회사를 말한다)의 직영점이나 가맹점을 설치하는 행위를 하여서는 아니 된다.

가맹사업법 시행령 제13조의4(영업지역 변경사유)

법 제12조의4 제2항에서 "상권의 급격한 변화 등 대통령령으로 정하는 사유가 발생하는 경우"란 다음 각 호의 어느 하나에 해당하는 경우를 말한다.

1. 재건축, 재개발 또는 신도시 건설 등으로 인하여 상권의 급격한 변화가 발생하는 경우
2. 해당 상권의 거주인구 또는 유동인구가 현저히 변동되는 경우
3. 소비자의 기호변화 등으로 인하여 해당 상품·용역에 대한 수요가 현저히 변동되는 경우
4. 제1호부터 제3호까지의 규정에 준하는 경우로서 기존 영업지역을 그대로 유지하는 것이 현저히 불합리하다고 인정되는 경우

11 광고·판촉행사 관련 집행 내역 통보

가맹본부는 가맹점사업자가 비용의 전부 또는 일부를 부담하는 광고나 판촉행사를 실시한 경우 그 집행 내역을 가맹점사업자에게 통보하고 가맹점사업자의 요구가 있는 경우 이를 열람할 수 있도록 하여야 한다.

가맹본부가 내 사업연도 종료 후 3개월 이내에 가맹점사업자에게 통보하여야 하는 사항은 △ 해당 사업연도에 실시한 광고나 판촉행사(해당 사업연도에 일부라도 비용이 집행된 경우를 포함한다)별 명칭, 내용 및 실시기간, △ 해당 사업연도에 광고나 판촉행사를 위하여 전체 가맹점사업자로부터 지급받은 금액, △ 해당 사업연도에 실시한 광고나 판촉행사별로 집행한 비용 및 가맹점사업자가 부담한 총액이다.

가맹사업법 제12조의6(광고·판촉행사 관련 집행 내역 통보 등)

① 가맹본부는 가맹점사업자가 비용의 전부 또는 일부를 부담하는 광고나 판촉행사를 실시한 경우 그 집행 내역을 가맹점사업자에게 통보하고 가맹점사업자의 요구가 있는 경우 이를 열람할 수 있도록 하여야 한다.

② 제1항에 따른 집행 내역 통보 또는 열람의 구체적인 시기·방법·절차는 대통령령으로 정한다.

가맹사업법 시행령 제13조의5(광고·판촉행사 관련 집행 내역 통보 절차 등)

① 가맹본부는 법 제12조의6 제1항에 따라 매 사업연도 종료 후 3개월 이내에 가맹점사업자에게 다음 각 호의 사항을 통보하여야 한다.

1. 해당 사업연도에 실시한 광고나 판촉행사(해당 사업연도에 일부라도 비용이 집행된 경우를

포함한다. 이하 같다)별 명칭, 내용 및 실시기간
2. 해당 사업연도에 광고나 판촉행사를 위하여 전체 가맹점사업자로부터 지급받은 금액
3. 해당 사업연도에 실시한 광고나 판촉행사별로 집행한 비용 및 가맹점사업자가 부담한 총액
② 가맹본부가 가맹점사업자에게 제1항에 따른 통보를 하는 경우에는 제6조 제1항 각 호의 어느 하나에 해당하는 방법을 준용한다. 다만, 제6조 제1항 제3호 후단은 준용하지 아니한다.
③ 가맹본부는 법 제12조의6 제1항에 따라 가맹점사업자가 집행 내역의 열람을 요구하는 경우 열람의 일시 및 장소를 정하여 해당 자료를 열람할 수 있도록 하여야 한다.

12 가맹계약의 갱신요구권

가맹점사업자는 10년을 초과하지 않는 범위 내에서 계약갱신을 요구할 수 있고, 가맹본부는 정당한 사유 없이 이를 거절하지 못한다.

가맹사업법 제13조(가맹계약의 갱신 등)

① 가맹본부는 가맹점사업자가 가맹계약기간 만료 전 180일부터 90일까지 사이에 가맹계약의 갱신을 요구하는 경우 정당한 사유 없이 이를 거절하지 못한다. 다만, 다음 각 호의 어느 하나에 해당하는 경우에는 그러하지 아니하다.
1. 가맹점사업자가 가맹계약상의 가맹금 등의 지급의무를 지키지 아니한 경우
2. 다른 가맹점사업자에게 통상적으로 적용되는 계약조건이나 영업방침을 가맹점사업자가 수락하지 아니한 경우
3. 가맹사업의 유지를 위하여 필요하다고 인정되는 것으로서 다음 각 목의 어느 하나에 해당하는 가맹본부의 중요한 영업방침을 가맹점사업자가 지키지 아니한 경우
가. 가맹점의 운영에 필요한 점포·설비의 확보나 법령상 필요한 자격·면허·허가의 취득에 관한 사항
나. 판매하는 상품이나 용역의 품질을 유지하기 위하여 필요한 제조공법 또는 서비스기법의 준수에 관한 사항
다. 그 밖에 가맹점사업자가 가맹사업을 정상적으로 유지하기 위하여 필요하다고 인정되는 것으로서 대통령령으로 정하는 사항
② 가맹점사업자의 계약갱신요구권은 최초 가맹계약기간을 포함한 전체 가맹계약기간이 10년을 초과하지 아니하는 범위 내에서만 행사할 수 있다.
③ 가맹본부가 제1항에 따른 갱신 요구를 거절하는 경우에는 그 요구를 받은 날부터 15일 이내에 가맹점사업자에게 거절 사유를 적어 서면으로 통지하여야 한다.
④ 가맹본부가 제3항의 거절 통지를 하지 아니하거나 가맹계약기간 만료 전 180일부터 90일까지 사이에 가맹점사업자에게 조건의 변경에 대한 통지나 가맹계약을 갱신하지 아니한다는 사실의

통지를 서면으로 하지 아니하는 경우에는 계약 만료 전의 가맹계약과 같은 조건으로 다시 가맹계약을 체결한 것으로 본다. 다만, 가맹점사업자가 계약이 만료되는 날부터 60일 전까지 이의를 제기하거나 가맹본부나 가맹점사업자에게 천재지변이나 그 밖에 대통령령으로 정하는 부득이한 사유가 있는 경우에는 그러하지 아니하다.

가맹사업법 시행령 제14조(가맹계약의 갱신거절사유 등)

① 법 제13조 제1항 제3호 다목에서 "대통령령으로 정하는 사항"이란 다음 각 호의 어느 하나에 해당하는 사항을 말한다.

1. 가맹본부의 가맹사업 경영에 필수적인 지식재산권의 보호에 관한 사항
2. 가맹본부가 가맹점사업자에게 정기적으로 실시하는 교육·훈련의 준수에 관한 사항. 다만, 가맹점사업자가 부담하는 교육·훈련 비용이 같은 업종의 다른 가맹본부가 통상적으로 요구하는 비용보다 뚜렷하게 높은 경우는 제외한다.

② 법 제13조 제4항 단서에서 "대통령령으로 정하는 부득이한 사유"란 다음 각 호의 어느 하나에 해당하는 경우를 말한다.

1. 가맹본부나 가맹점사업자에게 파산 신청이 있거나 강제집행절차 또는 회생절차가 개시된 경우
2. 가맹본부나 가맹점사업자가 발행한 어음·수표가 부도 등으로 지급거절된 경우
3. 가맹점사업자에게 중대한 일신상의 사유 등이 발생하여 더 이상 가맹사업을 경영할 수 없게 된 경우

13 가맹계약해지의 제한

가맹본부는 가맹계약을 해지하려는 경우에는 가맹점사업자에게 2개월 이상의 유예기간을 두고 계약의 위반 사실을 구체적으로 밝히고 이를 시정하지 아니하면 그 계약을 해지한다는 사실을 서면으로 2회 이상 통지하여야 한다. 이러한 절차를 거치지 아니한 가맹계약의 해지는 그 효력이 없다.

다만, 가맹사업의 거래를 지속하기 어려운 경우로서, △ 가맹점사업자에게 파산신청이 있거나 강제집행절차 또는 회생절차가 개시한 경우, △ 가맹점사업자가 발행한 어음·수표가 부도 등으로 지불정지된 경우, △ 천재지변, 중대한 일신상의 사유 등으로 가맹점사업자가 더 이상 가맹사업을 경영할 수 없게 된 경우, △ 가맹점사업자가 공연히 허위사실을 유포함으로써 가맹본부의 명성이나 신용을 뚜렷이 훼손한 경우, △ 가맹점사업자가 가맹점 운영과 관련되는 법령을 위반하여 행정처분을 받음으로써 가맹본부의 명성이나 신용을 뚜렷이 훼손한 경우, △ 가맹점사업자가 가맹본부의 영업비밀 또는 중요정보를 유출한 경우, △ 가맹점사업자가 가맹점 운영과 관련

되는 법령을 위반하여 이를 시정하라는 내용의 행정처분(과징금 · 과태료 등의 부과처분을 포함한다)을 통보받고도 행정청이 정한 시정기한(시정기한을 정하지 아니한 경우에는 통보받은 날로부터 10일) 내에 시정하지 않은 경우, △ 가맹점사업자가 가맹점 운영과 관련되는 법령을 위반하여 자격 · 면허 · 허가 취소 또는 영업정지 명령(15일 이내의 영업정지 명령을 받은 경우는 제외한다) 등 그 시정이 불가능한 성격의 행정처분을 받은 경우, △ 가맹점사업자가 가맹사업법 제14조 제1항 본문에 따른 가맹본부의 시정요구에 따라 위반사항을 시정한 날로부터 1년(계약 갱신이나 재계약된 경우에는 종전 계약 기간에 속한 기간을 합산한다) 이내에 다시 같은 사항을 위반하는 경우[34], △ 가맹점사업자가 가맹점 운영과 관련된 행위로 형사처벌을 받은 경우, △ 가맹점사업자가 공중의 건강이나 안전에 급박한 위해를 일으킬 염려가 있는 방법이나 형태로 가맹점을 운영하는 경우, △ 가맹점사업자가 정당한 사유 없이 연속하여 7일 이상 영업을 중단한 경우에는 그러하지 아니한다.

가맹사업법 제14조(가맹계약해지의 제한)

① 가맹본부는 가맹계약을 해지하려는 경우에는 가맹점사업자에게 2개월 이상의 유예기간을 두고 계약의 위반 사실을 구체적으로 밝히고 이를 시정하지 아니하면 그 계약을 해지한다는 사실을 서면으로 2회 이상 통지하여야 한다. 다만, 가맹사업의 거래를 지속하기 어려운 경우로서 대통령령이 정하는 경우에는 그러하지 아니하다.
② 제1항의 규정에 의한 절차를 거치지 아니한 가맹계약의 해지는 그 효력이 없다

한편, 가맹사업법 제14조 제1항의 규정은 가맹점사업자의 계약위반으로 해지사유가 발생한 경우, 그 위반사실만으로 곧바로 계약을 해지하는 것을 금지한 것으로, 가맹본부로 하여금 해지에 앞서 가맹점사업자에게 시정할 수 있는 기간을 최소 2개월 이상 부여하면서 동 기간 내에 2회 이상의 서면통지 절차를 이행하라는 취지로 해석된다.

이러한 취지에 비추어 보면, 최초 서면 통지 시점을 기준으로 2개월 이상의 시정 유예기간을 설정하되, 동 기간 내에 다시 한 차례 위반사항의 시정 촉구를 서면으로 통지하였음에도 위반사항이 시정되지 아니한 경우에는 계약해지가 가능하다고 할 것이다. 다만, 위반행위의 성질상 시정에 상당한 시일이 소요되는 경우, 이를 감안하여 충분한 유예기간을 설정하는 것이 바람직하다[35].

34) 다만 가맹본부가 시정을 요구하는 서면에 다시 같은 사항을 1년 이내에 위반하는 경우에는 가맹사업법 제14조 제1항의 절차를 거치지 아니하고 가맹계약이 해지될 수 있다는 사실을 누락한 경우는 제외한다.
35) 공정거래위원회 2019. 6. 25.자 민원질의회신 답변 참고.

14 가맹점사업자단체의 권리

가맹점사업자는 가맹점사업자단체를 구성할 수 있으며, 가맹본부에 대해 거래조건의 협의를 요청할 수 있다.

또한, 가맹본부는 가맹점사업자단체의 구성 · 가입 · 활동 등을 이유로 가맹점사업자에게 불이익을 주는 행위를 하거나 가맹점사업자단체에 가입 또는 가입하지 아니할 것을 조건으로 가맹계약을 체결하여서는 아니 된다.

특히, 가맹사업법 제14조의2 제5항의 위반행위가 성립하기 위해서는 ① 가맹점사업자의 가맹점사업자단체 구성 · 가입 · 활동 등의 행위가 있어야 하고, ② 이를 이유로 가맹본부가 가맹점사업자에게 불이익을 주는 행위가 있어야 한다.

이 중 가맹본부가 '가맹점사업자단체의 구성 · 가입 · 활동 등을 이유로 가맹점사업자에게 불이익을 주는 행위'에 해당하는지 여부는 가맹본부의 의도 내지 목적, 불이익을 주게 된 경위, 불이익의 내용 및 정도, 가맹본부의 내부규정, 다른 가맹점과의 형평성, 가맹점사업자들의 단체활동방해 가능성 등을 종합적으로 고려하여 판단한다.

가맹사업법 제14조의2(가맹점사업자단체의 거래조건 변경 협의 등)

① 가맹점사업자는 권익보호 및 경제적 지위 향상을 도모하기 위하여 단체(이하 "가맹점사업자단체"라 한다)를 구성할 수 있다.

② 특정 가맹본부와 가맹계약을 체결·유지하고 있는 가맹점사업자(복수의 영업표지를 보유한 가맹본부와 계약 중인 가맹점사업자의 경우에는 동일한 영업표지를 사용하는 가맹점사업자로 한정한다)로만 구성된 가맹점사업자단체는 그 가맹본부에 대하여 가맹계약의 변경 등 거래조건(이하 이 조에서 "거래조건"이라 한다)에 대한 협의를 요청할 수 있다.

③ 제2항에 따른 협의를 요청받은 경우 가맹본부는 성실하게 협의에 응하여야 한다. 다만, 복수의 가맹점사업자단체가 협의를 요청할 경우 가맹본부는 다수의 가맹점사업자로 구성된 가맹점사업자단체와 우선적으로 협의한다.

④ 제2항에 따른 협의와 관련하여 가맹점사업자단체는 가맹사업의 통일성이나 본질적 사항에 반하는 거래조건을 요구하는 행위, 가맹본부의 경영 등에 부당하게 간섭하는 행위 또는 부당하게 경쟁을 제한하는 행위를 하여서는 아니 된다.

⑤ 가맹본부는 가맹점사업자단체의 구성·가입·활동 등을 이유로 가맹점사업자에게 불이익을 주는 행위를 하거나 가맹점사업자단체에 가입 또는 가입하지 아니할 것을 조건으로 가맹계약을 체결하여서는 아니 된다.

가맹사업거래 분쟁조정 제도

불공정거래행위로 발생한 가맹본부와 가맹점사업자 간의 분쟁을 조정하기 위하여 한국공정거래조정원은 가맹사업거래분쟁조정협의회를 설치하고 분쟁조정 업무를 수행하고 있다. 조정이 성립된 경우에는 재판상 화해효력이 발생하여, 공정위는 특별한 사유가 없는 한 조정이 성립된 경우에는 추가적인 시정조치를 하지 않는다. 분쟁조정 신청사건은 다음의 절차도와 같이 처리되며, 통상 60일 기간 내에 처리되나 사안에 따라 사실관계 확인 등에 소요되는 기간이 필요한 경우 60일의 기간이 초과될 수 있다.

한편, △ 분쟁당사자 일방이 소를 제기하거나 △ 신청을 취하 또는 신청내용에 대한 보완요구에 응하지 않는 경우 등에는 분쟁조정절차가 중지된다.

[분쟁조정절차]

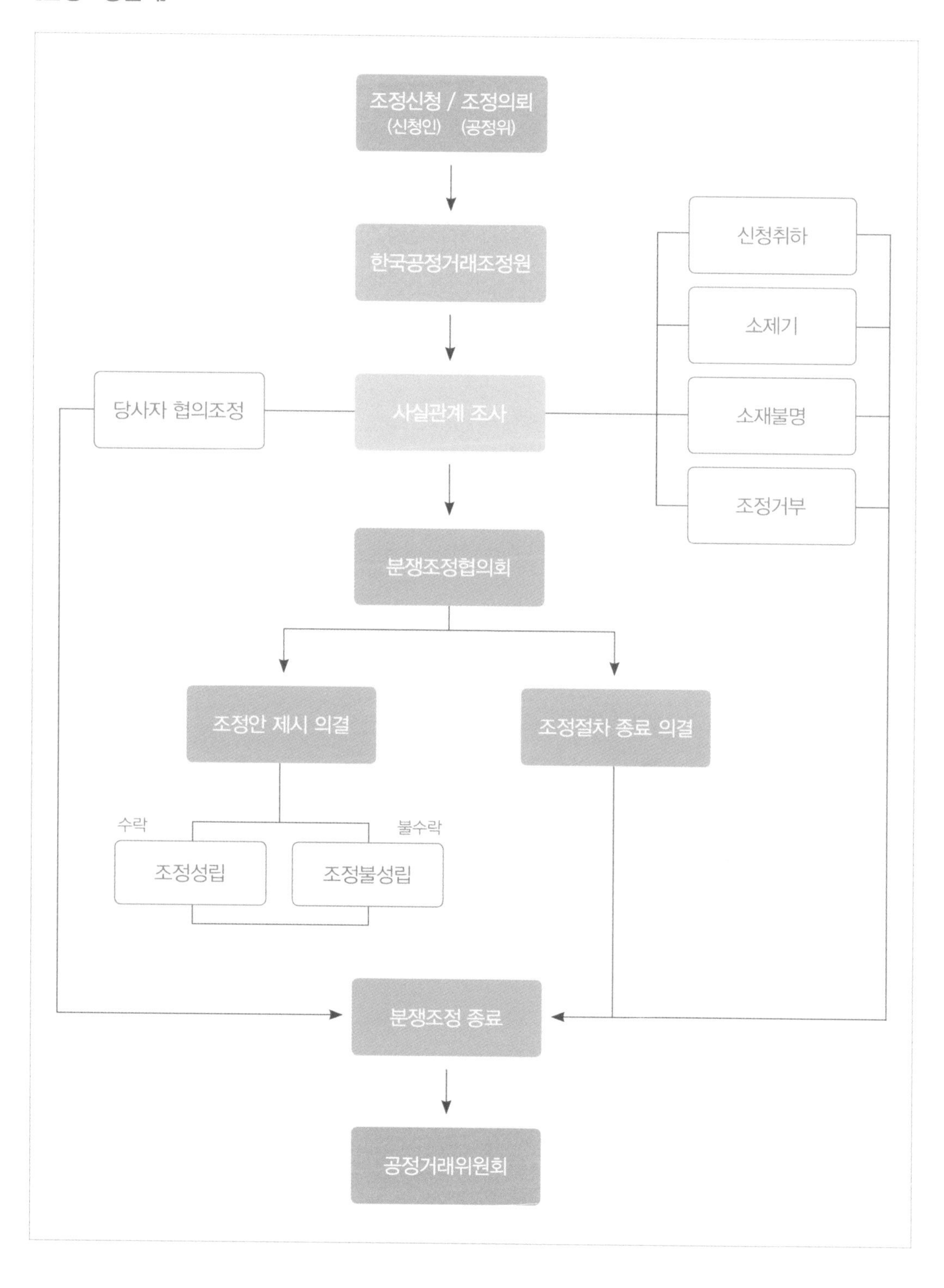

조정신청 / 조정의뢰
(신청인) (공정위)
한국공정거래조정원
신청취하
소제기
당사자 협의조정
사실관계 조사
소재불명
조정거부
분쟁조정협의회
조정안 제시 의결
조정절차 종료 의결
수락
불수락
조정성립
조정불성립
분쟁조정 종료
공정거래위원회

행정적 제재 및 벌칙

1 시정권고

공정위는 가맹사업법을 위반한 가맹본부에 대하여 시정방안을 마련하여 이에 따를 것을 권고할 수 있다.

2 시정명령

공정위는 가맹사업법을 위반한 가맹본부에 대하여 가맹금의 예치, 정보공개서 등의 제공, 점포환경개선 비용의 지급, 가맹금 반환, 위반행위의 중지, 위반내용의 시정을 위한 필요한 계획 또는 행위의 보고 그 밖에 위반행위의 시정에 필요한 조치를 명할 수 있다.

3 과징금

공정위는 가맹사업법을 위반한 가맹본부에 대하여 대통령령이 정하는 매출액에 100분의 2를 곱한 금액(단, 매출액이 없거나 산정이 곤란한 경우 5억 원)을 초과하지 아니하는 범위에서 과징금을 부과할 수 있다.

과징금 부과기준

1. 과징금 부과 여부의 결정

과징금은 위반행위의 내용 및 정도를 우선적으로 고려하고, 시장상황 등을 종합적으로 고려하여 그 부과 여부를 결정하되, 다음 각 목의 어느 하나에 해당하는 경우에는 원칙적으로 과징금을 부과한다.

가. 가맹사업의 공정한 거래질서를 크게 저해하는 경우

나. 가맹점사업자 등에게 미치는 영향이 큰 경우

다. 위반행위에 의하여 부당이득이 발생한 경우

라. 그 밖에 가목부터 다목까지에 준하는 경우로서 공정거래위원회가 정하여 고시하는 경우

2. 과징금의 산정기준

과징금은 법 제35조 제2항 각 호의 사항과 이에 영향을 미치는 사항을 고려하여 산정하되, 가목에 따른 기본 산정기준에 나목에 따른 위반행위의 기간 및 횟수 등에 따른 조정과 다목에 따른 가맹본부의 고의·과실 등에 따른 조정을 거쳐 라목에 따른 부과과징금을 산정한다.

가. 기본 산정기준

1) 법 제35조 제2항 제1호에 따른 위반행위의 내용 및 정도에 따라 위반행위의 중대성 정도를 "중대성이 약한 위반행위", "중대한 위반행위", "매우 중대한 위반행위"로 구분하고, 위반행위의 중대성의 정도별로 2)의 기준에 따라 산정한다.

2) 가맹본부의 관련매출액에 중대성의 정도별로 정하는 부과기준율을 곱하여 산정한다. 다만, 제34조 제3항 각 호의 어느 하나에 해당하는 경우에는 5억 원 이내에서 중대성의 정도를 고려하여 산정한다.

3) 위반기간은 위반행위의 개시일부터 종료일까지의 기간으로 하며, 관련매출액은 가맹본부의 회계자료 등을 참고하여 정하는 것을 원칙으로 한다.

나. 위반행위의 기간 및 횟수 등에 따른 조정(이하 "1차 조정"이라 한다)

법 제35조 제2항 제2호에 따른 위반행위의 기간 및 횟수를 고려하여 기본 산정기준의 100분의 50의 범위에서 공정거래위원회가 정하여 고시하는 기준에 따라 조정한다.

다. 가맹본부의 고의·과실 등에 따른 조정(이하 "2차 조정"이라 한다)

법 제35조 제2항 각 호의 사항에 영향을 미치는 가맹본부의 고의·과실, 위반행위의 성격과 사정 등의 사유를 고려하여 1차 조정된 기본 산정기준의 100분의 50의 범위에서 공정거래위원회가 정하여 고시하는 기준에 따라 조정한다.

라. 부과과징금

1) 가맹본부의 현실적 부담능력이나 그 위반행위가 시장에 미치는 효과, 그 밖에 시장 또는 경제여건 및 법 제35조 제2항 제3호에 따른 위반행위로 취득한 이익의 규모 등을 충분히 반영하지 못하여 과중하다고 인정되는 경우에는 2차 조정된 기본 산정기준의 100분의 50의 범위에서 감액하여 부과과징금으로 정할 수 있다. 다만, 가맹본부의 과징금 납부능력의 현저한 부족, 가맹본부가 속한 시장·산업 여건의 현저한 변동 또는 지속적 악화, 경제위기, 그 밖에 이에 준하는 사유로 불가피하게 100분의 50을 초과하여 감액하는 것이 타당하다고 인정되는 경우에는 100분의 50을 초과하여 감액할 수 있다.

2) 2차 조정된 기본 산정기준을 감액하는 경우에는 공정거래위원회의 의결서에 그 이유를 명시하여야 한다.
3) 가맹본부의 채무상태가 지급불능 또는 지급정지 상태에 있거나 부채의 총액이 자산의 총액을 초과하는 등의 사유로 인하여 가맹본부가 객관적으로 과징금을 납부할 능력이 없다고 인정되는 경우에는 과징금을 면제할 수 있다.

3. 세부기준의 제정

기본 산정기준의 부과기준율, 관련매출액 산정에 관한 세부기준, 1차 조정 및 2차 조정, 그 밖에 과징금의 부과에 필요한 세부적인 기준과 방법 등에 관한 사항은 공정거래위원회가 정하여 고시한다.

4 벌칙

공정위의 고발에 의해 5년 이하의 징역 또는 3억 원 이하의 벌금에 처해질 수 있다. 또한 공정위는 허위자료제출, 조사거부・방해, 정보공개서 변경등록 미이행, 중요자료 미보관, 거짓신고 등의 행위에 대하여 과태료를 부과할 수 있다.

가맹사업법 시정실적

1 조치유형별 시정실적(2018년)

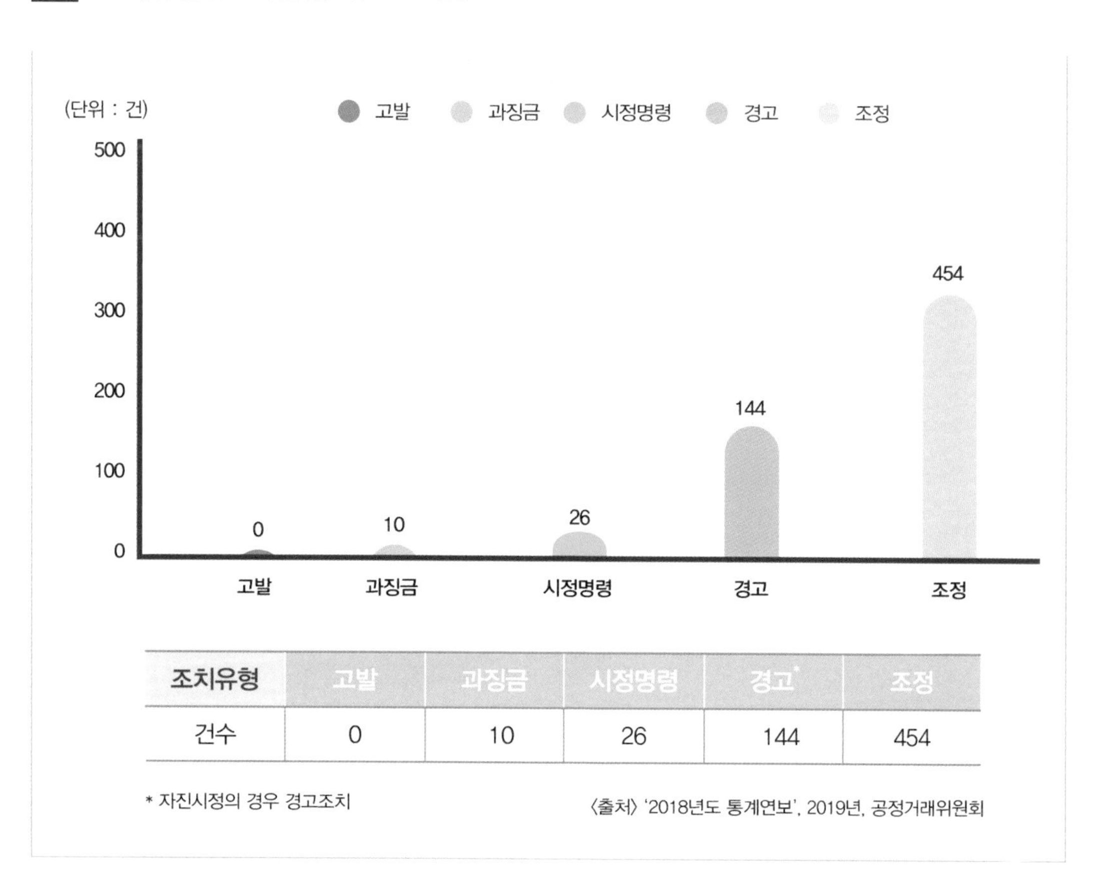

조치유형	고발	과징금	시정명령	경고*	조정
건수	0	10	26	144	454

* 자진시정의 경우 경고조치

〈출처〉 '2018년도 통계연보', 2019년, 공정거래위원회

2 위반유형별 시정실적(2018년)

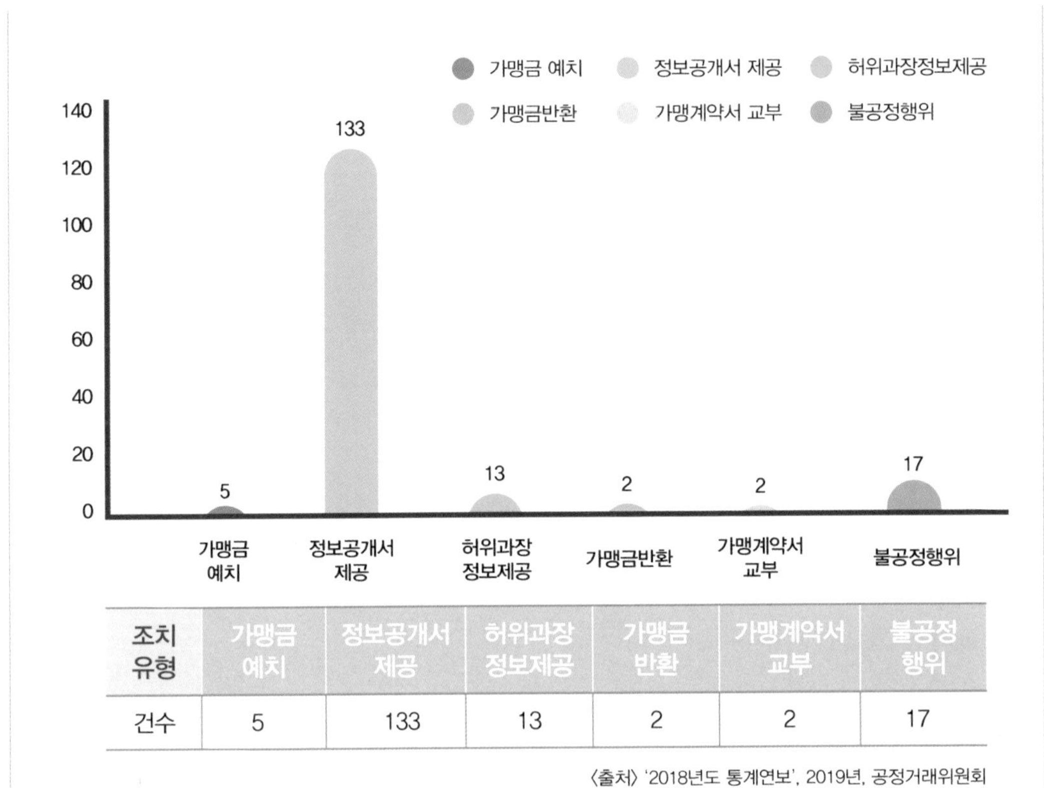

조치 유형	가맹금 예치	정보공개서 제공	허위과장 정보제공	가맹금 반환	가맹계약서 교부	불공정 행위
건수	5	133	13	2	2	17

〈출처〉 '2018년도 통계연보', 2019년, 공정거래위원회

3 공정거래위원회 사건처리절차 개요

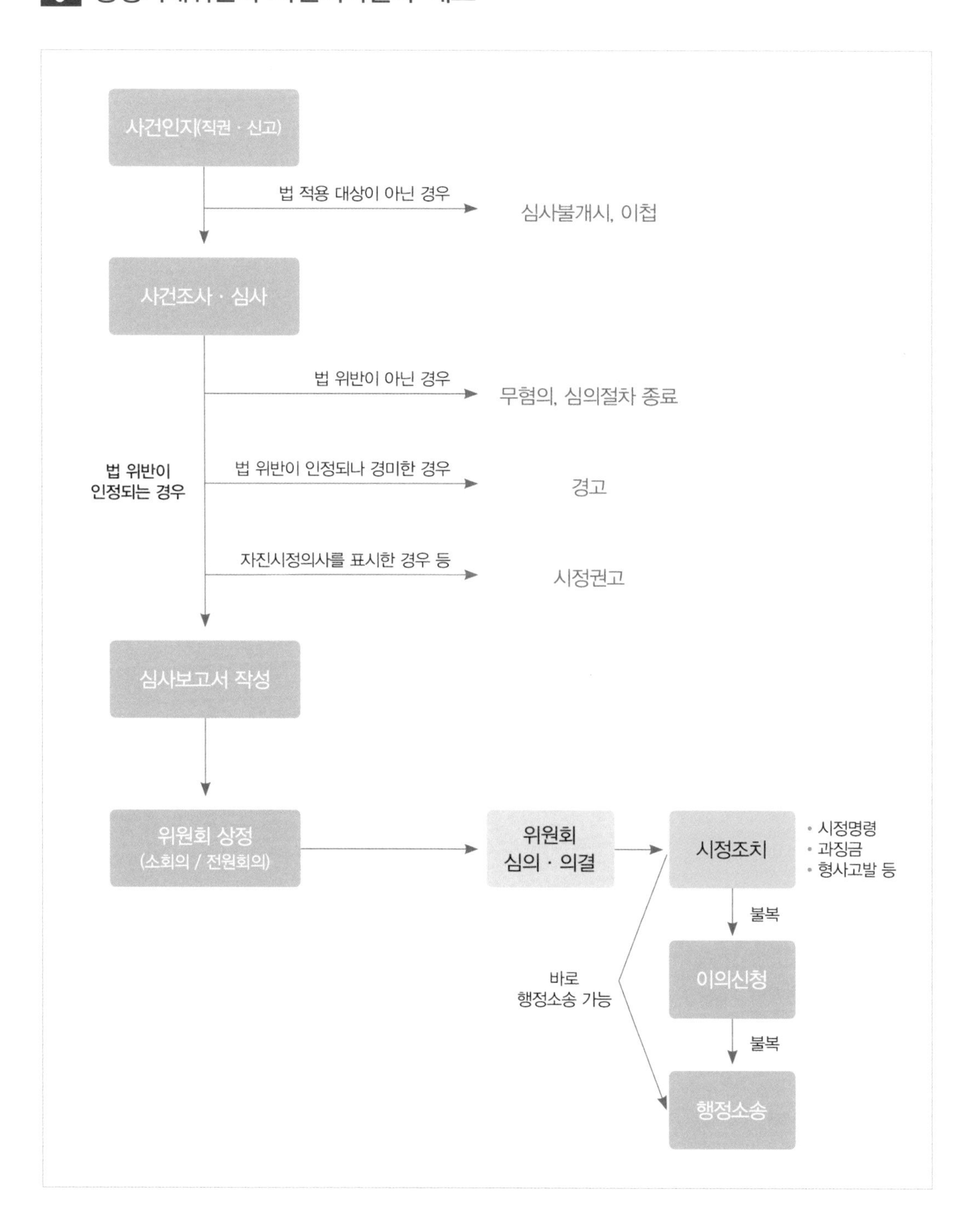

PART 3

사례 통해 이해하기

가맹본부가 자기로부터만 부재료를 구입하도록 한 경우, 구입강제 행위에 해당할까

[A김밥의 가맹사업법 위반행위에 대한 건]

– 2018. 2. 5. 공정위 의결 제2018-068호 –

1 사안 바라보기

가맹본부 A(영업표지: ○○김밥)는 2014년 2월부터 2016년 10월까지 △ 세척 · 소독제(바닥 살균 소독용, 오븐 및 주방기구 기름때 제거용), 음식(국물, 덮밥, 반찬) 용기, 위생마스크 · 필름, 일회용 숟가락 등 25개 품목의 일반공산품과 △ 나무젓가락, 물티슈, 만두찜종이 등 6개 품목의 주문생산품을 필수품목으로 지정하여 정보공개서에 기재하고, 가맹계약서에 가맹점사업자가 필수품목을 가맹본부 A로부터 공급받는 것을 원칙으로 하며 이를 위반하는 경우에는 상품공급을 중단하거나 가맹계약을 해지할 수 있도록 규정하여 이들 총 31개 품목을 자신으로부터 구입하도록 하였다.

이러한 경우 가맹본부 A의 행위는 가맹사업법 제12조 제1항 제2호에서 금지하는 '부당한 거래 상대방 구속행위', 즉 구입강제에 해당할까.

결론부터 말하면, 공정위는 가맹본부 A의 행위에 대하여 △ 일반공산품 중 식자재 품목(강남물엿, 냉면무, 돈까스 소스, 식용유 등)과 주문생산품 중 나무젓가락, 물티슈, 냅킨의 경우 상품의 동일성을 유지하는 데 필요한 경우에 해당하여 구입강제에 해당하지 않는 반면, △ 일반공산품 중 식자재가 아닌 품목(세척 · 소독제, 음식용기, 일회용 숟가락 등)과 주문생산품 중 대나무 만두찜기, 만두찜종이의 경우 구입처를 자신으로 제한하지 않아도 품질의 동일성을 유지할 수 있음에도 불구하고, 자신으로부터 구입을 강제한 경우에 해당하여 구입강제에 해당한다고 판단했다.

다만, 서울고등법원은 이 중 덮밥뚜껑과 덮반찬용기, 대나무 만두찜기 3가지 품목은 소비자에게 매장에서 바로 먹는 경우와 거의 동일한 맛과 품질을 제공하기 위한 정당한 필수 품목이라고 판단했다.

2 깊게 들여다보기

가맹사업법 제12조 제1항 제2호 및 같은 법 시행령 제13조 제1항 관련 [별표 2] 제2호 나목에 규정된 거래상대방의 구속행위가 성립하기 위해서는, △ 가맹본부가 가맹점사업자에게 특정한 거래상대방(가맹본부 포함)과 거래하도록 강제하고, △ 그러한 행위가 가맹사업의 목적달성을 위한 필요한 범위를 넘어 부당하여야 한다.

한편, 위와 같은 행위가 가맹사업의 목적달성을 위한 필요한 범위 내에 있는지 여부는 가맹사업의 목적과 가맹계약의 내용, 가맹금의 지급방식, 가맹사업의 대상인 상품과 공급 상대방이 제한된 상품과의 관계, 상품의 이미지와 품질을 관리하기 위한 기술관리 · 유통관리 · 위생관리의 필요성 등에 비추어 가맹점사업자에게 품질기준만을 제시하고 임의로 구입하도록 하여서는 가맹사업의 통일적 이미지와 상품의 동일한 품질을 유지하는 데에 지장이 있는지에 따라 결정되어야 한다.36)

[가맹본부 A가 구입하도록 한 필수품목 세부내역]

일반 공산품 (총 25개 품목)	ECO-BIO크린FC, ECO-BIO크린FC스프레이용기, ECO-BIO파워산에이/발판소독액, 퍼크린파워제로, 퍼크린파워제로 스프레이, 강남물엿, 고소아게, 국물용기, 국물용기 뚜껑, 깐계란, 냉면무, 덮밥뚜껑, 덮반찬용기, 돈까스 소스, 동치미맛냉면 육수, 마스케어, 마스케어 필름, 반찬용기, 반찬용기 뚜껑, 생소면, 식용용, 일회용 숟가락, ▲▲▲, 퍼크린오븐제로, 데리야끼 치킨 등
주문생산품 (총 6개 품목)	나무젓가락, 냅킨, 물티슈, 대나무 만두찜기, 만두찜종이, 만두찜종이(사각) 등

(1) 일반공산품 중 식자재 품목(강남물엿, 냉면무, 돈까스 소스, 식용유 등)의 경우

공정위는 가맹본부 A가 강남물엿 등 식자재 품목을 자신으로부터만 구입하도록 가맹점사업자에게 강제한 사실은 인정되지만, △ 이들 품목들은 가맹본부 A가 정한 조리기준에 따라 김밥 등의 조리과정에 투입되므로, 중심상품의 맛 · 품질 등과 직접 관련되는 점, △가맹본부 A는 가맹점사업자가 지정상품을 이용하고 유통기한 등을 준수하는지 여부를 지속적으로 관리하여야 할 필요성이 있는 점 등을 고려할 때, 가맹본부 A의 행위가 가맹사업의 목적달성에 필요한 범위를 넘어 부당하게 거래상대방을 구속하였다고 보기 어려우므로 가맹사업법 제12조 제1항 제2호에 위반되지 않는다고 판단했다.

(2) 주문생산품 중 나무젓가락, 물티슈, 냅킨의 경우

또한, 공정위는 가맹본부 A가 주문생산품 중 나무젓가락, 물티슈, 냅킨을 자신으로부터만 구입하도록 가맹점사업자에게 강제한 사실도 인정되지만, △ 이들 품목들은 가맹본부 A가 재질, 규격 등을 구체적으로 지정하여 주문 생산한 제품들로서 가맹점사업자들이 일반 시중에서 쉽게 구매하기 어려울 뿐만 아니라 ○○김밥임을 알 수 있는 구체적인 표지를 포함하고 있고 당해

36) 대법원 2006. 3. 10. 선고 2002두332 판결 등 참조.

물품의 사용 여부가 소비자들의 만족 수준에 영향을 미칠 수 있으므로 가맹사업의 통일적 이미지와도 관련된다고 보이는 점, △ 가맹본부 A는 가맹점사업자가 지정상품을 이용하여 품질기준을 준수하는지 여부를 지속적으로 관리할 필요성이 있는 점 등을 고려할 때, 가맹본부 A의 행위 역시 가맹사업의 목적달성에 필요한 범위를 넘어 부당하게 거래상대방을 구속하였다고 보기 어려우므로, 가맹사업법 제12조 제1항 제2호에 위반되지 않는다고 판단했다.

(3) 일반공산품 중 식자재가 아닌 품목(세척·소독제, 음식용기, 일회용 숟가락 등)과 주문생산품 중 대나무 만두찜기, 만두찜종이의 경우

반면 공정위는 가맹본부 A가 일반공산품 중 식자재가 아닌 품목(세척 · 소독제, 음식용기, 일회용 숟가락 등)과 주문생산품 중 대나무 만두찜기, 만두찜종이를 가맹본부 자신으로부터만 구입하도록 한 행위는 △ 가맹본부 A가 이들 품목을 필수품목으로 지정하여 자신으로부터만 구입하지 않을 경우 가맹계약을 해지하도록 규정하는 등 거래를 강제한 점, △ 이들 중 일반공산품은 가맹점사업자들이 충분히 동일한 제품을 구입할 수 있고 대나무 만두찜기 등 주문생산품도 동일 · 유사한 제품을 구입 또는 자체주문 등의 방법으로 조달할 수 있으며, 이들 품목은 모두 김밥 등 중심상품의 맛 · 품질과 직접적인 관련이 없고 가맹사업의 통일적 이미지에도 큰 영향을 주지 않는 점, △ 가맹본부 A가 별도의 품질기준을 제시하고 가맹점사업자가 그 기준에 맞춰 자유롭게 구입하더라고 그 용도나 기능에 지장이 있다고 보기 어려운 점 등을 고려할 때, 가맹본부 A의 행위는 가맹사업법 시행령 제13조 제1항 [별표 2] 2. 나목의 부당하게 가맹점사업자에게 특정한 거래상대방과 거래할 것으로 강제하는 행위에 해당되어 가맹사업법 제12조 제1항 제2호에 위반된다고 판단했다.

3 한 걸음 더

가맹본부 A는 정보공개서에 자신으로부터 구입하여야 하는 69개 물품을 필수품목으로 지정하여 가맹점사업자에게 이를 공급하면서 자신의 매입단가와 공급가격 차액만큼 마진을 수취하고 있으나, 가맹본부 A의 가맹계약서에는 가맹점사업자가 가맹점 개설 · 운영과정에서 지급하여야 하는 가맹금에 필수품목의 공급을 통해 자신의 매입단가와 공급가격 차액만큼 마진을 수취하고 있다는 사실, 그 금액의 크기와 액수 등을 기재하지 않았다.

하지만, 공정위는 가맹본부 A가 가맹점사업자에게 필수품목을 공급하면서 수취하는 매입단가와 공급가격 차액은 가맹사업법 제2조 제6호 라목의 가맹금에 해당하나, △ 가맹사업법 제11조 제2항은 가맹금과 관련하여 가맹계약서에 포함하여야 할 대상으로 '가맹금 등의 지급에 관한 사항'이라고만 규정하고 있어 기재대상의 내용과 범위에 필수품목 공급마진까지 포함한다고 보기 어려운 점, △ 구체적인 기재 방법과 절차 등에 관한 정함이 없이는 수범자의 의무 이행을 현실적으로 기대하기는 어려운 점, △ 식자재 등 외식업종 가맹본부가 주로 공급하는 품목들은 가격변동이 빈번하여 구체적인 작성기준이 없이는 가맹금에 해당하는 금액을 가맹계약서에 명시하기도 현실적으로 곤란한 점 등을 고려할 때, 가맹본부 A의 행위는 가맹사업법 제11조 제2항(가맹계약서 필수기재사항 미기재행위)에 위반되지 아니한다고 판단했다.

한편, 가맹본부 A는 2015년 9월 2일 가맹점사업자 B가 필수품목 중 일부 품목을 자점매입하고 지정된 컵을 사용하지 아니하여 가맹계약을 위반하였다는 사실과 함께 이를 같은 해 9월 5일까지 시정하라는 내용의 '가맹계약서 및 운영 매뉴얼 위반에 따른 최고장'을 해당 가맹점사업자에게 발송하였고, 2015년 12월 8일 1차 시정요구에도 불구하고 일부 필수품목에 대한 자점매입 등의 위반사항들이 시정되지 아니하였으므로 재차 시정 요구한다는 내용의 '가맹계약 위반에 의한 계약해지 사유 발생 통보의 건'을 발송하였다.

이후, 가맹본부 A는 2016년 3월 10일 해당 가맹점을 방문하여 매뉴얼 준수 여부 등을 점검하였고, 같은 해 3월 15일 가맹점사업자 B가 쌀, 김치찜 등의 필수품목들을 지속적으로 자점매입하는 등 가맹계약을 위반하였다는 이유로 가맹계약 해지를 통보하고 물품공급을 중단하였다.

가맹사업법 제12조 제1항 제2호 및 같은 법 시행령 제13조 제1항 관련 [별표 2] 제1호 다목에 규정된 부당한 가맹계약 해지 행위는 가맹사업거래의 특성에 비추어 가맹본부가 가맹점사업자의 계약위반 등 귀책사유로 인해 가맹사업의 거래관계를 지속하기 어려운 중대한 사정이 없음에도 불구하고 가맹점사업자의 계속적인 거래기회를 박탈하여 그 사업활동을 곤란하게 하거나 가맹점사업자에 대한 부당한 통제 등의 목적달성을 위하여 그 실효성을 확보하기 위한 수단 등으로 부당하게 행하여진 경우에 성립한다[37].

이와 관련하여, 공정위는 가맹본부 A가 가맹점사업자 B의 계약위반을 이유로 가맹계약을 해지한 행위에 대해 다음과 같은 사정을 고려할 때 가맹사업법 제12조 제1항 제1호에 위반되지

37) 대법원 2005. 6. 9. 선고 2003두7484 판결, 대법원 2006. 3. 10. 선고 2002두332 판결 등 참조.

않는다고 판단했다.

첫째, 가맹점사업자 B가 1차 시정요구서 발송 이후에도 일정기간 동안 시정요구서에 기재된 필수품목들을 가맹본부 A가 아닌 다른 사업자로부터 구매하여 사용한 것으로 보인다.

둘째, 이 사건에서 자점매입이 문제된 품목들은 식자재로서 중심상품의 맛·품질과 직접 관련되고, 이들 중 쌀, 깐계란은 가맹본부 A가 생산지·품질기준을 구체적으로 정하여 대외적으로 고지하고 있어 그 사용 여부가 ○○김밥이라는 브랜드 가치의 유지 등 가맹본부 A가 영위하는 가맹사업의 목적달성을 위해 중요하다고 볼 수 있으므로, 가맹점사업자의 자점매입 등의 행위가 중대한 계약위반으로 판단된다.

셋째, 가맹본부 A가 2개월 이상의 기간을 두고 두 차례에 걸쳐 시정요구서를 발송하였고, 이로부터 약 3개월이 지난 후 가맹계약 해지를 통보한 바 가맹사업법 제14조 제1항에서 규정하는 가맹계약 해지절차의 위반 여부가 불분명하고 설령 절차위반이 있다고 하더라도 그 위반정도는 중대하다고 보기 어렵다.

4 알아두기

공정위는 위와 같은 조치가 최근 일부 외식업종 가맹본부가 가맹점사업자에게 브랜드 통일성 유지와 무관한 물품을 구입하도록 강제하면서 높은 마진을 부가하는 방식으로 가맹점사업자의 비용 부담을 가중시키는 행위를 제재하였다는 데 의의가 있다고 밝혔다.

실제로 가맹본부 A는 일부 품목의 경우 구입처를 자신으로 제한하지 않아도 품질의 동일성을 유지할 수 있음에도 불구하고, 자신으로부터 구입하지 않으면 가맹계약을 해지하도록 하여 사실상 구입을 강제했다. 그 결과, 다양한 온·오프라인 채널에서 공동 구매 등을 통해 저렴한 가격에 부재료를 구매할 수 있는 가맹점사업자들의 선택권이 원천 봉쇄되었다고 볼 수도 있다. 또한, 가맹본부 A가 대량 구매를 통해 시중가보다 싼 가격으로 가맹점사업자에게 판매할 수 있었음에도 고가로 판매한 사실도 확인되었다.

참고로, 공정위는 가맹본부가 브랜드 통일성 유지와 무관한 품목까지 자신으로부터만 구입하도록 강제하면서 높은 유통마진을 챙기는 불합리한 관행을 해소하기 위해, 가맹사업법 시행령 개정을 통해 2019년 1월 1일부터 △ 구입요구 품목별 차액가맹금 수취 여부, △ 가맹점 1곳당 전년도에 가맹본부에 지급한 차액가맹금의 평균 액수, △ 가맹점 1곳당 전년도 매출액 대비 차액가맹금의 평균 비율, △ 주요 품목별 전년도 공급가격의 상·하한을 정보공개서에 기재하도록 하였다.

MEMO

가맹점에 판촉행사 부담을 전가한 경우, 불이익제공 행위에 해당할까

[A카페의 가맹사업법 위반행위에 대한 건]

– 2014. 9. 29. 공정위 의결 제2014-210호 –

– 서울고등법원 2015. 11. 12. 선고 2014누67712 시정명령등 취소 –

1 사안 바라보기

가맹본부 A(영업표지: ○○카페)는 2010년 11월 1일 올레 케이티(olleh kt) 회원 제휴 할인(판촉행사)을 시행하면서, 가맹본부 A가 부담하여야 할 할인비용을 가맹점사업자에게 전가하였다. 구체적으로, 가맹본부 A는 2010년 8월 29일 케이티와 올레 케이티 클럽(olleh kt club) 서비스 제휴 계약을 체결하여, 케이티 회원에게 ○○카페의 모든 상품을 10% 할인하고, 정산 분담은 케이티와 가맹본부 A가 각각 절반씩 부담키로 하였다.

그러나, 전체 가맹점사업자 중 40%가 비용 부담 등의 이유로 판촉행사 동의를 미루자, 2010년 10월 26일경 모든 가맹점사업자에게 할인행사 진행을 일방적으로 통보하고, 2011년 1월 1일부터 실시하였다. 그리고 가맹본부 A는 케이티와 약정한 비용 분담분(50%)을 모두 가맹점사업자가 부담토록 하였다.

이러한 경우, 가맹본부 A의 행위는 가맹사업법 제12조 제1항 제3호에서 금지하는 '거래상의 지위를 이용하여 부당하게 가맹점사업자에게 불이익을 주는 행위'에 해당할까.

결론부터 말하면, 공정위는 가맹본부 A의 행위가 가맹사업법 제12조 제1항 제3호에서 금지하는 불이익제공행위에 해당한다고 판단했다,

반면, 서울고등법원은 가맹본부 A의 행위는 가맹본부와 가맹점사업자의 경우 가맹사업의 유지 · 발전이라는 공동의 이해관계 달성을 위한 지원 및 협력차원에서 여러 광고 · 판촉활동을 하는 것이므로 위 활동으로 인한 비용분담이 '불이익제공행위'에 해당하려면 특정 광고 · 판촉활동을 개별적으로 살피기보다는 가맹본부와 가맹점사업자의 전체적인 부담정도를 살펴 종합적으로 판단하는 것이 현실에 부합하는 점에 비추어, 개별 가맹점사업자의 매출 또는 순익 감소 등의 손실이 발생하였음을 인정하기 어렵다는 점 등 여러 제반 사정들을 종합적으로 고려하여 볼 때 가맹본부 A가 가맹점사업자로 하여금 제휴비용의 절반을 부담하게 한 행위를 가맹사업법 제12조 제1항 제3호에서 금지하는 불이익제공행위에 해당한다고 볼 수 없다고 판단했다.

2 깊게 들여다보기

가맹사업법 제12조 제1항 제3호는 가맹본부가 거래상의 지위를 이용하여 부당하게 가맹점사

업자에게 불이익을 주는 행위를 가맹사업의 공정한 거래를 저해할 우려가 있는 행위로 금지하고 있고, 가맹사업법 시행령 제13조 제1항 관련 [별표 2] 제3호 바목은 구입강제, 부당한 강요, 부당한 계약조항의 설정 또는 변경, 경영의 간섭, 판매목표 강제행위에 준하는 경우로서 가맹점사업자에게 부당하게 불이익을 주는 행위를 '불이익제공' 행위로 규정하고 있다.

따라서 불이익제공 행위가 성립하기 위해서는 △ 가맹본부가 가맹점사업자에 대하여 거래상 지위가 있어야 하고, △ 구입강제, 부당한 강요, 부당한 계약조항의 설정 또는 변경, 경영의 간섭, 판매목표 강제 행위 등에 준하는 경우로서 가맹점사업자에게 부당하게 불이익을 주는 행위가 있어야 한다.

다만, 위 요건을 충족하더라도 가맹본부의 상표권을 보호하고 상품 또는 용역의 동일성을 유지하기 어렵다는 사실이 객관적으로 인정되는 경우로서 해당 사실에 관하여 가맹본부가 미리 정보공개서를 통하여 가맹점사업자에게 알리고 가맹점사업자와 계약을 체결하는 경우에는 법 시행령 제13조 제1항 관련 [별표 2] 제3호 단서규정에 따라 위법성이 조각된다.

(1) 거래상지위 성립 여부

공정위와 서울고등법원은 △ ○○카페의 가맹점사업자들이 가맹본부 A의 영업표지 등을 사용하는 대가로 일정 금액의 가맹금을 가맹본부 A에게 지급하고 가맹본부 A로부터 상호, 상표, 도장, 디자인뿐만 아니라 제품의 생산에 대한 노하우 등 영업행위 일체에 대하여 지원을 받고 있는 등 가맹본부 A에게 전적으로 의존하는 거래관계에 있는 점, △ 가맹점사업자들이 가맹본부 A의 가맹사업에 참여하기 위해서는 가맹본부 A가 제시하는 조건과 기준 등에 따라 점포 및 내부 시설장비 등을 준비하여야 하고, 가맹본부 A가 가맹계약을 해지하는 경우 가맹점사업자는 가맹본부 A의 영업표지에 맞추어 설치한 시설과 해당 업종에 특화된 장비 등에 투자한 비용을 회수할 수 있는 방법이 없어 상당한 경제적 손실을 입게 되므로 가맹본부 A의 요구에 응할 수밖에 없는 위치에 있다는 점을 고려할 때, 가맹본부 A가 가맹점사업자에 대하여 거래상지위가 있다고 볼 수 있다고 보았다.

(2) 부당한 불이익제공 여부

불이익제공행위에 있어 불이익에 해당하기 위해서는 그 행위의 내용이 상대방에게 다소 불이익하다는 점만으로는 부족하고, 구입 강제, 이익제공 강요, 판매목표 강제 등과 동일시할 수 있을 정도로 일방 당사자가 자기의 거래상의 지위를 부당하게 이용하여 그 거래조건을 설정 또는 변경하거나 그 이행과정에서 불이익을 준 것으로 인정되어야 하고, 또한 거래상 지위를 부당하게 이용하여 상대방에게 불이익을 준 행위인지 여부는 당해 행위의 의도와 목적, 효과와 영향 등과 같은 구체적 태양과 상품의 특성, 거래의 상황, 해당 사업자의 시장에서의 우월적 지위의 정도 및 상대방이 받게 되는 불이익의 내용과 정도 등에 비추어 볼 때, 정상적인 거래관행을 벗어난 것으로 공정한 거래를 저해할 우려가 있는지 여부에 따라 결정되어야 한다.[38)]

우선 공정위는 가맹본부 A가 케이티와의 제휴 계약에 소요되는 비용 중 가맹본부 A가 부담하기로 한 금액을 모두 가맹점사업자에게 부담시킨 행위는 다음과 같은 점을 고려할 때, 가맹사업의 공정한 거래질서를 저해할 우려가 있는 부당한 행위라고 판단했다.

첫째, 가맹본부 A의 행위는 가맹본부 A의 정보공개서와 가맹계약서의 내용에 반한다. 가맹본부 A가 2010년도에 사용한 정보공개서상 광고 및 판촉활동 부분과 가맹계약서 제17조 제3항에서는 광고, 판촉에 수반되는 비용을 가맹본부 A가 정하는 기준에 따라 가맹본부 A와 가맹점사업자가 분담한다고 규정하고 있다. 그럼에도 불구하고 가맹본부 A는 제휴 계약에 따른 비용을 전혀 부담하지 않고 가맹점사업자에게 모두 부담시켰다.

둘째, 제휴 계약 시행 경위를 고려하였을 때 모든 가맹점사업자가 자발적으로 제휴 계약에 동의하였다고 보기 힘들다. 최초 기획 단계에서 가맹본부 A가 실시한 조사에서 66개의 가맹점사업자가 명시적으로 제휴 계약에의 참여를 거부한다는 의사를 밝혔다. 그렇지만 가맹본부 A는 모든 가맹점사업자가 참여하는 내용으로 케이티와 계약부터 체결한 후, 반대하는 가맹점사업자들에 대한 설득에 들어갔다. 가맹본부 A는 케이티와 한 달 정도의 기간 안에 모든 가맹점사업자들의 동의를 받기로 약속하였으나 이를 지키지 못하였고, 그 후 20일 정도 더 가맹점사업자들을 설득하는 어려운 과정을 거친 후에야 1개 가맹점사업자를 제외한 나머지 가맹점사업자들의 동의를 얻어낼 수 있었다. 이러한 과정을 볼 때 가맹본부 A가 가맹점사업자로부터 강압적으로 동의를 받아낸 사례가 있었을 것이라고 능히 추단할 수 있다.

셋째, 가맹본부 A가 제휴 계약과 관련하여 소요되는 비용을 모두 가맹점사업자에게 부담시킨 행위가 허용되지 않는다고 하여 가맹본부 A의 상표권을 보호하고 상품 또는 용역의 동일성을 유지하는 것이 어렵다고 객관적으로 인정되는 경우로 보기 어려울 뿐만 아니라 가맹본부 A는 사전

38) 대법원 2006. 9. 8. 선고 2003두7859 판결 등 참조.

에 정보공개서를 통하여 제휴 계약에 관련된 내용을 가맹점사업자에게 알리고 가맹점사업자와 계약을 체결하지도 아니하였다. 따라서 가맹본부 A의 행위는 예외인정 요건에 해당하지 않는다.

반면, 서울고등법원은 공정위 판단과 달리, 가맹본부 A가 가맹점사업자로 하여금 이 사건 제휴비용의 절반을 부담하게 한 행위는 다음과 같은 점을 종합적으로 고려할 때 거래상지위를 부당하게 이용하여 거래상대방에게 불이익을 제공한 행위라고 보기 어렵다고 판단했다.

첫째, 가맹본부와 가맹점사업자의 경우 가맹사업의 유지·발전이라는 공동의 이해관계 달성을 위한 지원 및 협력차원에서 여러 광고·판촉활동을 하는 것이므로 위 활동으로 인한 비용분담이 '불이익제공행위'에 해당하려면 특정 광고·판촉활동을 개별적으로 살피기보다는 가맹본부와 가맹점사업자의 전체적인 부담정도를 살펴 종합적으로 판단하는 것이 현실에 부합한다.

둘째, 가맹본부 A의 가맹조직에 대한 지속적인 성장과 수익성 확보를 위하여 판매촉진활동의 일환으로서 이 사건 제휴행사를 시행할 필요성이 있었다고 보인다.

셋째, 가맹본부 A는 이 사건 제휴행사를 시행하기 전인 2010년 10월 25일경 정보공개서를 수정하여 가맹점사업자들이 이 사건 제휴비용을 부담하는 근거를 마련한 한편, 기존에 가맹점사업자가 부담하던 ○○카페 회원(멤버십)에 대한 판매금액의 2% 상당의 적립포인트에 대한 비용을 대신 부담하였는바, 이 사건 제휴계약으로 인하여 가맹점사업자가 원래 부담하였어야 하는 비용을 고려하면 가맹점사업자가 추가로 부담하게 된 비용은 판매금액의 5% 중 가맹본부 A가 부담하여야 할 절반인 2.5%이어서 가맹본부 A가 가맹점사업자를 대신하여 부담하게 된 판매금액의 2% 상당의 적립포인트와 거의 차이가 없고, 전체 휴대폰 이용자 중 케이티 이용자는 30% 정도이며, 이 사건 제휴행사로 인한 가격할인으로 매출이 증대하는 효과를 함께 고려하면 가맹점사업자에게 경제적으로 불이익하다고 단정하기 어렵다.

넷째, 가맹본부 A는 케이티와 이 사건 제휴계약을 체결하기 이전부터 가맹점사업자들로 하여금 이 사건 제휴행사에 참여할 것을 유도하여 왔고, 이 사건 제휴행사에 참여하지 않겠다는 1개의 가맹점사업자 이외에 다른 가맹점사업자들로부터 개별적으로 제휴서비스와 관련한 계약서를 취합하였으며, 이 사건 제휴행사를 시행하기 전 일괄적으로 공문을 보내는 등 가맹본부 A의 자체적인 절차를 거쳐 이 사건 제휴계약을 이행하였고, 가맹본부 A가 가맹점사업자가 부담하였던 적립포인트 비용을 대신 부담함으로써 가맹점사업자 입장에서 경제적으로 불이익하다고 보기 어렵다는 점을 더하여 보면, 가맹본부 A가 자신의 우월적 지위를 남용하여 가맹점사업자로부터 개별 동의 받았다거나 강압적으로 동의서를 징구하였다고 인정하기 부족하다.

다섯째, 이 사건 행위로 인해 개별 가맹점사업자의 매출 또는 순익 감소 등의 손실이 발생하였음을 인정할 자료가 없다.

2010년 가맹계약서(일부)

제17조 [광고, 판촉]

1. “갑”은 가맹사업의 활성화를 위하여 전국규모 및 지역단위의 광고, 판촉을 진행할 수 있다.
2. 광고, 판촉의 횟수·시기·매체 등에 관한 세부사항은 “갑”이 가맹사업의 원활한 운영과 필요에 따라 정한다.
3. 광고, 판촉에 수반되는 비용은 “갑”이 정하는 기준에 의하여 “갑”과 “을”이 분담하고, “갑”은 “을”에게 “을”이 분담하는 비용을 청구할 수 있다.

3 한 걸음 더

가맹본부 A는 가맹사업을 시작한 2008년 11월 17일부터 2012년 4월 3일까지 735개 가맹희망자와 가맹점계약을 체결하면서 가맹점 개설에 필요한 인테리어 시공 및 설비·기기·용품의 공급을 가맹본부 A 또는 가맹본부 A가 지정한 특정한 사업자와 거래하도록 하였다.

이에 대해 공정위는 가맹본부 A의 행위가 가맹사업법 제12조 제1항 제2호 및 같은 법 시행령 제13조 제1항 [별표 2] 2. 다목에서 정한 ‘가맹점사업자의 사업활동을 부당하게 구속하거나 제한하는 행위’에 해당한다고 판단했다.

하지만 서울고등법원은 공정위의 판단과 달리 가맹본부 A의 행위가 ‘가맹점사업자의 사업활동을 부당하게 구속하거나 제한하는 행위’에 해당하지 않는다고 판단했다.

우선, ‘거래강제성 여부’와 관련하여 다음과 같은 사정들에 의하면 가맹본부 A의 행위가 부당하게 지정된 거래상대방에 따라 상품 또는 용역의 판매를 제한하는 행위에 해당한다고 볼 수 없다고 보았다.

첫째, 가맹본부 A는 가맹점사업자와의 가맹계약을 통하여 가맹점사업자로 하여금 가맹본부 A의 영업표지를 사용하여 일정한 품질기준이나 영업방식에 따라 상품을 판매하도록 하는 가맹점운영권 일체를 넘겨주고 반대급부로 가맹금을 지급받는데, 가맹본부 A가 가맹점사업자에게 제공하는 가맹점운영권에는 ○○카페라는 커피전문점으로서 판매할 수 있는 상품을 가맹본부 A가 정하는 품질기준이나 영업방식으로 판매하도록 하는 것으로 포함하고 있다고 볼 것이고, 특정 인테리어 양식이나 가맹본부 A가 요구하는 일정수준 이상의 품질을 담보하기 위하여 제공하는 설비・기기・용품도 앞서 말하는 가맹점운영권에 포함될 수 있다.

둘째, 가맹본부 A의 가맹점을 운영하려는 가맹희망자들은 가맹계약 체결단계에서 가맹본부 A의 홈페이지 또는 가맹본부 A가 제공한 정보공개서를 통하여 가맹본부 A가 인테리어 시공 및 설비・기기・용품을 함께 판매한다는 사실 및 그와 같은 인테리어 시공과 설비・기기・용품 구매에 드는 비용을 미리 예측할 수 있고, 가맹희망자들은 이를 토대로 다른 커피전문점 가맹본부와 비교하여 자신에게 가장 적합한 커피전문점을 선택할 수 있고, 비용 등 문제에 관하여 합의에 도달하지 못할 경우 가맹본부 A와의 계약체결과정에서 자유롭게 이탈할 수 있다.

셋째, 가맹본부 A와의 가맹계약을 체결한 이후 또는 그와 동시에 인테리어 공사 등을 위탁하는 계약이 체결된다고 하더라도, 가맹희망자는 가맹본부 A가 제공한 정보공개서 등을 통하여 알 수 있는 인테리어 시공비용, 설비・기기・용품 등의 비용을 미리 계산하고 가맹계약에 임하는 것이고, 현실적으로 가맹본부 A가 제공하는 '견적/약정서'를 통해 이루어지는 견적 브리핑 단계에서 인테리어 공사를 가맹본부 A에게 위탁할 것인지 여부와 공사를 위탁한다면 그 공사비용은 얼마로 할 것인지에 대한 의사합치가 이루어진다고 보는 것이 거래현실에 부합하므로, 비록 가맹계약 체결 이후 인테리어 등의 시공계약이 이루어진다고 하더라도 인테리어 등의 공사를 가맹본부 A에게 맡길 것을 전제로 가맹계약이 체결되는 것이므로, 가맹본부 A의 행위는 실질적으로 가맹계약 체결 전 또는 가맹계약 체결과 동시에 발생한다고 볼 수 있다.

넷째, 가맹희망자는 가맹본부 A와 가맹계약을 체결하지 아니하였으므로 가맹계약의 구속을 받지 아니하여 가맹본부 A와 개설상담을 하기 전뿐만 아니라 개설상담을 한 후에도 다른 커피전문점 가맹본부와 자유로이 접촉하여 개설상담을 할 수 있을 뿐만 아니라 커피전문점을 개설하기 위하여 점포의 확보를 위한 소유권 내지 임차권 등의 권원을 확보할 필요가 있는데 이러한 과정에 발생한 점포발생비용은 가맹본부 A 외의 다른 가맹본부와 가맹계약을 체결하더라도 당연히 수반되는 비용이라고 할 것이어서 이를 두고 사실상의 강제력이 발생한다고 보기 어렵다.

다섯째, 실제로 일부 가맹희망자들은 가맹본부 A와 가맹계약을 체결하면서 다른 건설업자와 추가공사 시공계약을 체결하였으나, 가맹본부 A는 가맹계약을 체결함으로써 가맹점사업자가 된 이들에게 추가공사 시공계약과 관련하여 어떠한 불이익도 가하지 않았고, 또한 가맹본부 A가 인테리어 시공 및 설비·기기·용품 구매를 가맹본부 A 및 가맹본부 A가 지정하는 업체에게 하도록 한 것은 가맹점점포를 최초로 개설한 때뿐이고, 가맹점 개설 이후에도 계속적으로 가맹계약을 이유로 점포환경개선 등 인테리어 시공 및 설비·기기·용품 구매와 관련하여 거래상대방을 제한하는 것이 아니라고 볼 수 있다.

다음으로, '부당성의 인정 여부'와 관련하여, 다음과 같은 사정들에 의하면 가맹본부 A의 행위에 부당성이 인정된다고 보기 어렵다고 보았다.

첫째, 가맹본부가 가맹점에 설치할 점포의 실내외장식 등의 설비의 구입 및 설치를 자기 또는 자기가 지정한 자로부터 하도록 하는 행위가 가맹사업의 목적달성을 위하여 필요한 범위 내인지 여부는 가맹사업의 목적과 가맹점계약의 내용, 가맹금의 지급방식, 가맹사업의 대상인 상품 또는 용역과 설비와의 관계, 가맹사업의 통일적 이미지 확보와 상품의 동일한 품질유지를 위한 기술관리·표준관리·유통관리·위생관리의 필요성 등에 비추어 가맹점사업자에게 사양서나 품질기준만을 제시하고 임의로 구입 또는 설치하도록 방치하여서는 가맹사업의 통일적 이미지 확보와 상품의 동일한 품질을 보증하는 데 지장이 있는지 여부를 판단하여 결정하여야 한다[39].

둘째, 가맹본부 A가 미리 정보공개서를 통하여 가맹점사업자에게 해당 사실을 알리고 가맹점사업자가 계약을 체결하고 있는 점과 함께, △ 인테리어 공사는 점포의 통일적 이미지로서 유럽풍 '빈티지 스타일'을 유지하기 위하여 필요하다고 보이는 점, △ 가맹본부 A와 HP 디자인은 일명 '빈티지 스타일' 인테리어를 개발하였는데, 가맹본부 A가 가맹사업을 시작할 당시인 2009년경에는 위 '빈티지 스타일' 인테리어를 비슷하게 구현할 수 있는 업체가 거의 없었던 점, △ 인테리어 등의 시공을 다른 업체에게 맡기는 것보다 공사의 완성도나 사후관리 측면에서도 가맹본부 A나 가맹본부 A가 지정하는 업체가 시공을 하는 것이 훨씬 효과적이었던 것으로 보이는 점, △ 가맹점사업자가 직접 가맹본부 A가 의도하는 인테리어 등을 시공하려면 업체선정, 공사감독 등으로 인하여 추가적으로 소요되는 시간이나 비용을 사실상 무시하기 어렵고, 설비·기기·용품 등은 가맹점의 개점시기에 맞추어 적시에 공급될 필요성이 있는 것으로서 가맹본부 A를 통하여 일괄적으로 구입하도록 한 것이 합리적인 점을 종합하면, 가맹점사업자에게 인테리어 시공과 설비·기기·용품 구매의 상대방을 가맹본부 A나 가맹본부 A가 지정하는 업체로 제

39) 대법원 2006. 3. 10. 선고 2002두332 판결 참조.

한한 것은 가맹사업의 통일적 이미지 확보와 상품의 동일한 품질을 보증하기 위한 필수적인 것으로 가맹사업의 목적달성을 위한 필요한 범위 내라고 볼 수 있다.

4 알아두기

앞서 살펴 본 것처럼, 공정위는 위와 같은 가맹본부 A의 행위가 2010년 당시의 가맹계약서에 규정된 가맹본부 A와 가맹점사업자 간의 판촉비용 분담 원칙에 반하는 것으로 거래상지위를 이용하여 가맹점주에 불이익을 제공한 것이라고 판단하였다.

구체적으로는, △ 정보공개서와 가맹계약서에는 가맹점 광고, 판촉에 수반되는 비용은 가맹본부와 가맹점사업자가 분담한다고 규정하고 있으므로, 가맹본부 A가 비용을 전혀 부담하지 않는 것은 계약에 위반되고, △ 정보공개서와 가맹계약서에 브랜드 전체 광고 및 판촉활동에 대한 비용은 가맹본부 A가 부담한다고 규정되어 있으므로 가맹본부 A가 이 부분에 대한 비용부담이 제휴 계약의 비용을 가맹점사업자에게 전가한 행위를 정당화 시킬 수 없고 더욱이 적립포인트, 상품권 관련 비용을 가맹본부 A가 모두 부담하게 된 것은 위반행위 기간 이후라는 것이다.

참고로, 공정위는 가맹본부 B(영업표지: ○○치킨)가 2017년 5월부터 자신이 운영하는 ○○치킨을 통해 판매되는 치킨의 소비자가격을 900원~2,000원 인상하면서 가맹점사업자들에게 광고비 명목으로 원료육 한 마리당 500원(부가세 별도)을 부담시킨 행위에 대해, △ 가맹본부 B가 이 사건 행위 기간 동안 가맹점사업자들에게 공급한 육계량은 전년 대비 일부 감소하였으나, 인상된 소비자가격을 기준으로 매출액을 산정하면 오히려 전년 대비 다소 증가한 것으로 확인되는 점에 비추어 볼 때 가맹점사업자들에게 경제적으로 불이익하다고 보기 어려운 점, △ 소비자가격 인상으로 일시적 매출감소가 발생할 것을 우려하여 광고비용을 추가 지출하고자 했던 것이고, 가맹점사업자들로부터 광고분담금을 징수하면서 확정된 2017년 광고예산을 축소하고자 한 정황이 없는 점 등을 고려할 때, 가맹사업의 유지·발전이라는 공동의 이해관계 달성을 위한 것으로 판단되므로, 소비자가격 인상액 중 일부를 광고분담금으로 징수한 행위가 가맹점사업자들에게 부당하게 불이익을 주는 행위라고 보기 어렵다는 점을 이유로, 가맹사업법 제12조 제1항 제3호에서 금지하는 불이익제공행위에 해당하지 않는다고 판단[40]했다.

40) 제너시스비비큐의 가맹사업법 위반행위에 대한 건(사건번호: 2017가맹1748) 참조.

MEMO

가맹계약서상 근거 없는 가맹금을 신설·부과한 경우, 불이익제공행위에 해당할까

[A피자의 가맹사업법 위반행위에 대한 건]

- 2017. 1. 20. 공정위 의결 제2017-033호 -

- 서울중앙지방법원 2016. 6. 30. 선고 2015가합539029 부당이득 반환 -

1 사안 바라보기

가맹본부 A(영업표지: ○○피자)는 구매・마케팅・영업지원・품질관리 등에 대한 각종 행정적 지원에 대한 대가라는 명목으로 '어드민피(Administration Fee)'라는 명칭의 가맹금을 가맹점사업자들부터 매월 수령하였다. 하지만 가맹점사업자들이 가맹본부 A와 체결한 가맹계약서에는 가맹점사업자들이 지급해야 하는 가맹금에 로열티(매출액의 6%), 광고비(매출액의 5%) 외에 어드민피에 대한 언급은 없었으며, 이후 가맹본부 A는 가맹점사업자들과 계약을 갱신하는 과정에서 어드민피 부과에 대한 합의서를 작성하였다.

이러한 경우 가맹본부 A의 행위는 가맹점사업자들에게 불이익을 제공하는 것으로 가맹사업법상 불이익제공행위(제12조 제1항 제3호)에 해당할까.

결론부터 말하면, 공정위는 가맹본부 A가 거래상지위를 이용하여 가맹점사업자들과의 최소한의 의견수렴 절차조차도 거치지 않고, 가맹계약서상 근거가 없는 금원을 징수하고, 그 징수 요율까지 일방적으로 인상하는 방법으로 가맹점사업자에게 불이익을 제공한 행위는 가맹사업법상 불이익제공행위(제12조 제1항 제3호)에 해당한다고 판단했다. 다만, 어드민피 합의서와 함께 가맹계약을 체결한 가맹점사업자의 경우 당해 계약 체결 시 사업계속 여부에 대한 선택권을 갖고 어드민피 합의서에 서명한 것임을 고려할 때 가맹본부 A가 어드민피 합의서를 작성한 가맹점사업자에 대하여 어드민피를 부과한 행위에 대하여는 불이익제공행위에 해당하지 않는다.

2 깊게 들여다보기

가맹사업법상 불이익제공행위(제12조 제1항 제3호)에 해당하기 위해서는 △ 가맹본부가 가맹점사업자에 대하여 거래상 지위가 있어야 하고, △ 구입강제, 부당한 강요, 부당한 계약조건의 설정 또는 변경, 경영의 간섭, 판매목표 강제 등에 준하는 경우로서 가맹점사업자에게 부당하게 불이익을 주는 행위여야 한다.

다만, 위 요건을 충족하더라도 가맹본부의 상표권을 보호하고 상품 또는 용역의 동일성을 유지하기 어렵다는 사실이 객관적으로 인정되는 경우로서, 해당 사실에 관하여 가맹본부가 미리 정보공개서를 통하여 가맹점사업자에게 알리고 가맹점사업자와 계약을 체결하는 경우에는 위법성이 조각된다.

우선, 공정위는 가맹점사업자들이 가맹사업에 대한 기술, 경험 및 자금면에서 절대적인 약점에 있고, 이러한 약점은 사업적 능력에서 현격하게 우위에 있는 가맹본부 A의 전적인 지원에 의해 보완되는 위치에 있으므로, 가맹점사업자들은 가맹계약에 따라 가맹본부 A와 지속적인 거래관계를 유지하면서 가맹본부 A가 요구하는 조건과 기준에 따라 점포 및 내부시설을 준비하여야 하며, 만일 가맹점사업자가 원치 않는 시기에 가맹계약이 해지될 경우 위와 같은 시설투자비용을 충분히 회수하기 어려워져 경제적 손실을 입는 점에서 가맹본부 A의 거래상지위가 인정된다고 보았다.

나아가 공정위는 가맹본부 A가 이러한 거래상지위를 이용하여 가맹점사업자들과의 최소한의 의견수렴 절차조차도 거치지 않고, 가맹계약서상 근거가 없는 금원을 징수하고, 그 징수 요율까지 일방적으로 인상하는 방법으로 가맹점사업자에게 불이익을 제공하였다고 판단하였다.

또한, 가맹본부 A가 공정위에 등록된 정보공개서에 어드민피가 부과된다는 내용을 기재한 사실은 인정되나 가맹계약서상 근거 없이 어드민피를 부과하거나 이를 인상시킨 행위가 허용되지 않을 경우 가맹본부 A의 상표권을 보호하고 상품 또는 용역의 동일성을 유지하는 것이 어렵다고 객관적으로 인정된다고 보기 어려우므로 예외인정 요건에 해당되지 않는다고 보고 시정명령 및 과징금을 부과하였다.

[가맹본부 A의 연도별 어드민피 징수 요율 변동 내역]

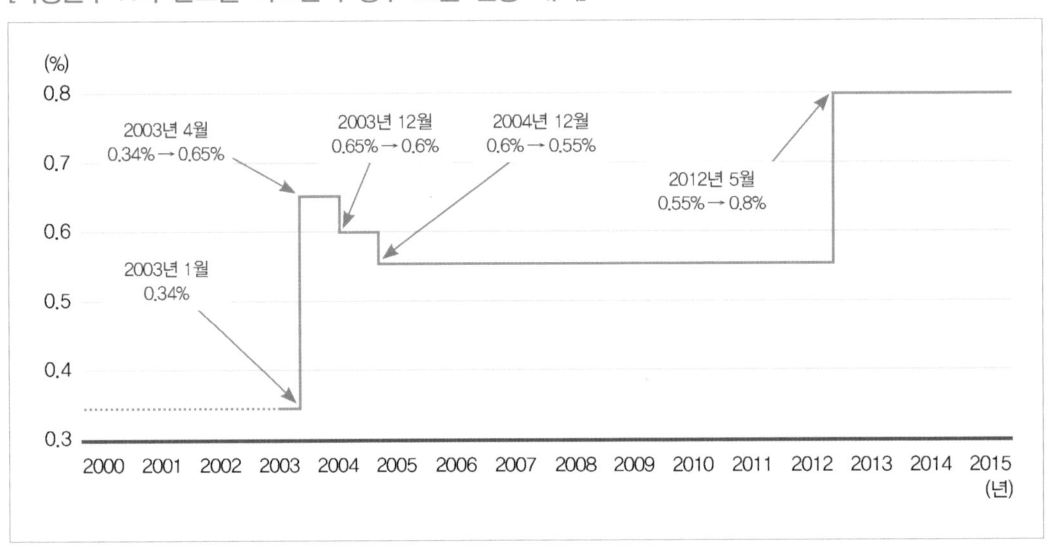

한편, 가맹본부 A가 가맹점사업자들과 계약을 갱신하는 과정에서 어드민피 부과에 대한 합의서를 작성한 것과 관련하여, 공정위 심사관은 가맹점사업자들이 계약 갱신과정에서 가맹본부의 합의서 작성 요구를 거부하기는 어려웠을 것으로 보이는 점 등을 고려할 때, 가맹점사업자들이 합의서 작성에 자발적으로 동의한 것으로 볼 수 없다고 주장했다.

하지만 공정위는 어드민피 합의서와 함께 가맹계약을 체결한 가맹점사업자의 경우 당해 계약 체결 시 사업계속 여부에 대한 선택권을 갖고 어드민피 합의서에 서명한 것임을 고려할 때, 가맹본부 A가 어드민피 합의서를 작성한 가맹점사업자에 대하여 어드민피를 부과한 행위에 대하여는 위법한 것으로 볼 수 없다고 판단하였다.

서울중앙지방법원 역시 가맹점사업자들이 어드민피 부과와 관련하여 가맹본부 A를 상대로 제기한 부당이득금반환청구소송에서 어드민피가 가맹계약서상 근거가 있는지 여부와 관련하여, △ 가맹계약서상 어드민피를 부과할 수 있는 근거가 없고, △ 어드민피 지급에 관한 묵시적 합의도 인정할 수 없으므로, 특별한 사정이 없는 한 가맹본부 A는 법률상 아무 원인 없이 가맹점사업자들로부터 어드민피를 지급받아 그 금액 상당의 이익을 얻고 그로 인하여 가맹점사업자들에게 같은 금액 상당의 손해를 가하였다고 봄이 타당하다고 판단했다.

그러나, 서울중앙지방법원 역시 어드민피 합의는 어드민피 부과의 근거가 될 수 있으므로, 가맹본부 A가 어드민피 합의서를 작성한 가맹점사업자들로부터 그 이후 수령한 어드민피는 부당이득이 된다고 할 수 없다고 판단했다.

결국, 서울중앙지방법원은 가맹본부 A에 대하여 △ 합의서를 작성하지 않은 가맹점사업자들에게는 그들로부터 지급받은 어드민피 '전액' 상당액을, △ 가맹계약을 갱신하면서 합의서를 작성한 가맹점사업자들에게는 '합의서 작성하기 이전까지' 지급받은 어드민피 상당액을 부당이득금으로 반환할 의무가 있고, △ 가맹계약을 신규 체결하면서 합의서를 작성한 가맹점사업자들에게 지급받은 어드민피 상당액을 반환할 의무가 없다고 판단했다.

3 한 걸음 더

가맹본부 A는 2003년 1월 1일부터 구매 · 마케팅 · 영업기획 · 품질관리 등과 관련하여 가맹점사업자에게 각종 행정적 지원을 제공하는 대가로 어드민피라는 명칭으로 가맹금을 가맹점사업자들로부터 매월 수령하면서 이를 가맹계약서에는 기재하지 않았다. 다만, 가맹본부 A는 2012년 4월 20일부터는 가맹본부 A와 신규로 가맹계약을 체결하거나 가맹계약을 갱신하는 기존의 가맹점사업자들과 어드민피 지급에 관한 별도의 합의서를 작성하기 시작하였다.

공정위는 위와 같이 가맹본부 A가 가맹점사업자로부터 매월 수령하는 어드민피는 가맹사업법 제2조 제6호 라목에 규정된 '가맹점사업자가 가맹본부와의 계약에 의하여 허락받은 영업표지의 사용과 영업활동 등에 관한 지원·교육, 그 밖의 사항에 대하여 가맹본부에 정기적으로 또는 비정기적으로 지급하는 대가'에 해당하여 가맹금으로 인정되고, 가맹계약서는 가맹금 등의 지급에 관한 사항을 반드시 포함하여야 하는바, 가맹본부 A가 가맹계약서에 어드민피 지급에 관한 사항을 기재하지 아니한 행위는 가맹사업법 제11조 제2항 제4호에 위반되어 위법하다고 판단했다.

이에 대해, 가맹본부 A는 가맹계약서(제2.3조)상 "최초 가맹비 및 고정수수료는 당사가 허여한 가맹사업권의 대가일 뿐이며 가맹사업자(가맹본부)의 특정 의무 또는 서비스 이행에 대한 대가가 아니다"라고 규정하고 있는바, 가맹계약은 기본적으로 유상계약으로서 가맹본부가 제공하는 서비스에 대한 대가는 당연히 별도로 지급되어야 하는 것이 마땅하므로 어드민피의 지급근거가 명확히 규정된 것이라고 주장했다. 또한 2008년부터는 공정위에 등록된 정보공개서에 어드민피가 부과된다는 내용을 기재하였고, 사전교육 등을 통해 이를 가맹점사업자들에게 충분히 알렸으므로 법 위반으로 볼 수 없다고 주장했다.

하지만, 공정위는 다음과 같은 점에서 가맹본부 A의 주장이 이유 없다고 판단했다. 첫째, 어드민피의 지급근거가 이 사건 가맹계약서에 명확히 규정되었다는 주장에 대해서는, 가맹본부 A는 이 사건 어드민피와 같이 가맹본부 A가 가맹점사업자를 위해 지출하는 비용에 해당하는 광고비, 콜센터 시스템 이용 수수료 등의 경우에는 가맹본부 A의 가맹계약서에 그 내용을 명확하게 기재하고 있는바, 위 가맹계약서 규정만으로도 어드민피의 지급근거가 명확히 규정되어 있다는 가맹본부 A의 주장은 타당하지 않다고 보았다. 또한 2012년 4월 20일 이후 가맹본부 A가 신규로 계약을 체결하거나 계약을 갱신하는 가맹점사업자들과는 별도로 어드민피 합의서를 작성하였다는 사실도 역시 그간 가맹본부 A가 가맹계약서에 어드민피에 대한 명확한 근거없이 이를 부과하였다는 것을 반증한다고 보았다. 만일 가맹본부 A의 주장대로 가맹본부가 가맹점사업자에게 제공하는 서비스에 대한 대가를 가맹계약서 위 조항을 근거로 부과할 수 있다면 가맹본부는 언제든지 동 조항을 근거로 추가적인 금원을 징수할 수 있게 되는바, 이는 가맹점사업자들의 예측가능성을 현저히 저해하여 불안정한 상황에 놓이게 되는 것이라고 판단했다.

둘째, 정보공개서 등을 통하여 어드민피가 부과된다는 사실을 가맹점사업자들에게 충분히 알렸다는 주장에 대하여서는, 가맹사업법에서는 가맹계약서에 가맹금 등에 관한 사항을 기재하도록 하고 있으므로 정보공개서에 이를 기재하였거나 사전 교육 등을 하였다고 해서 가맹계약서에 기재하지 아니한 이상 위법을 면할 수 없다고 보았다.

법원[41]도 가맹본부 A의 가맹점사업자들이 어드민피 부과와 관련하여 가맹본부 A를 상대로 제기한 부당이득금반환청구소송에서 어드민피가 가맹계약서상 근거가 있는지 여부와 관련하여 △ 가맹계약서 2.3조는 가맹계약상 최초가맹비와 고정수수료 외에 가맹본부 A가 가맹점사업자에게 특정 서비스를 제공할 경우 수수료를 부과할 수 있다는 원칙에 관한 규정에 불과하므로, 해당 규정을 어드민피를 부과할 수 있는 근거라도 보기에는 부족하고, △ 가맹본부 A가 정보공개서에 어드민피 부과에 관한 사항을 기재하였더라도, 동일한 취지의 사항을 가맹계약서에 기재하지 아니한 이상, 이를 어드민피 부과의 근거라고 보기 부족하다고 판단했다.

4 알아두기

최근 외식업종 브랜드 간 경쟁이 심화되고 소비 심리가 위축되는 등으로 인해 가맹본부와 가맹점사업자들이 모두 어려운 여건에 처해 있는 상황에서 위와 같은 사례는 가맹본부가 거래상 지위를 남용하여 부당하게 가맹금을 수취하는 등 불이익을 제공한 행위에 대해 공정위가 강력히 제재하고 법원은 그에 따른 부당이득을 반환하도록 한 것으로, 향후 가맹사업 거래 질서 확립에 일응 기준이 될 수 있으리라 보인다.

한편, 가맹점사업자에 대한 보복 출점 등 이른바 '갑질' 혐의로 기소된 B피자 창업주의 혐의가 법원에서 대부분 무죄로 판단돼 논란이 일고 있는 가운데, 최근 개정된 가맹사업법은 가맹본부가 가맹점사업자와 합의 없이 일방적으로 영업지역을 변경하는 행위도 법률 위반 행위로 규정했다. 이런 행위는 시정명령이나 과징금 부과 조치 대상이 된다. 아울러 가맹본부의 법 위반 행위를 공정위에 신고하거나 제보하고 증거자료를 제출한 사람은 포상금을 받을 수 있게 됐다.

이러한 개정으로 그동안 가맹점사업자는 보복이 두려워 가맹본부의 불공정행위를 신고하지 못하는 경향이 있었는데, 앞으로 공정위 협조에 대한 보복도 위법행위가 된 만큼 가맹본부의 불공정행위가 개선될 것으로 기대된다.

---

41) 서울중앙지방법원 2016. 6. 30. 선고 2015가합539029, 2016가합509117 판결 참조.

영업지역을 도보 30미터나 100미터로 설정한 경우, 불이익제공행위에 해당할까

[A화장품의 가맹사업법 위반행위에 대한 건]

- 2017. 1. 26. 공정위 의결 제2017-080호 -

- 서울고등법원 2018. 6. 29. 선고 2017누42646 판결 -

1 사안 바라보기

가맹본부 A(영업표지: ○○화장품)는 기존에는 영업지역을 설정하지 아니하다가 가맹사업법 제12조의4가 시행됨에 따라 2014년 9월부터 2016년 1월 기간 동안 63개 가맹점사업자에게는 가맹점 반경 도보 30m, 2016년 2월 이후 10개 가맹점사업자들에게 가맹점 반경 도보 100m를 영업지역으로 각각 설정하는 내용으로 가맹계약을 갱신하여 체결하였다. 이 과정에서 가맹본부 A는 가맹점사업자와 사전 협의하거나 동의절차를 거치지 않았다.

이러한 경우 가맹본부 A의 행위는 가맹점사업자들에게 불이익을 제공하는 것으로 가맹사업법상 불이익제공행위(제12조 제1항 제3호)에 해당할까.

결론부터 말하면, 공정위와 서울고등법원은 가맹본부 A가 거래상지위를 이용하여 가맹계약을 갱신하는 과정에서 가맹점사업자들의 영업지역을 대폭 축소하는 방법으로 거래 조건을 부당하게 변경한 행위는 가맹사업법상 불이익제공행위(제12조 제1항 제3호)에 해당한다고 판단했다.

2 깊게 들여다보기

가맹사업법 개정으로 2014년 8월 14일 이후 가맹본부는 계약서에 가맹점사업자의 영업지역을 반드시 설정하여야 하고, 영업지역 내에 동종 업종의 가맹점이나 직영점 설치가 금지되었다(가맹사업법 제12조의4 신설). 따라서 2014년 8월 14일 이전에 가맹계약을 체결한 경우, 해당 가맹 계약서에 영업지역이 설정되지 않았다면 2014년 8월 14일 이후 최초로 가맹계약을 갱신할 때 영업지역을 설정해야 한다.

(1) 거래상지위 성립 여부

공정위는 가맹본부 A가 가맹점사업자에 대하여 다음과 같은 점을 고려할 때 거래상 지위가 있는 것으로 인정된다고 판단했다.

첫째, 가맹본부 A는 화장품 브랜드샵 시장에서 최근 몇 년간 매출액이 급성장하고 있는 유력한 사업자로서 가맹점사업자들은 가맹본부 A와 계속적인 거래관계를 유지하기를 희망하고 있다.

둘째, 한 점포에서 특정 브랜드의 제품만을 판매하는 브랜드샵의 특성상 가맹점사업자들은 가맹본부 A의 영업표지가 부착된 제품만을 판매하므로, 가맹점 운영과 관련하여 가맹본부 A에게 전적으로 의존하는 거래관계에 있다.

셋째, 가맹점사업자들은 가맹사업에 대한 기술, 경험 및 자금 면에서 현격하게 우위에 있는 가맹본부 A의 지원을 필요로 하는 위치에 있고, 가맹점사업자들은 가맹계약에 따라 가맹본부 A와 지속적인 거래관계를 유지하면서 가맹본부 A가 요구하는 조건과 기준에 따라 점포 및 내부 시설을 준비하여야 하며 원치 않는 시기에 계약이 해지될 경우 위와 같은 시설투자비용을 충분히 회수하기 어려워져 경제적 손실을 입게 된다.

넷째, 가맹사업의 본질적 특성상 가맹사업의 동일성 유지를 위한 범위 내에서 가맹본부 A의 가맹점사업자에 대한 일정한 통제가 허용된다.

(2) 불이익제공 여부

공정위는 가맹본부 A가 영업지역을 신규로 설정함으로써 가맹점사업자 간 거리가 실질적으로 축소되고 기존 가맹점사업자 인근에 새로운 가맹점사업자의 개설이 가능해짐에 따라 기존 가맹점사업자의 매출이 하락하는 결과를 초래하게 되므로, 가맹본부 A의 행위는 가맹점사업자에게 불이익을 제공하는 행위라고 볼 수 있다고 보았다.

(3) 부당성 여부

신규계약의 경우 가맹희망자는 가맹본부가 설정한 영업지역에 대한 설명을 듣고 난 후 가맹계약 체결 여부에 대한 선택권을 가지고 결정할 수 있다. 그러나 위와 같은 사례처럼 갱신계약의 경우에는 가맹점사업자가 가맹사업을 위하여 투자하게 된 점포 및 내부시설비용 등을 고려할 때 계약 갱신 여부에 대한 선택권을 자유롭게 가진다고 보기 어렵다고 공정위는 판단했다.

그럼에도 가맹본부 A는 영업지역을 신규로 설정하면서 영업지역 설정 여부 및 범위, 효과 등 구체적 사항들에 대해 가맹점사업자들의 사전 협의 또는 별도의 동의절차를 거치지 아니한 채 일방적으로 영업지역을 설정하고 가맹계약을 갱신하여 체결하였으므로 부당성이 인정된다고 공정위는 판단했다.

(4) 예외인정 요건 해당 여부

공정위는 가맹본부 A가 영업지역을 가맹점 반경 도보 30m 또는 100m로 설정하지 아니할 경우 가맹본부의 상표권을 보호하고 상품의 동일성을 유지하기 어렵다는 사실이 객관적으로 인정되는 경우로 보기 어렵고, 이러한 사실을 미리 정보공개서를 통하여 가맹점사업자에게 알리고 가맹점사업자와 계약을 체결한 것으로 보이지도 아니하므로 가맹사업법 시행령 제13조 제1항 관련 [별표 2] 제3호 단서규정상의 예외인정 요건에 해당하지 아니한 것으로 보인다고 판단했다.

오히려, 가맹본부 A가 이와 같이 신규 영업지역을 설정한 것은 가맹본부의 상표권을 보호하거나 상품의 동일성을 유지하기 위한 것이 아니라 계열회사인 C[42]가 준비 중인 신규 화장품 브랜드샵 진출을 용이하게 진행하기 위한 것으로 추정된다고 판단했다.

3 한 걸음 더

위와 같은 공정위 판단에 대해 가맹본부 A는 △ 가맹본부 A가 기존 가맹점의 인접 장소에 신규 가맹점을 개설할 경우 공정위로부터 가맹사업법에 근거한 제재처분을 부과받게 되므로 이 사건 영업지역 설정행위만으로 인접 장소에 신규 가맹점을 출점하는 것이 가능해졌다고 보기는 어렵고, 가맹본부 A는 이 사건 영업지역 설정행위 후 인접 장소에 신규 가맹점을 개설한 사실도 없으므로, 매출하락의 개연성만으로는 불이익이 확정되었다고 보기 어려운 점, △ 오히려 가맹본부 A는 2014년 8월 14일 가맹사업법 제12조의4 제1항이 시행되기 전까지는 가맹계약서 및 정보공개서상에 영업지역을 설정하지 아니하여 영업지역 침해금지의무를 부담하지 않고 있었으나, 이 사건 영업지역 설정행위로 인해 영업지역 침해금지의무를 직접적으로 부담하게 되었으므로, 이 사건 영업지역 설정행위로 인해 가맹점사업자들에게 법률적으로 불리한 결과가 초래되었다고 보기 어려운 점 등을 고려할 때, 가맹본부 A의 이 사건 영업지역 설정행위는 불이익제공에 해당하지 않는다고 주장하면서 서울고등법원에 불복했다.

하지만, 서울고등법원은 가맹본부 A의 이 사건 영업지역 설정행위가 다음과 같은 점을 고려할 때, 가맹사업법 제12조 제1항 제3호 및 같은 법 시행령 제13조 제1항, [별표 2] 불공정거래행위기준 제3호 바목에 정한 '가맹점사업자에게 부당하게 불이익을 주는 행위'에 해당한다고 판단했다.

---

42) 계열회사 C는 가맹본부 A가 2014년 9월경 런칭하여 현재 직영점 3개를 운영 중이며, 특히 ○○화장품 명동점 인근 2m에 계열회사 C의 직영점을 출점한 사례가 있다.

첫째, 가맹사업법 제12조의4 제2항에서는 상권의 급격한 변화 등 대통령령으로 정하는 사유가 발생한 경우에는 가맹계약 갱신과정에서 가맹본부와 가맹점사업자가 협의를 통하여 기존 영업지역을 합리적으로 변경할 수 있다고 규정하여, 기왕에 설정된 영업지역을 계약 갱신과정에서 변경할 수 있는 요건과 절차를 제한하고 있나. 가맹사업법 시행령 제4조 제1항 [별표 1] 정보공개서의 기재사항 제6호 마목에서는 영업지역을 재조정하는 경우 가맹점사업자에게 미리 알리는 절차와 동의를 받는 방법을 정보공개서에 반드시 기재하도록 규정하고 있고, 제13조의4에서는 영업지역 변경사유로 "1. 재건축, 재개발 또는 신도시건설 등으로 인하여 상권의 급격한 변화가 발생하는 경우, 2. 해당 상권의 거주인구 또는 유동인구가 현저히 변동되는 경우, 3. 소비자의 기호변화 등으로 인하여 해당 상품・용역에 대한 수요가 현저히 변동되는 경우, 4. 제1호부터 제3호까지의 규정에 준하는 경우로서 기존 영업지역을 그대로 유지하는 것이 현저히 불합리하다고 인정되는 경우"라고 하여 기왕에 설정된 영업지역을 계약 갱신과정에서 변경할 수 있는 요건을 매우 엄격히 정하고 있다. 이는 가맹점사업자가 기존의 계약을 통해 확보한 영업지역에서 계약기간 동안의 영업활동으로 형성한 상권・영업권 또는 주요 고객과의 거래관계에 따르는 이익이 계약 갱신과정에서 침해되지 않도록 보호하기 위한 것이다. 가맹사업의 공정한 거래질서를 확립하고 가맹본부와 가맹점사업자가 대등한 지위에서 상호보완적으로 균형 있게 발전하도록 함을 목적으로 하는 가맹사업법의 목적 및 같은 법 제12조의4의 입법취지에 비추어 보면, 가맹본부가 영업지역을 설정하지 않은 채 영업을 하여 온 기존의 가맹점사업자와 계약을 갱신하면서 영업지역을 설정하는 경우에도, 가맹사업법 제12조의4 제2항, 같은 법 시행령 제13조의4의 내용에 상응하는 영업지역 설정의 기준과 절차를 준용하여 적용함으로써 가맹점사업자가 기왕의 영업활동을 통하여 형성한 영업권이 미치는 권역인 사실상의 영업지역에 대한 권리 또는 이익이 가맹본부에 의하여 훼손되지 않도록 할 필요가 있다.

둘째, 가맹본부 A는 2014년 8월까지 가맹계약서에 가맹점사업자의 영업지역을 특정하는 내용을 두거나 개별 가맹점사업자와 영업지역을 특정하는 내용의 합의를 하지 않았던 것으로 보이는데, 2014년 8월 13일부터 가맹사업법 제12조의4가 시행되자 2014년 9월부터 2015년 1월까지 사이에 전국의 200여 개 가맹점사업자 중 63개 사업자와 가맹계약을 갱신하면서 영업지역을 "해당 영업점에서 도보로 반경 30m"라고 특정하였고 이와 다른 내용으로 영업지역을 특정하여 가맹계약을 갱신한 사례는 없다. 이어 가맹본부 A는 2016년 2월부터 2016년 5월까지 10개 가맹점사업자와 가맹계약을 갱신하면서 영업지역을 "해당 영업점에서 도보로 반경 100m"라고 특정하였고 위 시기에 이와 다른 내용으로 영업지역을 특정하여 가맹계약을 갱신한 사례는 없다. 이 사건 영업지역 설정행위 이전 가맹본부 A의 가맹점 간 거리가 도보 30m는 물론이고 도보 100m 보다 가까운 경우는 없었다.

셋째, 가맹본부 A가 이와 같이 영업지역을 설정하면서 가맹점사업자들을 상대로 정기적으로 세미나, 간담회, 리더스 컨퍼런스 등을 개최한 사실은 인정되나, 나아가 개별 가맹점사업자들과 해당 가맹점의 영업지역을 설정하면서 구체적인 협의를 하였다는 자료는 없다. 위와 같이 30m 또는 100m로 영업지역을 설정한 위 73개 가맹점사업자는 대도시인 서울, 인천, 대구, 광주 등에 소재한 것도 포함되어 있지만, 그보다 작은 규모의 중소도시에 위치한 것이 대부분이어서 대도시 또는 교통의 요충지와 비교하여 상권이 대규모로 발달하거나 유동인구가 많은 것이 아닌 것으로 보임에도 대도시의 가맹점과 중소도시의 가맹점에 차별을 두지 않은 채 2014년 9월부터 2016년 1월까지는 모두 일괄적으로 반경 30m로, 그 이후에는 모두 일괄적으로 반경 100m로 영업지역을 설정한 점에서도 가맹본부 A가 개별 가맹점의 영업상황과 지역적 특성 등을 전혀 고려하지 않은 채 우월적 지위를 가진 가맹본부의 편의에 따라 일방적인 기준으로 영업지역을 설정한 것으로 보인다. 가맹본부 A의 매출액이나 가맹점사업자의 수익이 증가하는 상황에서 이미 상당한 자산을 투자한 가맹점사업자들로서는 가맹본부 A와의 계약 갱신을 희망하고 있었기 때문에 우월적 지위를 가진 가맹본부 A의 위 요구를 거절하기 어려웠을 것으로 보이는바, 위와 같은 영업지역의 설정이 가맹점사업자의 자유로운 의사에 의한 것으로 보이지 않는다.

넷째, 가맹본부 A가 이 사건 영업지역 설정행위를 한 경위와 의도, 화장품 브랜드샵 사업이라는 가맹사업과 취급 상품의 특성, 화장품 브랜드샵 시장의 거래상황 및 거래관행, 가맹본부 A가 가맹점사업자들에 대하여 가지는 우월적 지위의 정도, 이 사건 영업지역 설정행위로 가맹점사업자가 받게 되는 불이익의 내용과 정도 등을 모두 고려하여 보면, 가맹본부 A의 이 사건 영업지역 설정행위는 가맹사업법 시행령 [별표 2] 불공정거래행위기준 제3호 가목부터 마목에서 규정한 구입강제, 부당한 강요, 부당한 계약조항의 설정 또는 변경, 경영의 간섭, 판매목표 강제 등과 동일시할 수 있을 정도로 가맹본부 A가 자기의 거래상의 지위를 부당하게 이용하여 그 거래조건을 설정 또는 변경하여 가맹점사업자에게 불이익을 준 것으로 평가할 수 있다.

다섯째, 가맹사업법의 목적이나 가맹사업법 제12조의4 제1항의 취지에 비추어 볼 때, 가맹본부가 영업지역을 설정하였다고 해서 그 자체로 가맹사업법 제12조의4 제1항을 준수한 것이라고 할 수는 없고, 적절한 협의절차를 거쳐 가맹점사업자의 피해를 방지할 수 있을 정도의 합리적인 영업지역을 설정하여야 한다. 이 사건 영업지역 설정행위는 기존 가맹점사업자에게 상당히 불리한 것일 뿐만 아니라 개별가맹점의 특성을 전혀 고려하지 아니한 것인바, 이는 그 자체로 가맹점 사업자에게 불이익을 제공하는 것이라고 봄이 상당하다. 가맹본부 A의 주장대로 기존 가맹점 인접 장소에 신규 가맹점을 개설하는 것이 가맹사업법상 제재대상이라고 하더라도 이는 사후조치일 뿐 가맹본부 A가 이 사긴 영업지역 설정행위에 따라 기존 가맹점 인근에 신규 가맹점을 개설하는 것이 불가능한 것은 아니고, 가맹본부 A가 이 사건 영업지역 설정행위 이후 기존 가맹점으로부터 도보 30m 또는 100m의 거리 내에 신규 가맹점을 개설한 사례가 없다거나 이로 인한 매출 피해가 실제 발생하거나 확정된 적이 없다고 하여 이 사건 영업지역 설정행위가 불이익제공에 해당하지 않는다고 할 수 없다.

4 알아두기

공정위와 서울고등법원은 영업지역 설정 이전 가맹점사업자들이 소재한 곳으로부터 가장 인접한 ○○화장품 가맹점은 30m 혹은 100m보다 훨씬 먼 거리에 소재하고 있었음에도, 계약서상 영업지역을 30m 또는 100m로 턱없이 좁게 설정함으로써 영업지역이 실질적으로 대폭 축소되었다고 보았다,

또한, 공정위는 가맹본부 A가 가맹점사업자들의 영업지역을 축소한 것은 기존의 ○○화장품 가맹점사업자들이 입점해 있는 주요 상권에 ○○화장품의 세컨 브랜드인 계열회사 B의 출점을 용이하게 하기 위한 것으로, 판매제품과 가격대가 달라도 같은 업종의 가맹점이 인근에 출점하면 기존 가맹점의 매출 하락은 쉽게 예상되는 일임에도 자신의 세컨 브랜드 확장을 위해 기존 가맹점의 영업지역을 부당하게 축소했다고 판단했다.

다만, 공정위와 서울고등법원의 판단처럼 도보 30m 또는 100m의 영업지역 설정으로 인해 인접 장소의 가맹점 개설 및 기존 가맹점의 매출이 하락할 개연성이 존재한다고 하더라도, 그 매출 하락의 정도가 명확히 특정되지 않는 이상 영업지역 설정으로 불이익이 제공되었다고 볼 수 있는지에 대해서는 논란이 있을 수 있다.

다시 말해, 공정위가 불이익제공행위를 이유로 시정명령을 부과하기 위해서는 거래상대방에게 발생한 불이익의 내용이 객관적으로 명확하게 확정되어야 하고, 그 불이익이 금전상의 손해인 경우에는 법률상 책임 있는 손해의 존재는 물론 그 범위(손해액)까지 명확하게 확정되어야 한다.[43]

이와 관련하여 공정위도 가맹본부 A가 영업지역을 설정한 이후 인근에 신규 가맹점을 개설한 사례가 없음을 인정하고 있는데, 실제 인접 장소에 신규 가맹점이 개설되거나 기존 가맹점의 매출이 실제로 감소되지 않은 이상, 단지 매출 하락의 개연성만으로 불이익의 존재와 범위가 명확히 확정되었다고 볼 수 있을지는 의문일 수 있다.

43) 대법원 2002. 5. 31. 선고 2000두6213 판결.

할인행사 시 할인비용 정산기준을 변경한 경우, 불이익제공행위에 해당할까

[A화장품의 가맹사업법 위반행위에 대한 건]

– 2017. 1. 26. 공정위 의결 제2017-080호 –

– 서울고등법원 2018. 6. 29. 선고 2017누42646 판결 –

1 사안 바라보기

가맹본부 A(영업표지: ○○화장품)는 ① 2007. 4월부터 모든 할인행사에 따른 할인비용을 소비자판매가격을 기준으로 1:1 비율로 가맹점사업자와 분담하여 오다가 2011. 7월 초순경 내부 마케팅 전략회의에서 할인비용 정산기준을 소비자판매가격에서 공급가격으로 변경하기로 결정하였다. 이후 가맹본부 A는 2011. 9월부터 2014. 7월까지 공급가격에 기초한 변경된 할인비용 정산기준을 적용하여 가맹점사업자들과 정기 빅세일행사에 따른 할인비용을 분담하였다. 또한, 가맹본부 A는 2011. 3월부터 2016. 6월까지 ○○화장품 회원 대상으로 실시하는 상시 할인행사에도 할인비용 정산기준을 소비자판매가격에서 공급가격으로 변경하여 적용하였다(이하 '이 사건 할인비용 정산기준 변경행위'라 한다).

한편, 가맹본부 A는 ② 2012. 3월부터 2013. 7월까지 정기 빅세일행사 내용 중 특정 제품에 대한 10% 할인행사를 추가 신설하면서 가맹점사업자와 소비자판매가격 또는 공급가격을 기준으로 1:1로 분담하던 기존의 정산기준과는 달리 할인비용 전부를 가맹점사업자가 부담하도록 하였다(이하 '이 사건 10% 할인비용 전가행위'라 한다).

이러한 경우 가맹본부 A의 행위는 가맹점사업자들에게 불이익을 제공하는 것으로 가맹사업법상 불이익제공행위(제12조 제1항 제3호)에 해당할까.

결론부터 말하면, 공정위는 가맹본부 A의 행위가 가맹사업법 제12조 제1항 제3호 및 같은 법 시행령 제13조 제1항 [별표 2] 불공정거래행위의 유형 및 기준 제3호 바목에 정한 '가맹점사업자에게 부당하게 불이익을 주는 행위'에 해당한다는 이유로 시정명령 및 과징금 943,000,000원을 부과하였다.

하지만, 서울고등법원은 가맹본부 A의 행위가 가맹사업법 제12조 제1항 제3호 및 같은 법 시행령 제13조 제1항 [별표 2] 불공정거래행위의 유형 및 기준 제3호 바목에 정한 '가맹점사업자에게 부당하게 불이익을 주는 행위'에 해당한다고 볼 수 없다고 판단하면서, 공정위가 부과한 시정명령 및 과징금 943,000,000원을 취소했다.

2 깊게 들여다보기

가맹사업법 제12조 제1항 제3호의 거래상 지위를 이용한 부당한 불이익 제공행위가 성립하기 위해서는 △ 가맹본부가 가맹점사업자에게 거래상 지위가 있어야 하고, △ 가맹점사업자에게 부당하게 불이익을 주는 행위이어야 한다.

다만, 그 행위를 허용하지 아니하는 경우 가맹본부의 상표권을 보호하고 상품 또는 용역의 동일성을 유지하기 어렵다는 사실이 객관적으로 인정되는 경우로서 해당 사실에 관하여 가맹본부가 미리 정보공개서를 통하여 가맹점사업자에게 알리고 가맹점사업자와 계약을 체결하는 경우에는 위법성이 조각된다.

(1) 공정위 판단

공정위는 다음과 같은 점을 고려할 때 가맹본부 A의 행위는 가맹사업법 제12조 제1항 제3호 및 같은 법 시행령 제13조 제1항 [별표 2] 불공정거래행위의 유형 및 기준 제3호 바목에 정한 '가맹점사업자에게 부당하게 불이익을 주는 행위'에 해당한다고 판단했다.

첫째, 거래상 지위 성립 여부와 관련하여, △ 가맹본부 A는 화장품 브랜드샵 시장에서 최근 몇 년간 매출액이 급성장하고 있는 유력한 사업자로서 가맹점사업자들은 가맹본부 A와 계속적인 거래관계를 유지하기를 희망하고 있는 점, △ 한 점포에서 특정 브랜드의 제품만을 판매하는 브랜드샵의 특성상 가맹점사업자들은 가맹본부 A의 영업표지가 부착된 제품만을 판매하므로, 가맹점 운영과 관련하여 가맹본부 A에게 전적으로 의존하는 거래관계에 있는 점, △ 가맹점사업자들은 가맹사업에 대한 기술, 경험 및 자금 면에서 현격하게 우위에 있는 가맹본부 A의 지원을 필요로 하는 위치에 있고, 가맹점사업자들은 가맹계약에 따라 가맹본부 A와 지속적인 거래관계를 유지하면서 가맹본부 A가 요구하는 조건과 기준에 따라 점포 및 내부시설을 준비하여야 하며 원치 않는 시기에 계약이 해지될 경우 위와 같은 시설투자비용을 충분히 회수하기 어려워져 경제적 손실을 입게 되는 점, △ 가맹사업의 본질적 특성상 가맹사업의 동일성 유지를 위한 범위 내에서 가맹본부 A의 가맹점사업자에 대한 일정한 통제가 허용되는 점을 고려할 때, 가맹본부 A는 가맹점사업자에 대하여 거래상 지위가 있는 것으로 인정된다.

둘째, 불이익 제공 여부와 관련하여, △ 이 사건 할인비용 정산기준 변경행위는 가맹본부 A가 할인비용 정산기준을 소비자판매가격 기준의 정산방식에서 공급가격 기준의 정산방식으로 변경

함에 따라 가맹점사업자들은 2011. 3월부터 2016. 6월까지 기존 방식을 적용할 때에 비해 추가로 비용을 부담하게 되었다는 점에서, △ 이 사건 10% 할인비용 전가행위는 빅세일 10% 할인행사를 신설하고 이에 대한 할인비용을 가맹점사업자들에게 모두 전가함으로써 가맹점사업자들이 2012. 3월부터 2013. 7월까지 추가로 비용을 부담하게 되었다는 점에서, 가맹본부 A의 행위는 가맹점사업자에게 불이익을 제공한 것으로 인정된다.

셋째, 부당성 여부와 관련하여, △ 이 사건 할인비용 정산기준 변경행위는 ① 가맹본부 A의 정보공개서에 할인비용의 분담기준에 대해 명시적인 기준이 없고, 가맹계약서에는 광고 및 할인 등 판촉행사와 관련하여 그 비용과 기간 등 내용에 대해 협의한다고 규정되어 있음에도 가맹본부 A는 할인비용 정산기준의 변경에 대해 가맹점사업자들과 협의를 거친 사실이 없고, 이를 일방적으로 결정하여 웹포스 시스템을 통해 공지한 점, ② 가맹본부 A가 2011. 12. 12. 개최한 컨퍼런스 프리젠테이션 자료에서 동종 업종 타 가맹본부가 당시 소비자판매가격을 기준으로 정산하는 방식을 택하고 있었음에도 공급가격 기준으로 정산하고 있는 것처럼 사실과 다르게 기재하여 가맹점사업자들을 오인하게 한 점, ③ 가맹점사업자들이 2012. 3월 가맹점주 간담회에서 가맹본부 A에게 할인비용 정산기준을 기존의 소비자판매가격 기준 방식으로 변경해 줄 것을 요청한 점으로 미루어 보더라도 가맹본부 A가 가맹점사업자들과 충분히 협의하였던 것으로 보기 어렵다는 점들을 고려할 때 부당한 것으로 판단된다.

△ 이 사건 10% 할인비용 전가행위는 ① 가맹본부 A의 정보공개서에 할인비용의 분담기준에 대해 명시적인 기준이 없고, 가맹계약서에는 광고 및 할인 등 판촉행사와 관련하여 그 비용과 기간 등 내용에 대해 협의한다고 규정되어 있음에도 가맹본부 A는 빅세일 10% 할인행사를 신규로 도입하면서 가맹점사업자들과 협의를 거친 사실이 없이 이를 일방적으로 통보한 점, ② 가맹본부 A이 통상 가맹점사업자들과 빅세일을 포함한 정기 할인행사로 인해 발생된 할인비용을 소비자판매가격 기준으로 1:1로 분담하여 왔던 사실을 고려할 때, 가맹본부 A가 빅세일 10% 할인행사를 추가하면서 할인비용을 전액 가맹점사업자가 부담하도록 한 행위는 기존의 분담방식과 명백히 배치되는 것으로서 가맹점사업자에게 전적으로 불리하며 예측가능성이 결여된 것이라고 할 수 있는 점, ③ 가맹본부 A가 도입한 빅세일 10% 할인행사는 특정 상품에 대하여 기존의 빅세일과 동일한 방식으로 진행되므로 양자를 달리 보아야 할 객관적인 사정이 존재하지 않음에도 가맹본부 A는 기존 행사에 비해 할인율이 높지 아니하다는 이유만으로 가맹점사업자가 할인비용을 전액 부담하도록 하였으므로 이를 정당하다고 보기 어려운 점을 고려할 때, 부당한 것으

로 판단된다.

(2) 서울고등법원의 판단

서울고등법원은 이 사건 할인비용 정산기준 행위의 경우 할인비용 정산기준을 가맹점사업자에게 불리하게 변경한 것이고, 이 사건 10% 할인비용의 경우 정기세일인 빅세일 행사에서 판매하는 특정제품에 대한 10% 할인비용 전액을 가맹점사업자로 하여금 부담하게 하는 것이어서 그 자체만을 분리하여 평가하면 가맹점사업자에게 불이익하게 거래조건을 설정하고 그 이행과정에서 불이익을 준 행위라고 볼 여지가 없는 것은 아니지만, 가맹사업법 제5조에서는 가맹본부로 하여금 가맹사업의 성공을 위한 사업구상, 판매기법의 개발을 위한 계속적인 노력 등의 사항을 준수하도록 규정하고 있는바, 가격 경쟁이 치열한 화장품 브랜드샵 시장에서 할인행사의 확대를 통한 총매출액의 증대는 가맹본부 A뿐만 아니라 가맹점사업자들에게도 이익을 가져다 줄 가능성이 있으므로, 할인비용 정산기준이 가맹점사업자들에게 불이익하게 변경되었다는 사정만으로 바로 가맹점사업자들에게 불이익을 제공한 것이라고 단정할 수 없다고 판단했다.

즉 가맹본부 A의 행위는 가맹사업법 시행령 [별표 2] 불공정거래행위기준 제3호 가목부터 마목에서 규정한 구입강제, 부당한 강요, 부당한 계약조항의 설정 또는 변경, 경영의 간섭, 판매목표 강제 등과 동일시 할 수 있을 정도로 가맹본부 A가 자기의 거래상 지위를 부당하게 이용하여 그 거래조건을 설정 또는 변경하거나 그 이행과정에서 가맹점사업자에게 불이익을 준 것으로 평가할 수 없다고 보았다.

즉, 가맹본부 A가 자신의 가맹점사업자에게 할인비용을 부당하게 전가하여 자신의 수익을 높이고 가맹점사업자에게 불이익을 주려는 의도와 목적에서 이 사건 할인비용 정산 관련 행위를 하였다고 단정하기 어렵고, 오히려 가맹본부 A는 가격 경쟁이 치열한 화장품 브랜드샵 시장에서 할인판매를 통해 가맹본부 A와 가맹점사업자의 총매출액과 수익을 늘리려는 경영전략에서 이 사건 할인비용 정산 관련 행위를 한 것으로 보이고, 이 사건 할인비용 정산 관련 행위 등을 통한 가맹본부 A의 할인판매전략의 결과 2012년부터 2014년 사이에 가맹본부 A의 총 매출액뿐만 아니라 가맹점사업자들의 총 매출액과 사업이익도 전반적으로 증가한 것으로 보이며, 그 밖에 화장품 브랜드샵 사업이라는 가맹사업과 취급상품의 특성, 화장품 브랜드샵 시장의 거래상황 및 거래관행, 가맹본부 A가 가맹점사업자들에 대하여 가지는 우월적 지위의 정도, 가맹점사업자가 받게 되는 불이익의 내용과 정도를 모두 고려하여 보면, 이 사건 할인비용 정산 관련 행위는 가맹본부 A가 거래상의 지위를 남용하여 가맹점사업자에 부당하게 불이익을 제공한 행위에 해당하지 않는다고 봄이 타당하다고 판단했다.

구체적으로 그 이유를 살펴보면, △ 2011년경 화장품 브랜드샵 시장에서의 가격경쟁이 더욱 치열해지는 상황이 발행하였고, △ 자체 생산 제품이 없어 매출 원가율이 상대적으로 높고 화장품 브랜드샵 시장에서 낮은 점유율을 가지고 있던 가맹본부 A로서는 이러한 화장품 브랜드샵 시장의 변화에 대응하기 위해서 할인행사를 확대 시행하여 총매출액을 증가시키는 것이 이익 증대에 가장 효과적인 수단이라고 판단한 결과, 할인행사 비용의 부족문제를 극복하기 위하여 할인비용 정산기준의 변경이 필요하다고 보고 이 사건 할인비용 정산 관련 행위를 하는 한편 가맹본부 A 자신의 마케팅 비용을 늘리고 할인행사를 통해 매출을 늘리는 경영전략을 선택한 것이었으며, △ 가맹본부 A는 2011년 화장품 브랜드샵 시장의 가격경쟁이 치열해진 이후 가격할인 및 판촉비 증대 전략을 취한 결과 연도별 총 매출액이 꾸준히 증가하는 양상을 보이면서 시장점유율도 2011년 7.1%에서 2012년부터 2014년까지 7.7~7.8%를 유지하였음에 비해, 가맹본부 A과 달리 2011년경 이래 노세일정책을 유지한 가맹본부 B의 경우 2012년 이후 매출액이 감소하여 시장점유율이 2011년 12.5%에서 2014년 5.7%로 하락하기도 하였다.

3 한 걸음 더

가맹본부 A는 2014. 12. 31.부터 2016. 2. 28.까지 명동1호점 등 11개 가맹점사업자와 갱신계약을 체결하면서 일반적인 영업지역 설정과는 달리 지하철 역사 및 그 일대, 지하상가, 외국인 상권 등 그 지역 자체를 특수지역으로 하는 영업지역을 설정하였다

이에 대해 공정위는 가맹본부 A가 11개 가맹점사업자에게 지하철 역사 및 그 임대, 지하상가, 외국인 상권 등 그 지역 자체를 영업지역으로 설정하기는 하였으나, 영업지역 설정거리 등 그 범위가 구체적이지 않아 불명확하다는 이유로 가맹사업법 제12조의4 제1항에 위반되어 위법하다고 보고 가맹본부 A에 대해 경고처분을 하였다.

이에 대해 가맹본부 A는 가맹사업법 제12조의4 제1항은 '가맹계약 체결 시 가맹점사업자의 영업지역을 설정하여 가맹계약서에 이를 기재하여야 한다'고 규정하고 있을 뿐 영업지역의 특정 방식에 대해서는 별도의 규정을 두고 있지 않다는 점, 가맹본부 A가 가맹계약서 별지에 기재한 가맹점명, 해당 가맹점이 속한 특수지역, 가맹본부 A가 특수지역으로 인정하고 있는 상권의 특

징 등을 종합하면 해당 가맹점의 영업지역 범위가 특정된다는 점, 높은 매출이 기대되는 특수지역 자체를 영업지역으로 설정함으로써 특수지역 내 복수의 가맹점 개설을 금지한 것은 가맹점사업자들에게 유리한 영업지역 설정방식이라는 점 등에 비추어 볼 때, 이 사건 특수지역에 대한 영업지역 설정행위는 가맹사업법 제12조의4 제1항에 위반된다고 볼 수 없다고 주장했다.

하지만, 서울고등법원은 가맹사업법 제12조의4 제1항이 영업지역의 특정 방식에 대해 별도의 규정을 두고 있지 않다고 하더라도, 가맹사업법의 목적 및 같은 법 제12조의4의 입법취지에 비추어 볼 때, 영업지역은 가맹점사업자들이 자신의 영업지역을 명확하게 인식하고 다른 가맹점이 어디에 출점될 수 있는지 충분히 예측할 수 있을 정도로 합리적인 범위 내에서 특정되어야 하며, 불분명한 영업지역을 설정하는 것은 결국 가맹점사업자들을 불안한 지위에 놓이게 하는 것으로 가맹사업법 제12조의4 제1항에 의한 적법한 영업지역 설정이라고 볼 수 없다고 판단했다.

이러한 전제하여 서울고등법원이 가맹본부 A가 설정한 영업지역 중 '지하상가', '역사'의 경우에는 불합리하고 불분명한 영업지역의 설정이라고 할 수 없는 반면, '쇼핑몰/역사', '외국인상권'의 경우에는 가맹점사업자가 그 범위를 합리적으로 예측하여 인식하는 것이 불가능하여 적법한 영업지역 설정이라고 볼 수 없다고 보았다.

즉, 이 사건 특수지역에 대한 영업지역 설정행위 중 '지하상가'라고 표기하여 영업지역을 설정한 대구두류지하점, 성남지하점, 인천중앙지하점은 각각 대구지하철 두류역, 수도권8호선 신흥역, 수도권지하철 동인천역의 지하상가에 개설되어 있는바, 위 각 지하철 지하상가는 지하철 역사를 중심으로 한 지하도에 상점이 설치된 곳을 의미하므로 그 외부 지역(지상)과 객관적으로 특정이 가능하고, '지하상가'라는 표기와 가맹점의 명칭을 통하여 해당 가맹점사업자들이 자신의 영업지역을 명확하게 인식할 수 있을 것으로 보이므로 이를 불합리하고 불분명한 영업지역의 설정이라고 할 수 없다고 판단했다.

또한, 신분당정자점과 오목교역점의 경우에는 가맹점의 명칭과 '역사'라는 표기만으로 위 각 가맹점이 지하철 신분당선 정자역과 수도권 지하철5호선 오목교역의 지하 역사 내부를 영업지역으로 설정한 것이고 이는 그 외부 지역(지상)과 객관적으로 구별하여 특정할 수 있으므로, 이를 불분명하여 위법한 영업지역의 설정이라고 할 수 없다고 판단했다.

반면, 신도림점의 경우 '쇼핑몰/역사'라는 표기와 가맹점명만으로는 '쇼핑몰' 부분이 신도림역 지하상가의 쇼핑몰을 의미하는 것인지 신도림역 주변 지상에 건립된 쇼핑몰을 의미하는 것인지

불분명하고, 후자의 것일 경우 신도림역 주변 여러 개의 쇼핑몰 중 어느 쇼핑몰을 영업지역으로 하는지 그 범위를 특정할 수 없으므로 신도림점의 경우에는 영업지역의 표기가 불분명하여 가맹점사업자가 그 범위를 합리적으로 예측하여 인식하는 것이 불가능하여 적법한 영업지역 설정이라고 볼 수 없다고 보았다.

마찬가지로, '외국인상권'은 그 문언적 의미나 '명동○호점'이라는 명칭, 각 가맹점의 위치, 각 가맹점계약서의 기재 내용을 보더라도, 해당 가맹점사업자의 영업지역인 '외국인상권'의 범위가 서울 중구 명동 지역의 어디에서부터 어디까지인지, 5개의 명동○호점 사이의 영업지역의 경계가 어디인지 합리적으로 특정할 수 없으므로, '외국인상권'으로 표기된 명동1, 2, 3, 5, 6호점의 영업지역은 그 범위를 합리적으로 예측하여 인식하는 것이 불가능하므로 위법한 영업지역 설정에 해당하고, 위 가맹점 5개를 한 사람이 운영하고 있다는 사정만으로 위와 같은 위법성이 소거된다고 볼 수 없다고 판단했다.

4 알아두기

불이익제공행위에 있어서 불이익에 해당하기 위해서는, 그 행위의 내용이 상대방에서 다소 불이익하다는 점만으로는 부족하고, 구입강제, 이익제공 강요, 판매목표 강제 등과 동일시할 수 있을 정도로 일방 당사자가 자기의 거래상의 지위를 부당하게 이용하여 그 거래조건을 설정 또는 변경하거나 그 이행과정에서 불이익을 준 것으로 인정되어야 하고, 또한 거래상 지위를 부당하게 이용하여 상대방에게 불이익을 준 행위인지 여부는 당해 행위의 의도, 목적, 효과와 영향 등과 같은 구체적 태양과 상품의 특성, 거래의 상황, 해당 사업자의 시장에서의 우월적 지위의 정도 및 상대방이 받게 되는 불이익의 내용과 정도 등에 비추어 볼 때 정상적인 거래관행을 벗어난 것으로서 공정한 거래질서를 저해할 우려가 있는지 여부에 따라 결정되어야 한다[44].

이러한 법리와 함께, 가맹본부와 가맹점사업자는 가맹사업의 유지·발전이라는 공동의 이해관계 달성을 위한 지원 및 협력차원에서 여러 광고·판촉활동을 하는 것이므로, 위 활동으로 인한 비용분담이 불이익제공행위에 해당하려면 특정 활동을 개별적으로 살피기보다는 가맹본부 A와 가맹점사업자의 전체적인 부담정도를 살펴 종합적으로 판단하는 것이 현실에 부합한다는 판례의 취지를 더하여 이 사건을 검토해 보면, 비록 가맹본부 A가 이 사건 할인비용 정산기준을

---

44) 대법원 2006. 9. 8. 선고 2003두7859 판결, 대법원 2006. 3. 10. 선고 2002332 판결 등 참조.

가맹사업자에게 불리하게 변경하고, 특정제품에 대한 할인비용을 가맹점사업자로 하여금 부담하게 한 것이 그 자체만을 분리하면 가맹점사업자에게 불이익한다고 하더라도, 결국 이러한 행위로 인해 총매출액의 증대와 함께 이익을 가져다 준다면 바로 가맹점사업자들에게 불이익을 제공한 것으로 단정하기 어렵다는 법리를 재확인할 수 있는 사례라고 생각된다.

MEMO

과장된 수익 정보를 제공한 경우, 허위·과장된 정보 제공행위에 해당할까

[A편의점의 가맹사업법 위반행위에 대한 건]

- 2018. 1. 16. 공정위 의결 제2018-039호 -

1 사안 바라보기

가맹본부 A(영업표지: ○○편의점)는 2014년 3월 7일부터 2017년 4월 19일까지 206명의 가맹희망자들과 가맹계약을 체결하면서, 가맹사업법 시행령 제9조 제4항에 의한 방식으로 산정된 예상매출액의 범위라고 명시한 예상매출액 산정서를 제공하였다. 가맹본부 A는 당해 예상매출액 산정서에 점포예정지가 속한 광역자치단체에 소재하면서 가장 인접한 5개 가맹점의 직전 사업연도 매출환산액 중에서 가장 큰 금액과 가장 작은 금액을 제외한 나머지를 기준으로 최고액과 최저액을 산정하여 예상매출액의 범위를 산출하였다고 기재하였다. 한편, 가맹본부 A는 위의 기재내용과는 달리 전전년도 개설되어 6개월 이상 영업을 지속한 가맹점 중에서 점포예정지로부터 가장 인접한 5개를 예상 매출액의 범위를 산정하기 위한 대상으로 선정한 후 이들의 직전 사업연도가 아닌 전년도 1월 1일부터 12월 31일까지의 연간 매출액을 적용하여 예상매출액의 범위 등을 산정하였고, 일부 가맹점들에 대해서는 점포 전용면적을 실제보다 축소하여 매출환산액을 산출함으로써 정확한 면적을 적용한 경우와는 다르게 예상매출액의 범위를 산정하였다.

이러한 경우 가맹본부 A의 행위는 가맹사업법 제9조 제1항 제1호에서 금지하는 허위·과장된 정보제공행위에 해당할까.

결론부터 말하면, 공정위는 가맹본부 A가 점포 예정지에서 가장 가까운 5개 가맹점의 매출액 또는 상권이 가장 유사한 가맹점들의 직전 사업연도 매출액을 기초로 예상매출액의 최고-최저액을 가맹희망자에게 제공하여야 하며, 예상 매출액 정보 산정의 대상이 되는 인근 가맹점은 직전 사업연도의 영업기간이 6개월 이상인 경우면 모두 포함시켜야 하는데 이를 지키지 않은 것으로 가맹사업법 제9조 제1항 제1호에서 금지하는 허위·과장된 정보제공행위에 해당한다고 판단했다.

2 깊게 들여다보기

가맹사업법 제9조의 허위·과장된 정보제공행위가 성립되기 위해서는 가맹본부가 가맹희망자에게 △ 직접 또는 간접적인 방법으로 가맹희망자가 운영하려는 가맹사업에 관한 정보를 제공하여야 하고, △ 사실과 다르거나 사실을 지나치게 부풀린 정보를 제공하여야 하며, △ 가맹희망자를 기만하거나 오인시킬 우려가 있어야 한다.

가맹희망자에게 정보를 제공하는 행위란 가맹본부가 가맹희망자에게 직접 또는 간접적인 방법으로 가맹희망자가 운영하려는 가맹사업에 관한 정보를 제공하는 행위를 말한다. 허위 또는 과장된 정보를 제공하는 행위란 사실과 다르거나 사실을 지나치게 부풀린 정보를 제공하여 가맹희망자를 기만하거나 오인시킬 우려가 있는 행위를 말한다. 또한 가맹희망자를 기만하거나 오인시킬 우려가 있는지 여부는 보통의 주의력을 가진 가맹희망자가 해당 행위로부터 받아들이는 전체적 · 궁극적 인상을 기준으로 하여 객관적으로 판단하여야 한다.

그러나, 가맹본부가 사실과 다르거나 사실을 지나치게 부풀린 정보 또는 중요사항을 누락한 정보를 제공하더라도 가맹희망자가 그 정보로 인하여 계약체결 등의 판단에 별다른 영향을 받지 아니하였다는 객관적인 정황이 있는 경우에는 허위 · 과장정보 제공행위로 보지 아니한다.

(1) 예상매출액 산정서 제공의무

공정위는 가맹본부 A가 중소기업이 아닌 대형 가맹본부[45]로서 100개 이상의 가맹점 사업자와 가맹 거래를 하고 있으므로 가맹사업법 제9조 제5항에 따라 가맹계약 체결 전에 예상 매출액 범위와 산출근거를 적시한 예상매출액 산정서를 가맹희망자에게 제공해 주어야 한다고 보았다.

(2) 허위 · 과장된 정보제공행위 여부

공정위는 가맹본부 A의 행위가 다음과 같은 점에서 가맹사업법 제9조 제1항 제1호 및 법 시행령 제8조 제1항 제1호에서 규정하고 있는 허위 · 과장된 정보제공행위에 해당한다고 판단했다.

첫째, 가맹본부 A는 직전 사업연도에 6개월 이상 영업한 가맹점 중에서 인근 가맹점을 선정하여야 함에도 불구하고, 자의적으로 1년 이상 영업한 가맹점만을 대상으로 산정한 예상 매출액 범위를 가맹 희망자들에게 제공했다.

둘째, 가맹본부 A는 점포 예정지와 같은 광역자치단체 내 가장 인접한 가맹점을 선정하였어야 하나, 일정한 거리 기준 없이 임의로 가맹점을 선정하여 예상 매출액 범위가 과장되도록 했다. 그리고 인근 가맹점의 실제 면적과 다른 수치를 예상 매출액 계산에 반영하기도 했다.

셋째, 가맹본부 A는 자신의 사업연도 기간이 3월 1일부터 다음 해 2월 28일까지임에도, 임의

45) 중소기업이 아닌 가맹본부 또는 직전 사업연도 말 기준 가맹점 100개 이상을 거느린 가맹본부는 가맹 계약 체결 전에 예상매출액 산정서 제공 의무가 있다.

로 1월 1일부터 12월 31일까지의 매출액을 직접 사업연도 매출액으로 잘못 산정하여 예상 매출액의 범위가 과장되는 효과가 나타나기도 했다.

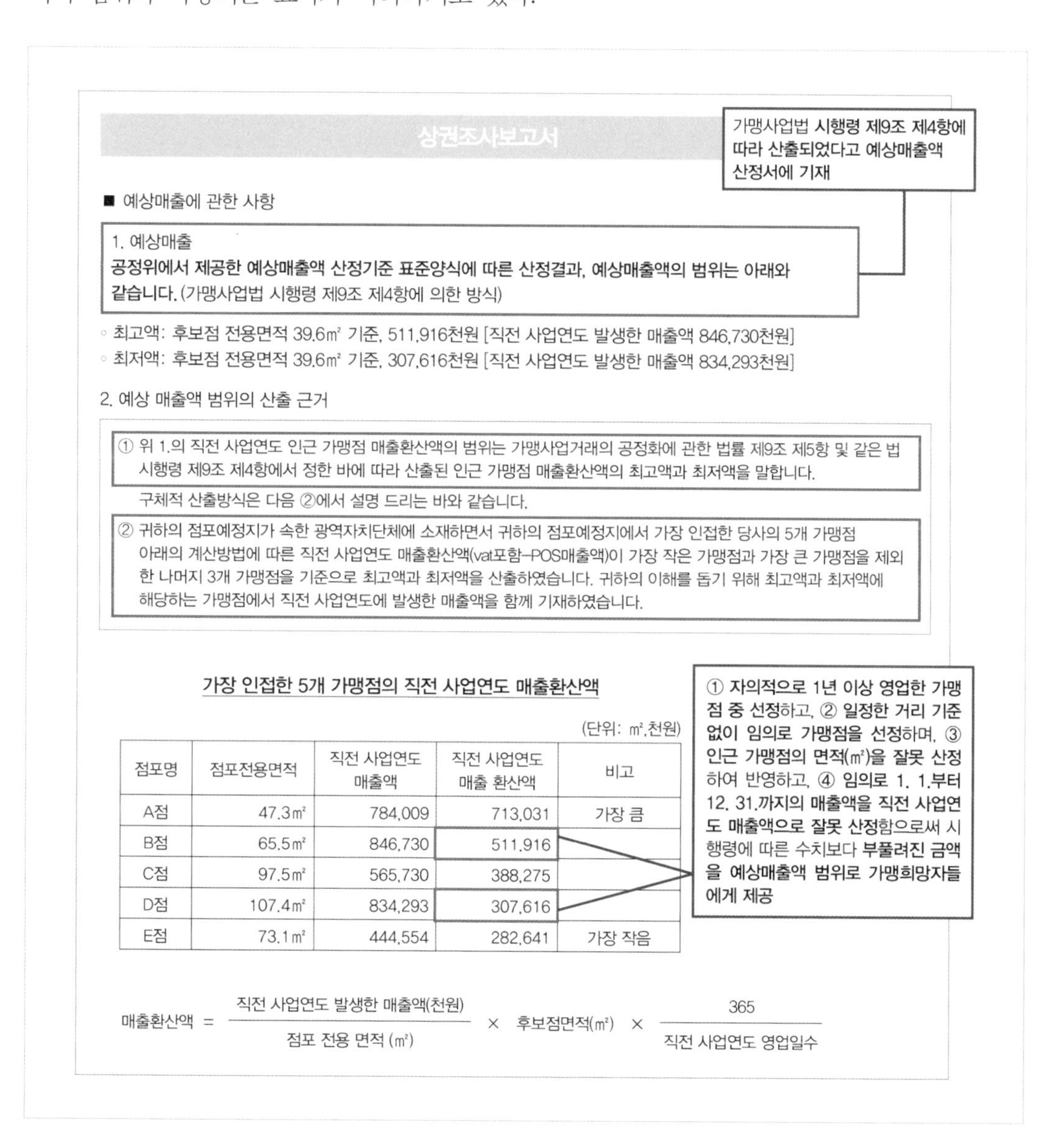

상권조사보고서

가맹사업법 시행령 제9조 제4항에 따라 산출되었다고 예상매출액 산정서에 기재

■ 예상매출에 관한 사항

1. 예상매출
공정위에서 제공한 예상매출액 산정기준 표준양식에 따른 산정결과, 예상매출액의 범위는 아래와 같습니다.(가맹사업법 시행령 제9조 제4항에 의한 방식)

◦ 최고액: 후보점 전용면적 39.6㎡ 기준, 511,916천원 [직전 사업연도 발생한 매출액 846,730천원]
◦ 최저액: 후보점 전용면적 39.6㎡ 기준, 307,616천원 [직전 사업연도 발생한 매출액 834,293천원]

2. 예상 매출액 범위의 산출 근거

① 위 1.의 직전 사업연도 인근 가맹점 매출환산액의 범위는 가맹사업거래의 공정화에 관한 법률 제9조 제5항 및 같은 법 시행령 제9조 제4항에서 정한 바에 따라 산출된 인근 가맹점 매출환산액의 최고액과 최저액을 말합니다.
구체적 산출방식은 다음 ②에서 설명 드리는 바와 같습니다.

② 귀하의 점포예정지가 속한 광역자치단체에 소재하면서 귀하의 점포예정지에서 가장 인접한 당사의 5개 가맹점 아래의 계산방법에 따른 직전 사업연도 매출환산액(vat포함-POS매출액)이 가장 작은 가맹점과 가장 큰 가맹점을 제외한 나머지 3개 가맹점을 기준으로 최고액과 최저액을 산출하였습니다. 귀하의 이해를 돕기 위해 최고액과 최저액에 해당하는 가맹점에서 직전 사업연도에 발생한 매출액을 함께 기재하였습니다.

가장 인접한 5개 가맹점의 직전 사업연도 매출환산액

(단위: ㎡,천원)

점포명	점포전용면적	직전 사업연도 매출액	직전 사업연도 매출 환산액	비고
A점	47.3㎡	784,009	713,031	가장 큼
B점	65.5㎡	846,730	511,916	
C점	97.5㎡	565,730	388,275	
D점	107.4㎡	834,293	307,616	
E점	73.1㎡	444,554	282,641	가장 작음

① **자의적으로 1년 이상 영업한 가맹점 중 선정**하고, ② **일정한 거리 기준 없이 임의로 가맹점을 선정**하며, ③ **인근 가맹점의 면적(㎡)을 잘못 산정**하여 반영하고, ④ **임의로 1. 1.부터 12. 31.까지의 매출액을 직전 사업연도 매출액으로 잘못 산정**함으로써 시행령에 따른 수치보다 **부풀려진 금액을 예상매출액 범위로 가맹희망자들에게 제공**

$$\text{매출환산액} = \frac{\text{직전 사업연도 발생한 매출액(천원)}}{\text{점포 전용 면적 (m}^2\text{)}} \times \text{후보점면적(m}^2\text{)} \times \frac{365}{\text{직전 사업연도 영업일수}}$$

3 한 걸음 더

위와 같은 사례는 대다수가 생계형 개인 사업자인 가맹 희망자들을 대상으로 가맹계약 체결 전 허위・과장된 예상 매출액 산정서를 제공하여 합리적 판단을 방해한 행위를 제재한 점에서

의의가 있다. 이를 통해 향후 가맹본부로 하여금 가맹희망자의 예상 수익 상황에 대해 정확한 정보가 제공되도록 하는 계기가 될 것으로 보인다.

아울러, 2017년 10월 19일부터 발생하는 가맹본부의 허위·과장 정보제공에 대해 3배 손해배상제를 도입한 개정 가맹사업법이 적용됨에 따라, 허위·과장 정보제공행위를 억지하는 데 기여할 것으로 기대된다.

MEMO

자신이 지정한 해충방제업체와 거래를 강제한 경우, 거래상대방 구속행위에 해당할까

[A치킨의 가맹사업법 위반행위에 대한 건]

- 2014. 12. 8. 공정위 의결 제2014-275호 -

1 사안 바라보기

가맹본부 A(영업표지: ○○치킨)는 2009년 2월 24일 해충방제업체인 세스코와 쥐, 바퀴, 개미 방제를 내용으로 하는 해충방제서비스 기본계약을 체결하면서 서비스 대상을 ○○치킨의 전국 개별 가맹점 매장으로 하였다. 가맹본부 A는 2009년 4월 16일 변경등록한 정보공개서에 가맹본부 A 또는 가맹본부 A가 지정하는 자와 거래해야 하는 상품·용역 등 목록에 해충방제를 포함시켰고, 거래형태는 '강제', 거래상대방은 '세스코'로 명시하였다.

위와 같이 가맹계약을 체결 및 갱신한 가맹점사업자들은 가맹본부가 전문해충방제업체를 선정할 수 있도록 한 '가맹점운영관리규정' 및 이러한 가맹점운영관리규정을 위한 가맹점에 대해 가맹본부가 상품 및 자재의 공급중단 또는 영업정지의 조치를 취할 수 있도록 한 가맹계약서에 의하여 가맹본부 A가 지정한 세스코와 거래할 수밖에 없었다.

이러한 경우, 가맹본부 A의 행위는 가맹사업법 제12조 제1항 제2호에서 금지하는 거래상대방 구속행위에 해당할까.

결론부터 말하면, 공정위는 가맹본부 A가 가맹점사업자들에게 해충방제서비스의 구매에 관하여 특정 거래상대방과 거래할 것을 강제한 행위로 인정할 수 있고, 이러한 행위는 가맹사업의 공정한 거래질서를 저해할 우려가 있으므로, 가맹사업법 제12조 제1항 제2호에서 금지하는 부당하게 거래상대방을 구속하는 행위에 해당한다고 판단했다.

2 깊게 들여다보기

가맹사업법 제12조 제1항 제2호 및 법 시행령 제13조 제1항 관련 불공정거래행위의 유형 또는 기준 제2호 나목에 따른 거래상대방 구속행위가 성립하기 위해서는, △ 부당하게 △ 가맹본부가 가맹점사업자에게 특정한 거래상대방(가맹본부 포함)과 거래할 것을 강제하여야 한다.

다만, △ 해당 상품 또는 용역 등이 경영에 필수적이라고 객관적으로 인정될 것, △ 특정한 거래상대방과 거래하지 않을 경우 가맹본부의 상품 또는 용역의 동일성을 유지하기 어렵다는 사실이 객관적으로 인정될 것, △ 가맹본부가 미리 정보공개서를 통하여 가맹점사업자에게 해당 사실을 알리고 가맹점사업자와 계약을 체결할 것이라는 3가지 요건을 모두 충족하는 경우에는 법 위반의 예외로 본다.

(1) 특정 거래상대방과 거래를 강제하였는지 여부

공정위는 가맹본부 A의 행위가 다음과 같은 점에서 볼 때, 가맹점사업자에게 해충방제서비스의 구매에 관하여 특정 거래상대방과 거래할 것을 강제한 행위로 인정될 수 있다고 판단했다.

첫째, 2009년 3월 1일 이후 가맹본부 A와 신규로 가맹계약을 체결한 가맹점사업자들은 가맹계약 체결과 동시에 이미 가맹본부 A와 세스코 간 체결된 해충방제서비스 기본계약에 따라 세스코의 서비스 시행 대상이 되었다. 즉, 가맹본부 A는 세스코와 해충방제서비스 기본계약을 체결하면서 개별 가맹점사업자의 동의 없이 서비스 대상을 전국 개별 가맹점 매장으로 정함으로써, 가맹본부 A와 세스코의 계약체결 이후 신규로 가맹계약을 체결한 가맹점사업자는 가맹본부 A가 지정한 세스코를 이용할 수밖에 없는 상황이었다.

둘째, 2009년 4월 16일 등록된 가맹본부 A의 정보공개서는 해충방제서비스를 위해 세스코와만 거래해야 하며 이와 같은 거래의 형태는 강제사항임을 분명히 적시하고 있다. 실제로 가맹본부 A는 세스코의 해충방제서비스를 거부하는 일부 가맹점사업자들에게 물품공급정지, 계약해지 등 불이익 조치 부과를 경고하면서 세스코의 해충방제서비스 이용을 요구하였다.

가맹본부 A가 2009년 4월 16일 등록한 정보공개서 내용(발췌)

나. 물품 구입 및 임차

◈ 귀하가 [○○치킨]을 시작하거나 경영하기 위하여 필요한 용역·설비·상품·원재료 또는 부재료 등의 구입 또는 임차와 관련하여, 당사 또는 당사가 지정하는 자와 거래해야 할 품목은 다음과 같습니다.

구분	품목	규격	거래형태	거래상대방	비고
용역	해충방제	관리비용	강제	㈜세스코	공급계약업체

(2) 부당한지 여부

공정위는 가맹본부 A의 행위가 다음과 같은 점을 고려할 때, 가맹사업의 공정한 거래질서를 저해할 우려가 있으므로 부당성이 인정된다고 볼 수 있다고 판단했다.

첫째, 해충방제서비스를 제공하는 업체가 시장에 다수 존재하고 있으므로 가맹본부 A가 가맹점사업자들로 하여금 세스코와만 거래하도록 강제하는 것은 타당하지 않다.

둘째, 가맹점사업자는 가맹본부 A의 행위로 가격, 서비스 수준 등에서 더 좋은 거래조건을 제시하는 다른 해충방제업체와 거래할 기회를 원천적으로 박탈당하게 되었다.

셋째, 동종 업종의 다른 경쟁가맹본부들은 가맹본부 A와 달리 가맹점사업자들이 거래할 해충방제업체를 지정하지 않은 점에 비추어 보면, 가맹점사업자들은 다른 경쟁 가맹본부의 가맹점사업자에 비해 자유로운 영업활동이 구속되었다.

넷째, 다른 가맹본부 B(영업표지: □□치킨) 및 가맹본부 C(영업표지: △△치킨)의 경우, 가맹계약서에 계약해지·계약갱신거절·상품공급중지의 사유로 식품위생법 위반, 개인위생사항 미준수를 규정하고, 가맹점 운영관리규칙을 통해 가맹점사업자에게 위생교육 수료의무, 집기 및 비품 소독의무, 개인위생의무 등을 부과함으로써 치킨의 위생관리를 하고 있는바, 가맹본부 A가 이러한 방법을 통해 식품안전성을 유지하는 노력을 우선하지 않고 독립된 사업자인 가맹점사업자와의 거래상대방을 구속함으로써 가맹점사업자의 자유로운 거래를 저해하였다.

(3) 예외인정 요건 해당 여부

한편, 공정위는 가맹본부 A의 행위가 비록 자신이 미리 정보공개서를 통하여 가맹점사업자에게 해당 사실을 알리고 가맹점사업자와 계약을 체결하였다고 하더라도, 다음과 같은 사유로 예외인정 요건을 충족하지 못한다고 보았다.

첫째, 해충방제서비스는 감염병 예방을 위한 부분으로서 식품의 안전성에 기여하는 측면은 인정되나, △ 식품 위생 및 안전의 경우 관련 해충방제뿐만 아니라 위생 및 소독기준의 준수를 통한 가맹점사업자 비품 및 재료, 종사자의 위생관리 노력이 더해져야 유지될 수 있다는 점, △ 해충방제서비스가 가맹본부 A의 가맹사업대상인 치킨의 맛과 품질에 직접적인 영향을 미치는 고유한 양념과 제조비법 등에 해당된다고 보기 어려운 점, △ 동종 업종의 다른 치킨브랜드 가맹본부들은 가맹본부 A와 달리 동일성 유지를 위한 거래강제품목으로 해충방제서비스를 지정하고 있지 않은 점 등에서 해충방제서비스가 경영에 필수적인 부분이라고 객관적으로 인정된다고 보기 어렵다.

둘째, △ 해충방제서비스를 제공하는 업체가 시정에 다수 존재하고 있다는 점, △ 매장의 규모, 입점 건축물, 방제대상 해충의 종류, 발생 정도, 주변 환경, 업체의 방제방식 등에 따라 매장에 적합한 업체가 다를 수 있다는 점에서, 특정한 거래상대방과 거래하지 않을 경우 가맹본부 A의 상품인 치킨의 맛이나 품질의 동일성을 유지하기 어렵나는 사실이 객관적으로 인정된다고 보기 어렵다.

3 한 걸음 더

위와 같은 공정위 판단에 대해, 가맹본부 A는 식품안전성을 위해 해충방제서비스가 필요하고, 해충방제업체의 경우 지방업체 및 일부 영세업체가 대부분으로 전국적인 서비스 시스템이 가능한 업체로서 인지도 및 전문성이 있고 안정적인 관리가 가능한 업체는 세스코 외에는 없다고 판단하여 가맹점사업자들로 하여금 세스코와만 거래하도록 강제할 수밖에 없었다고 주장했지만, 공정위는 다음과 같은 이유로 가맹본부 A의 주장을 받아들이지 않았다.

첫째, 가맹점사업자들이 해충방제 등 위생관리의무를 게을리 한다면 가맹계약위반, 식품위생법 위반 등으로 영업정지, 취소 등의 직접적인 경제적 손실을 입게 된다는 점에서 자율적으로 위생관리 노력을 할 수 밖에 없다.

둘째, 해충방제 기준 및 방법을 보건복지부령으로 정하고 있으며 해충방제서비스 업체는 이에 따라 동일한 서비스를 제공하는바, 가맹점사업자들이 자유롭게 사업자를 선택하여 서비스를 받게 하더라도 식품안전성이라는 목적을 달성하기 어렵지 않아 보인다.

셋째, 가맹점마다 주변 환경, 입지, 방제대상 해충 등이 다양한 상황에서 영업범위가 좁은 지역단위에 불과한 가맹점들이 전국적인 서비스시스템을 갖춘 업체를 통해 해충방제서비스를 받을 필요성은 많지 않다.

넷째, 각 가맹점사업자들 입장에서는 가맹본부 A가 제시한 품질기준을 충족하면서 더 좋은 거래조건을 제시한 업체를 선택하는 것이 합리적이다.

다섯째, 가맹점사업자들은 다수의 해충방제업체와의 비교 과정을 통해 가격 및 품질기준을 충족하는 업체가 없을 경우 세스코와 거래를 선택할 수 있도록 하는 것도 가능하다.

MEMO

가맹본부를 비난하는 가맹점사업자에게 계약해지를 통보한 경우, 부당한 계약해지에 해당할까

[A쌀국수의 가맹사업법 위반행위에 대한 건]

– 2014. 10. 15. 공정위 의결 제2014-125호 –

1 사안 바라보기

가맹본부 A(영업표지: ○○쌀국수)는 2012년 12월 18일 SBS 방송국 월화 드라마 '야왕'의 제작사와 자신의 영업표지인 ○○쌀국수의 자막광고와 가맹점 매장이 나오도록 하는 내용의 광고계약을 2억 80만 원에 체결하였다. 이와 관련하여 가맹본부 A가 광고비용의 66%에 해당하는 1억 3,780만 원을 부담하고, 나머지 34%인 7천 20만 원에 대해서는 자신과 거래하고 있는 95개 가맹점별 최근 3개월 간 평균매출액을 기준으로 최소 10만 원에서 최고 200만 원까지 구간별로 설정한 광고비 분담금을 납부하도록 요구하였다. 일부 가맹점사업자들은 이에 대응하기 위해 2013년 1월 21일 대책회의를 가졌고, 가맹본부 A는 대책회의에서 가맹점사업자들이 자신의 광고 분담금 요구에 대해 비판을 하고, 자신을 비방・명예훼손, 허위사실 유포, 타 가맹본부로 이탈 선동 등의 행위를 하였다는 이유로 일부 가맹점사업자들에 대해 2013년 2월 18일 가맹계약해지 공문을 발송하였다.

이러한 경우, 가맹본부 A의 행위는 가맹사업법 제12조 제1항 제3호에서 금지하는 불이익제공 행위 및 제14조 제1항에 위반되는 부당한 계약해지에 해당할까.

결론부터 말하면, 공정위는 가맹본부 A가 자신의 영업표지인 ○○쌀국수를 광고함에 있어 광고비 분담주체, 분담금액, 요구방법 등을 가맹점사업자와 무관하게 협의 없이 일방적으로 결정하였을 뿐만 아니라 가맹계약서에는 지역 단위 광고만 광고비 분담에 관한 규정이 있고, 전국 광고에 관한 규정은 없어 본건의 경우 가맹본부가 전액 부담하는 것이 타당하다는 점에서 가맹사업법 제12조 제1항 제3호에서 금지하는 불이익제공행위에 해당한다고 판단했다.

또한 가맹계약을 해지할 경우에는 가맹점사업자의 계약위반사항을 구체적으로 밝히고 2개월 이상의 유예기간과 2회 이상의 통지절차를 거쳐야 함에도 이러한 절차 없이 일방적으로 계약해지를 통보한 것은 가맹사업법 제12조 제1항 제3호에 위반되는 부당한 계약해지에 해당한다고 보았다.

2 깊게 들여다보기

(1) 부당한 불이익제공행위 해당 여부

공정위는 다음과 같은 점에서 가맹본부 A가 자신과 거래하는 가맹점사업자들에게 광고비를 분담하도록 요구한 행위는 불이익을 제공하는 행위라고 볼 수 있다고 판단했다.

첫째, 가맹본부 A가 SBS 월화 드라마 '야왕'의 제작사와 체결한 광고내용을 보면, 자신의 영업표지인 ○○쌀국수와 가맹점 매장과 관련한 부분이 대부분인 점에 비추어 볼 때, 자신이 이에 대한 광고비 전액을 부담하는 것이 타당함에도 불구하고 자신이 부담해야 할 광고비용 34%에 해당되는 상당한 금액을 자신의 가맹점사업자에게 차등 분담하게 한 것은 가맹점사업자들의 개별 의사와 전혀 무관하게 일방적으로 광고비를 전가한 행위이므로 가맹점사업자들에게 개별적·구체적으로 불이익을 제공한 것으로 볼 수 있다.

둘째, 가맹본부 A와 거래한 가맹점사업자들에게 요구한 광고비 분담액은 일부 가맹점사업자의 예를 보더라도 1월분 매출액을 근거로 산정한 로열티 101만 원보다도 많은 110만 원에 이를 정도로 과도한 수준이며, 이러한 광고행위가 가맹점사업자들에게 돌아가는 기대수익이 검증되지 않은 상황에서 가맹점사업자들이 그 비용을 분담토록 요구하는 자체가 불이익을 제공한 것으로 볼 수 있다.

또한, 공정위는 다음과 같은 이유로 가맹본부 A가 자신과 거래하는 가맹점사업자들에게 광고비를 분담하도록 요구한 행위는 '부당한 강요'에 준하는 행위로서 부당성이 인정된다고 볼 수 있다고 보았다.

첫째, 가맹계약서에 따르면, '가맹본부는 가맹사업의 활성화를 위하여 지역단위의 광고를 할 수 있다'라고 규정하고 있을 뿐 가맹본부 A의 SBS 월화 드라마 '야왕'을 통한 광고는 전국단위에 해당하는 광고로서 위 계약 내용에 포함되지 아니하므로 이 사건 광고비 분담요구에 대한 합리적 근거로 보기는 곤란하다.

둘째, 가맹본부 A가 가맹점사업자들에게 광고비 분담금을 설정·요구하는 과정에서 개별 가맹점사업자와 매출액 구간별 분담비율과 금액 등에 대해 사전 협의 없이 자신이 일방적으로 작성·제시한 행위는 사실상 강제한 것으로 볼 수밖에 없다.

셋째, 가맹본부 A가 광고비 분담금에 대한 청구과정을 보더라도 가맹점사업자들과 협의 없이 일방적으로 2013년 1월 로열티에 합산하여 청구한 것은 가맹점사업자들이 광고비를 분담하도록 사실상 강제한 것이나 다름없다고 볼 수 있다.

[가맹본부 A의 드라마 속 광고화면]

(2) 부당한 계약해지 해당 여부

가맹사업법 제14조 제1항의 단서조항의 위반행위가 성립하기 위해서는 가맹사업의 거래를 지속하기 어려운 경우로서 가맹점사업자가 법 시행령 제15조 제4호에서 규정하고 있는 허위사실을 유포함으로써 가맹본부의 명성이나 신용을 뚜렷이 훼손하거나 가맹본부의 영업비밀 또는 중요정보를 유출하여 가맹사업에 중대한 장애를 초래하였다는 사실을 입증하여야 한다.

이러한 요건에 더하여 아래 사정을 더하여 볼 때, 공정위는 가맹본부 A의 행위가 부당한 계약해지에 해당한다고 판단했다.

첫째, 가맹본부 A가 일부 가맹점사업자들이 자신을 비방하고, 허위사실을 유포하였으므로, 나아가 타 가맹본부 이탈을 선동하였다고 주장하나, 일부 가맹점사업자가 이러한 행위를 하게 된 배경은 가맹본부 A가 가맹점사업자들에게 일방적으로 광고비 분담을 요구한 데서 비롯된 것이므로 그 귀책사유는 가맹본부 A에게 있었다고 볼 수 있다.

둘째, 가맹본부 A가 가맹계약의 해지사유로 가맹사업법 제14조 제1항의 단서조항을 근거로 일부 가맹점사업자에게 가맹계약 해지통보를 하였으나, 이는 가맹본부 A의 자의적인 판단에 의한 것이며, 통상적인 가맹계약의 해지는 가맹점사업자에게 2개월 이상의 유예기간을 두고 계약의 위반 사실을 구체적으로 밝히고 이를 시정하지 아니할 경우 그 계약을 해지한다는 사실을 2회 이상 통지하여야 함에도 불구하고 이러한 절차를 거치지 아니하였으므로, 이러한 행위는 같은 법 제14조 제1항에 따를 때, 가맹본부 A의 가맹계약 해지통보는 효력이 없다.

셋째, 가맹본부 A가 2013년 2월 18일 계약해지 공문을 발송하고, 계약해지일을 2013년 2월 19일자로 통보하였는바, 이는 곧 가맹점사업자가 당해 우편물을 받는 즉시 계약해지가 되는 것이며, 가맹점사업자가 계약해지에 따른 투자비용 회수, 대체 거래선 확보 등을 위한 최소한의 시간도 주지 아니한 것으로 이는 법 규정에 앞서 신의칙에도 반한다.

넷째, 일부 가맹점사업자들이 대책회의가 가맹본부 A에 의하여 녹음이 되고 있는지를 알지 못하는 상태에서 일부 가맹점사업자가 가맹본부 A를 험담한 것은 사실이나, 그 내용이 전적으로 허위사실로 보기 어렵고, 참석자들도 ○○쌀국수 서울지역 가맹점사업자들 중 일부에 지나지 아니하므로 일부 가맹점사업자가 한 발언내용이 가맹본부 A의 명성이나 신용을 훼손하여 가맹사업에 중대한 장애를 초래하였다고 보기 어렵다.

3 한 걸음 더

위와 같은 공정위 판단에 대해, 가맹본부 A는 가맹계약서에 가맹사업의 활성화를 위하여 지역단위 광고를 할 수 있도록 규정되어 있고, 정보공개서에도 전국단위의 광고를 할 수 있다는 내용이 들어 있으며, 대법원 판례[46]도 광고비 분담의 합리성이 긍정된다면 설령 가맹점사업자와 협의 과정을 거치지 않았다 하더라도 부당하다고 할 수 없다는 판결을 들어 자신의 행위가 정당하다고 주장했다.

하지만, 공정위는 이를 인정하기 위해서는 가맹본부 A가 가맹점사업자들과 실질적 협의과정을 거쳐 가맹점사업자의 의사를 반영한 동의가 있어야 하며, 정보공개서에 전국단위 광고를 할 수 있다는 내용이 있다고 하더라도 가맹본부 A가 가맹점사업자에게 정보공개서를 제공하지 아니하고 가맹점사업자가 이에 대한 내용을 인지할 수 없었으므로 받아들이기 어렵다고 판단했다.

또한 가맹본부 A가 인용한 대법원 판례는 가맹본부가 가맹점사업자와 협의 없이 판매촉진행

46) 대법원 2005. 6. 9. 선고 2003두7484 판결 참조.

사의 시행과 집행을 할 수 있는 가맹점계약조항이 약관규제법 제6조 제2항 제1호에 규정한 고객에 대하여 부당하게 불리한 조항에 해당하는지 여부에 관한 판결로서 이 판결은 이 사건과 사실관계가 동일하지 아니하고 적용법규도 달라 대법원 판례를 이 사건에 인용하기에는 무리가 있다고 보았다.

한편, 2013년 2월 18일 가맹본부 A의 계약해지 통보를 받은 가맹점사업자는 2013년 2월 26일 서울중앙지방법원에 가맹계약해지 효력정지 가처분을 신청하였고, 이에 대해서 가맹본부 A는 본안판결이 나올 때까지 가맹계약이 유효한 것으로 입장을 변경하여 가맹점사업자에게 통보함에 따라 가맹계약이 유효하게 유지되어 오다가 2014년 1월 8일 본안판결에서 가맹본부 A가 패소하였고, 항소를 하지 아니하여 판결이 확정됨으로써 이 사건 가맹계약은 유효한 것으로 되었다.

식자재 특허를 취득한 사실이 없음에도 특허 받은 것처럼 한 경우, 거짓된 정보 제공행위에 해당할까

[A죽의 가맹사업법 위반행위에 대한 건]

– 2017. 6. 14. 공정위 의결 제2017–197호 –

1 사안 바라보기

가맹본부 A(영업표지: ○○죽)는 가맹계약서에 2008년 1월 1일부터 2011년 12월 31일까지는 가맹본부 A가 직접 가맹점사업자에게 공급하는 식자재 및 원·부재료 품목 중 소고기장조림, 오징어초무침, 우민찌 등 3가지 품목에 대하여 특허권 등으로 보호되는 품목이라고 기재하면서 특허출원번호를 특허번호인 것처럼 함께 기재하였고, 2012년 1월 1일부터 2015년 6월 11일까지는 특허권으로 보호되는 품목에 ○○죽 육수, 혼합미를 추가하여 기재하였다.

또한 가맹본부 A는 정보공개서에 2008년 2월 4일부터 2015년 8월 18일까지 가맹본부 A와 거래가 강제되는 원·부재료 품목 중 소고기장조림, 오징어초무침, 우민찌 등 3가지 품목을 특허제품이라고 기재하였다. 위 5가지 식자재 및 원·부재료 품목에 대하여 가맹본부 A가 특허출원을 한 사실은 있으나, 소고기장조림, 오징어초무침 우민찌 등 3가지 품목에 대한 특허출원은 가맹본부 A가 이후 5년간 특허심사 청구를 하지 않아 특허법에 따라 해당 출원이 취하간주되었고, ○○죽 육수 및 혼합미에 대한 특허출원은 가맹본부 A가 출원과 동시에 특허심사 청구를 하였으나 특허결정이 거절되었다.

한편, 가맹본부 A는 가맹점사업자와 1년 단위로 계약을 체결·갱신하고 가맹점사업자로부터 상호, 상표 및 서비스표 등 영업표지의 사용을 허락하는 대가로 로열티를 수취하면서, 2011년까지는 매년 200만 원의 정액의 로열티를 부과해오다가 2012년부터 정액 로열티를 낮추는 대신 매출액을 기준으로 등급을 설정하여 일정한 비율의 로열티를 부과하는 혼합방식으로 로열티 부과기준을 변경하였고, 이후 매년 정액 로열티의 금액은 점차 낮추고 매출액 기준의 등급은 세분화하는 등의 방향으로 가맹점사업자들에 대한 로열티 부과기준을 변경하였다.

이러한 경우, 가맹본부 A의 행위는 가맹사업법 제9조 제1항에서 금지하는 허위·과장된 정보제공 금지행위 및 가맹사업법 제12조 제1항 제3호에서 금지하는 불이익제공행위에 해당할까.

결론부터 말하면, 공정위는 가맹본부 A가 특허출원만 하였을 뿐 실제 특허를 받은 사실이 없음에도 가맹계약서와 정보공개서를 통해 '특허권 등으로 보호되는 물품' 등 마치 특허를 받은 것처럼 기재한 것은 사실과 다르게 정보를 제공하거나 사실을 부풀려 제공하는 행위에 해당한다고 볼 수 있다고 판단했다.

다만, 일부 가맹점사업자들의 로열티 부담이 증가하였다거나 가맹본부 A가 수취한 로열티 총액이 매년 증가하였다는 사실만으로는 가맹본부 A가 자신의 우월적 지위를 남용하여 전체 가맹점사업자들에게 불이익을 주었다거나 강압적으로 로열티 부과기준을 변경하였다고 보기 어려우므로, 거래상 지위를 부당하게 이용하여 거래상대방에게 불이익을 제공한 행위에 해당한다고 보기는 어렵다고 판단했다.

2 깊게 들여다보기

(1) 허위·과장의 정보제공행위 여부

공정위는 가맹본부 A가 가맹계약서 및 정보공개서 등을 통해 가맹희망자 및 가맹점사업자에게 정보를 제공하면서 이 사건 5가지 품목에 대하여 특허권을 취득한 사실이 없음에도 불구하고 자신이 정당한 특허권자인 것처럼 특허권에 의해 보호받는 물품이라고 기재하고, 출원번호에 불과한 번호를 특허등록번호인 것과 같이 함께 명시함으로써 가맹희망자 및 가맹점사업자에게 사실과 다르거나 사실을 부풀려 정보를 제공하였으므로, 가맹사업법 제9조 제1항 제1호 및 법 시행령 제8조 제1항 제3호에 위반된다고 판단했다.

○○죽 가맹계약서(발췌)

제28조(식자재 및 원·부재료 등의 조달과 관리)

① 가맹본부가 가맹점사업자에게 공급하는 식자재 및 원·부재료 등의 내역은 별첨 [3] 및 다음 각 호에 정함과 같다.

별첨 3. 공급 원·부재료 등의 내역

2. 특허권 등으로 보호되는 물품
   가. 소고기장조림 (특허 제10-2007-0122551호 및 제10-2009-0096016호)
   나. 오징어초무침 (특허 제10-2007-0122552호)
   다. 우민찌 (특허 제10-2007-0122553호)
   라. ○○죽 육수 (특허 제10-2011-0047195호)
   마. 혼합미 (특허 제10-2011-0062745호)

○○죽 정보공개서(발췌)

1. 물품구입 및 임차

귀하가 [○○죽]을 시작하거나 경영하기 위하여 필요한 부동산·용역·설비·상품·원재료 또는 부재료 등의 구입 또는 임차와 관련하여 당사 또는 당사가 지정하는 자와 거래해야 할 품목은 다음과 같습니다. 【물품의 상세 내역은 [별첨 3]을 참고하기 바랍니다.】

구 분	품 목	규 격	거래형태	거래상대방	비고
원·부재료	소고기장조림	특허제품	강제	당사	
	오징어초무침				
	우민찌				
	본원, 참기름, 전복	당사규격 (○○죽의 동일성유지를 위한 핵심물품)			
	모듬해물, 낙지, 혼합미				

[유의사항]

1. ~ 2. (생 략)
3. 지식재산권(상표권, 서비스표권, 저작권, 특허권 등)으로 보호받는 물품은 당사로부터 구입하여야 합니다.

(2) 불이익제공행위 해당 여부

불이익제공행위에 있어 불이익에 해당하기 위해서는 그 행위의 내용이 상대방에게 다소 불이익하다는 점만으로는 부족하고, 구입 강제, 이익제공 강요, 판매목표 강제 등과 동일시할 수 있을 정도로 일방 당사자가 자기의 거래상의 지위를 부당하게 이용하여 그 거래조건을 설정 또는 변경하거나 그 이행과정에서 불이익을 준 것으로 인정되어야 하고, 또한 거래상 지위를 부당하게 이용하여 상대방에게 불이익을 준 행위인지 여부는 당해 행위의 의도와 목적, 효과와 영향 등과 같은 구체적 태양과 상품의 특성, 거래의 상황, 해당 사업자의 시장에서의 우월적 지위의 정도 및 상대방이 받게 된느 불이익의 내용과 정도 등에 비추어 볼 때, 정상적인 거래관행을 벗어난 것으로 공정한 거래를 저해할 우려가 있는지 여부에 따라 결정되어야 한다.[47)]

한편, 가맹점사업자 모두에게 적용되는 가맹본부의 정책 변경을 불이익제공행위로 보기 위해서는 개별 가맹점사업자에게 미치는 부분적인 불이익만을 판단할 것이 아니라 전체 가맹점사업

47) 대법원 2006. 9. 8. 선고 2003두7859 판결 등 참조.

자에게 미치는 불이익의 정도를 종합적으로 판단하여야 한다.

위와 같은 법리에 다음과 같은 사정을 비추어 볼 때, 공정위는 가맹본부 A가 매년 로열티 부과기준을 변경한 행위는 일부 가맹점사업자들의 로열티 부담이 증가하였다거나 가맹본부 본아이에프가 수취한 로열티 총액이 매년 증가하였다는 사실만으로는 가맹본부 본아이에프가 자신의 우월적 지위를 남용하여 전체 가맹점사업자들에게 불이익을 주었다거나 강압적으로 로열티 부과기준을 변경하였다고 보기 어려우므로 거래상 지위를 부당하게 이용하여 거래상대방에게 불이익을 제공한 행위에 해당한다고 할 수 없다고 판단했다.

첫째, 가맹본부 A의 행위는 매출이 저조한 가맹점사업자와 매출이 많은 가맹점사업자 간 형평을 도모하기 위한 것으로 보인다.

둘째, 로열티 부과기준 변경 이후 전년보다 로열티 부담액이 같거나 줄어든 가맹점사업자의 비율이 상당수에 달하고 있다.

셋째, 가맹본부 A의 로열티 부과기준은 등급이 높아질수록 연간 총매출액에서 차지하는 로열티율이 점점 낮아지도록 설계되어 실제 로열티 부담액이 증가한 고매출 가맹점사업자들의 경우에도 로열티 인상의 체감도는 크지 않아 보인다.

넷째, 2011년부터 2015년까지 가맹점사업자의 연평균매출액에서 차지하는 평균 로열티 부담비율 증가분이 미미해 보인다.

다섯째, 가맹본부 A가 갱신계약 대상인 개별 가맹점사업자에게 계약조건 변경 내용을 미리 알리고, 각 가맹점 담당자를 통하여 개별 가맹점과 로열티 변경내용을 협의하였다는 주장에 상당한 신빙성이 있는 것으로 보인다.

3 한 걸음 더

허위・과장의 정보제공행위에 대한 공정위 판단에 대해, 가맹본부 A는 가맹사업법 제9조 제1항의 규율대상이 가맹희망자의 계약체결 여부에 영향을 미칠 수 있을 정도의 중요한 정보에 대한 허위・과장의 정보제공행위를 금지하는 것이고, 이 사건 5가지 품목에 대한 특허정보는 가맹본부 A가 가맹점사업자에게 사용을 허락하는 지식재산권인 ○○죽 브랜드의 상표 및 서비스표 등의 영업표지와 관련된 것이 아니라 죽과 함께 제공되는 부수적인 반찬류 등에 대한 정보일 뿐이므로 이러한 정보만으로는 가맹희망자의 계약체결 여부 판단에 별다른 영향을 미치기 어렵다는 점, △ 가맹계약서 및 정보공개서 외에 가맹본부 A의 브랜드 광고, 가맹점희망자 상담 시 제공되는 '브랜드 제안서', 해당 품목의 식자재 포장용지 등에 해당 특허 관련 허위 · 과장 정보를 기재한 바 없어 이를 이용하여 의도적으로 가맹점사업자들을 모집하거나 구매를 강제하려는 것은 아니라고 주장했다.

이에 대해 공정위는 △ 가맹사업법 제9조 제1항은 가맹희망자뿐만 아니라 가맹점사업자도 보호대상을 삼고 있고, 이 사건 행위로 인하여 가맹점사업자들은 해당 품목을 특허권 보호대상이라고 오인하여 직접 조달 등을 고려하거나 건의할 기회 등을 상실한 채 가맹본부 A를 통해서만 구입할 수 있으므로 가맹점사업자들에게 미치는 영향도 상당한 것으로 인정되는 점, △ 가맹사업법 제9조 제1항 제1호 및 법 시행령 제8조 제1항 제3호에서 규정하고 있는 가맹본부 A의 지식재산권 관련 허위 · 과장의 정보제공행위는 가맹희망자의 계약체결에 중대한 영향을 미치는 정보인지 여부 또는 가맹희망자나 가맹점사업자에게 실제로 피해가 발생하였는지 여부와 관계없이 위법하고, 이 사건 행위로 인하여 가맹희망자가 아무런 영향도 받지 않았다고 보기는 어려운 점, △ 가맹본부 A가 이 사건 특허 관련 허위 · 과장 정보를 가맹희망자 등을 유치하는 과정에서 적극적인 홍보수단으로 사용하지 않았다고 주장하나 이는 위법성을 조각시킬만한 사유는 아니라는 점 등을 이유로 받아들이지 않았다.

점포 리뉴얼 비용을 축소 부담한 경우, 부당한 점포환경개선 강요행위에 해당할까

[A떡볶이의 가맹사업법 위반행위에 대한 건]

- 2017. 8. 1. 공정위 의결 제2017-268호 -

1 사안 바라보기

가맹본부 A(영업표지: ○○떡볶이)는 2014년 3월부터 2015년 1월 기간 중 가맹계약이 종료되는 28개 가맹점사업자에 대해 점포 노후화, 영업활성화 도모, 비용일부 지원 등을 이유로 점포환경개선을 실시하도록 권유하였으므로, 해당 가맹점사업자들은 이에 동의하여 점포환경개선을 하였다. 가맹본부 A는 이 과정에서 2개 가맹점사업자에 대해서는 점포환경개선비용을 전액 가맹점사업자가 부담하도록 하였고, 26개 가맹점사업자에 대해서는 이 사건 점포환경개선 비용 중에서 △ FACADE/외부공사 중 외부벽체타일, 타일본드, 내・외부 코너비드, △ 내부공사 중 붙박이 소파 위 메뉴보드, 붙박이 소파, 붙박이 소파 징 마감, 붙박이 소파 및 홀 수납장 걸레받이, △ 사인공사 중 간판제작 설치, 외부하단 아크릴 원형박스, 내부 붙박이 의자측 메뉴보드, 간판채널 탈부착 등 일부 항목만을 임의적으로 선별하여 이른 바 "환경개선 총비용"이라는 명칭으로 분류하고 동 금액 중 20%를 지급하였다.

이러한 경우, 가맹본부 A의 행위는 가맹사업법 제12조의2 제2항 및 법 시행령 제13조의2 제3항에서 금지하는 부당한 점포환경개선 강요 금지행위에 해당할까.

결론부터 말하면, 공정위는 가맹본부 A가 리뉴얼 공사에 소요된 비용 중 간판 교체비 등 일부 항목을 임의적으로 선별하여 '환경개선 총 비용'이라는 명칭으로 분류하고, '환경개선 총 비용'의 20%만을 가맹점사업자들에게 지급함으로써, 28명의 가맹점사업자들이 점포 리뉴얼을 위해 지출한 총 비용의 20%에 해당하는 금액을 지급하여야 함에도 불구하고 실질적으로 5.2%만을 지급한 것으로, 가맹사업법 제12조의2 제2항에서 금지하는 부당한 점포환경개선 강요 금지행위에 해당한다고 판단했다.

2 깊게 들여다보기

가맹사업법 제12조의2 제2항에 따른 위반행위가 성립하기 위해서는 가맹본부가 가맹점사업자의 점포환경개선에 소요되는 비용으로서 간판교체 비용 또는 인테리어 공사비용을 부담하지 않거나 법정비율[48] 미만으로 부담하여야 한다.

---

48) 가맹사업법 시행령 제13조의2 제3항 각 호의 구분에 따른 비율로서 점포환경개선이 점포의 확장 또는 이전을 수반하는 경우에는 40%, 수반하지 아니하는 경우에는 20%이다.

또한, 가맹점사업자가 공사계약서 등 공사비용을 증명할 수 있는 서류를 제출하여 점포환경개선 비용의 지급을 청구하는 경우에는 지급청구일로부터 90일을 경과할 때까지 법정비율에 해당하는 금액을 지급하지 않을 때 위반행위가 성립한다.

다만, 가맹점사업자가 가맹본부의 권유 또는 요구가 없음에도 자발적 의사에 의하여 점포환경개선을 실시하거나, 가맹점사업자의 귀책사유로 인하여 위생·안전 및 이와 유사한 문제가 발생하여 불가피하게 실시하는 경우에는 예외가 인정된다.

(1) 점포환경개선 비용을 부담하지 아니하거나 법정비율 미만으로 부담하였는지 여부

공정위는 가맹본부 A가 2개 가맹점사업자에 대해서는 점포환경개선에 소요된 비용을 전혀 부담한 사실이 없고, 이를 제외한 26개 가맹점사업자와 관련하여서는 이 사건 점포환경개선에 소요된 비용 중 장비·집기의 교체비용의 교체비용이나 가맹사업의 통일성과 관련 없는 추가 공사비용 등이 포함된 사실이 없음에도 전체 비용 중 일부만을 환경개선 총비용으로 정하고 동 금액의 20%만큼 가맹점사업자들에게 지급함으로써 점포환경개선에 소요된 비용을 법정비율(20%) 미만으로 부담한 것으로 볼 수 있다고 판단했다.

[○○떡볶이의 점포환경개선 비용부담(B 가맹점 예시)]

점포 리뉴얼 총 비용(A)	환경개선 총 비용	가맹본부 A 부담 비용(B)	부담 비율(B/A)
1,606만 원	302만 원	60만 원	3.8%

(2) 가맹본부의 권유 또는 요구 없이 자발적으로 실시되었는지 여부

공정위는 가맹본부 A가 이 사건 점포환경개선을 권유한 사실이 인정되는 점, 점포환경개선 견적서를 작성하여 가맹점사업자들에게 교부하고 그 소요비용 중 일부를 지원하는 등 점포환경개선을 직접 기획한 것으로 보이는 점, 다수의 점포환경개선이 계약 갱신 전·후에 실시되어 가맹점사업자의 온전한 자발적 의사에 기인하여 이루어진 것으로 보기 어렵다고 보았다.

(3) 가맹점사업자의 귀책사유로 인한 위생·안전 등의 문제가 발생하여 불가피하게 실시되었는지 여부

공정위는 28개 가맹점사업자들이 대부분 영업개시일로부터 점포환경개선 실시일까지의 기간이 3년 내 · 외로서 노후화된 점포라고 단정할 수 없고, 가맹점사업자의 귀책사유로 인한 위생 · 안전 등의 문제가 발생한 사실이 확인되지 않으므로 가맹사업법 제12조의2 제2항 제2호의 예외사유에 해당하지 않는다고 판단했다.

3 한 걸음 더

2013년 8월 가맹사업법이 개정되어 가맹본부는 가맹점사업자들의 점포 리뉴얼 공사에 소요된 비용의 20%(점포를 이전 · 확장한 경우 40%)에 해당하는 금액을 부담해야 한다. 다만, 가맹점사업자가 자발적으로 점포 리뉴얼 공사를 실시하거나 가맹점사업자의 귀책사유로 점포의 안전 등에 문제가 발생하여 공사를 실시한 경우에는 지급의무를 면제한다.

점포 리뉴얼을 실시하면 가맹점사업자와 가맹본부의 매출이 함께 증가하게 되므로, 리뉴얼에 소요된 비용을 합리적으로 분담토록 하고, 가맹본부의 불필요한 점포 리뉴얼 요구도 방지하기 위해 도입되었다.

한편, 개정된 가맹사업법 시행령은 가맹점사업자가 가맹본부 또는 가맹본부가 지정한 자를 통해 점포환경 개선공사를 시행한 경우, 가맹본부에 대해 비용 청구를 하지 않더라도 공사 완료일로부터 90일 이내에 점포환경개선 공사비용을 가맹본부로부터 지급받도록 규정했다.

이처럼, 점포환경개선 비용 지급절차를 개선함에 따라 가맹점사업자가 가맹본부에 대해 공사대금 지급을 청구할 수 있다는 점을 알지 못해 피해를 보거나, 가맹본부의 횡포를 우려해 청구 자체를 포기하는 문제가 해소될 것으로 기대된다.

점포환경개선 비용 지급절차 개선

가맹사업법 시행령 §13의2 ⑥항 신설

⑥ 가맹본부는 제4항 및 제5항 본문에도 불구하고 가맹점사업자가 가맹본부 또는 가맹본부가 지정한 자를 통하여 점포환경개선을 한 경우에는 **점포환경개선이 끝난 날부터 90일 이내에** 가맹본부 부담액을 가맹점사업자에게 지급하여야 한다.

MEMO

도서지역 등을 평가대상에서 제외하여 최하위 등급 부여한 경우, 불이익제공행위에 해당할까

[A자동차정비소의 가맹사업법 위반행위에 대한 건]

- 2012. 11. 27. 공정위 의결 제2012-262호 -

1 사안 바라보기

가맹본부 A(영업표지: ○○자동차정비소)는 2009년 12월부터 자신의 정비사업 가맹점사업자에게 고객편의시설(고객쉼터, 접수처, 화장실)에 대한 시설·환경표준화를 실시하도록 하고 그 비용도 가맹점사업자에게 부담하도록 하였다. 특히, 고객편의시설 표준화와 관련하여 가맹점사업자에게 고객편의시설 내에 설치하는 고객쉼터 가구 및 화장실 위생도기를 자신이 지정한 사업자와 거래하도록 하였으며, 고객전용 TV와 고객전용 인터넷 PC의 사양 및 수량을 정하여 구입하도록 하였다.

또한, 가맹본부 A는 2011년 9월 28부터 2012년 1월 28일 기간 동안 가맹본부 A의 가맹점사업자 중 신규 또는 계약해지 대상 가맹점사업자를 제외한 모든 가맹점(1,384개)에 대하여 기존 계약해지 사유 중 "시설 및 장비의 개선 요청에 응하지 않을 경우"를 "표준화 모델로의 개선 요청에 응하지 않을 경우"라는 조항으로 변경하여 계약을 체결하였고, 전체 영업기간이 1년 미만인 신규 가맹점, 표준화 공사 진행 중인 가맹점, 도서지역 가맹점의 경우 서비스역량평가 대상에서 제외하고 최저등급을 적용하여 보증수리 공임을 지급하였다.

이러한 경우 가맹본부 A의 행위는 가맹사업법 제12조 제1항 제3호에서 금지하는 불이익제공 행위에 해당할까.

결론부터 말하면, 공정위는 가맹본부 A가 자동차 정비업의 특성상 정비소의 외관이나 작업장과 같은 시설이 아닌 고객편의시설과 같은 부수적인 시설 및 그 시설 내 고객전용 TV, 인터넷 PC, 고객쉼터 가구가 가맹본부 A의 상표권을 보호하고 상품 또는 용역의 동일성을 유지하는데 반드시 필요한 요소라고 볼 수 없고, 그럼에도 불구하고 가맹점사업자들에게 표준화 목표를 설정하고 이를 달성하기 위하여 지속적으로 독려하고 요구하였을 뿐만 아니라 도서지역 가맹점사업자에 대해 합리적이고 적정한 평가 없이 일방적으로 보증수리 등급별 공임 중 최저등급 보증수리 공임을 지급한 행위는 가맹점사업자에게 불이익을 주는 행위라고 볼 수 있다고 판단했다.

2 깊게 들여다보기

가맹사업법 제12조 제1항 제3호에 의하면, 가맹본부가 거래상의 지위를 이용하여 부당하게 가맹점사업자에게 불이익을 주는 행위는 가맹사업의 공정한 거래를 저해할 우려가 있는 행위에 해당하며, 같은 법 시행령 제13조 제1항 관련 [별표 2] 제3호 바목은 구입강제, 부당한 강요,

부당한 계약조항의 설정 또는 변경, 경영의 간섭, 판매목표 강제 행위에 준하는 경우로서 가맹점사업자에게 부당하게 불이익을 주는 행위를 법 제12조 제1항 제3호의 행위로 규정하고 있다.

따라서 거래상지위를 이용하여 부당하게 가맹점사업자에게 불이익을 주는 행위가 성립하기 위해서는 첫째, 가맹본부가 가맹점사업자에게 거래상지위가 있어야 하고, 둘째, 구입강제, 부당한 강요, 부당한 계약조항의 설정 또는 변경, 경영의 간섭, 판매목표 강제 행위 등에 준하는 경우로서 가맹점사업자에게 부당하게 불이익을 주는 행위이어야 한다.

다만, 그 행위를 허용하지 아니하는 경우 가맹본부의 상표권을 보호하고 상품 또는 용역의 동일성을 유지하기 어렵다는 사실이 객관적으로 인정되는 경우로서 해당 사실에 관하여 가맹본부가 미리 정보공개서를 통하여 가맹점사업자에게 알리고 가맹점사업자와 계약을 체결하는 경우에는 예외가 인정된다.

(1) 거래상지위 성립 여부

공정위는 △ 가맹사업의 특성상 가맹점사업자들이 가맹사업에 대한 기술, 경험 및 자금 면에서 절대적인 약점을 사업적 능력에서 현격하게 우위에 있는 가맹본부의 전적인 지원에 의해 보완받는 위치에 있고, 가맹계약에 따라 가맹본부와 지속적인 거래관계를 유지하면서 가맹본부가 요구하는 조건과 기준에 따라 점포 및 내부시설을 준비하여야 하며, 원치 않는 시기에 계약이 해지될 경우 위와 같은 시설투자비용을 충분히 회수하기 어려워져 경제적 손실을 입는 점, △ 국내 자동차 제조시장에서 시장지배적 사업자로서, 자동차정비 가맹 시장에서 1위 사업자의 위치에 있으므로 소비자 신뢰도 및 선호도가 매우 높은 편이며, 이러한 가맹본부와 가맹계약을 체결하게 되는 경우, 가맹본부 A의 보증수리 업무를 위탁받게 되어 안정적인 수익을 기대할 수 있게 될 뿐만 아니라 자동차정비업의 특성상 보증수리 고객이 일반수리 등에 대한 고객으로 유인될 가능성이 높은 점 등을 고려할 때, 가맹점사업자로서는 가맹본부 A와의 지속적인 거래관계를 유지하고자 하며 이로써 가맹본부 A는 가맹점사업자에 대한 거래상 우월한 지위를 가진다고 판단했다.

(2) 불이익제공 여부

공정위는 가맹본부 A가 가맹점사업자에게 고객편의시설에 대하여 표준화를 실시하도록 한 등의 행위는 다음과 같은 점을 고려할 때 가맹점사업자에게 부당하게 불이익을 주는 행위로서 가맹사업의 공정한 거래를 저해할 우려가 있는 행위에 해당된다고 볼 수 있다고 판단했다.

첫째, 소비자가 정비업체 선택 시 업체 및 정비기술에 대한 신뢰도, 근접성, 가격 등을 주로 고려하므로, 이러한 점에서 볼 경우 정비소의 외관이나 작업장과 같은 시설이 아닌 고객편의시설과 같은 부수적인 시설 및 그 시설 내 고객전용 TV, 인터넷 PC, 고객쉼터 가구, 화장실 위생도기가 가맹본부의 상표권을 보호하고 상품 또는 용역의 동일성을 유지하는 데 반드시 필요한 요소라고 볼 수 없으므로 그와 같은 시설의 표준화 비용을 가맹점사업자가 부담하도록 한 것은 부당하게 불이익을 주는 행위라 할 수 있다.

외식업의 경우 매장 리뉴얼로 인한 매출 증대 효과가 직접적으로 발생하는 편이므로 리뉴얼로 인한 비용 부담을 가맹점사업자가 어느 정도 감수하는 측면이 있으나, 자동차정비업의 경우 그 수요는 교통사고 발생건수 등의 원인 발생에 기인하여야 하며, 설사 정비수요가 증가한다고 하더라도 기술력이나 접근성, 가격 등의 요소로 선택하는 특성이 있는바, 외식업 등에 비해 고객편의시설에 대한 표준화 실시 후 가맹점이 투자한 시설비용을 회수할 수 있을 정도로 가맹점의 전체 매출이 증대할 것이라는 기대는 불확실하다고 할 수 있다.

게다가 가맹본부 A가 표준화 실시로 인하여 자동차정비업 시장에서의 ○○자동차정비소 브랜드 가치가 제고되고, 가맹본부 A의 자동차제조시장에서의 브랜드 가치 및 이미지도 제고되어 타 자동차 제조사 대비 경쟁력을 강화하는 것이 목적이었음을 알 수 있는 점에 비추어 볼 때, 가맹본부 A의 이 사건 행위는 정비가맹점 표준화 실시에 따른 자신의 비용부담을 최소화하고 그 목적을 이루고자 한 것이라고 볼 수 있다.

둘째, △ 가맹점사업자들이 경영상 어려움을 겪고 있거나 표준화에 대한 상당한 경제적 부담을 느끼고 있음에도 가맹본부 A는 표준화 목표를 설정하고 이를 달성하기 위하여 지속적으로 독려하고 요구하였을 뿐만 아니라, △ 서비스역량평가에 표준화 관련 항목을 정규 배점화하여 표준화 미 이행시 감점하고, 자동차정비 가맹사업의 경영에 필수적인 시설이 아닌 고객편의시설 내 고객쉼터 가구 및 화장실 위생도기에 대하여 지정제품을 사용하지 않을 경우 감점하거나, 고객편의시설 내 고객전용 TV 및 인터넷 PC에 대하여 가맹사업의 경영에 필요한 양을 넘는 범위인 기본 사양 및 수량을 정하고 이를 충족하지 아니하는 경우 감점하거나, 기존 계약해지 사유를 '표준화 모델로의 개선 미 이행'으로 변경하거나 표준화 공사 진행 중인 가맹점의 경우 일방적으로 공사 완공 시까지 서비스역량평가에서 제외하여 그 완공을 간접적으로 독촉하는 등의 여러 방법을 이용하여, 가맹점사업자가 가맹본부와의 계약을 계속 유지하면서 감점으로 서비스역량평가에서 낮은 점수를 받아 그에 따른 낮은 보증수리 공임을 지급받지 않기 위해서는 가맹본부 A의 표준화 실시를 따를 수밖에 없도록 강요한 것이라고 볼 수 있다.

[○○자동차정비소 가맹점별 시설환경 표준화 진행내용(발췌)]

가맹점명	일자	진행내용
B 가맹점	05/04	전무 면담 경영상 어려움 호소, 현재 작업장 타일시공되어 있는 상태이나 적색계열로 표준화 인정 어려움으로 재시공할 경우 비용 상승(지속방문 독려 예정)
C 가맹점	05/04	매년 임대차 계약 갱신으로 지주와 협의 후 결정예정, 견적비용 1억 5백만 원 정도 산출됨
D 가맹점	04/27	대표자, AS주재원(***), 고지팀장 합동상담, 자금력 부족(2011년도 1억 정도 손실), 2012년 시설표준화 계획
E 가맹점	04/29	2012년 4월 재계약예정(2년 단위)으로 현시점 판단 어려움이 있음 1차가 견적시 1억 3천 예상
F 가맹점	04/27	대표자, AS주재원(***), 고지팀장 합동상담, 출입구 건물골간판 시공 문제점, 고객대기실&접수처 환경개선(3년됨) 시 전체 리모델링에 따른 부담감, 2012년 시설표준화 예정
G 가맹점	04/07	임대조건 1억 1,200만 원, 현재 지주와 미래 불확실
H 가맹점	04/27	대표자, AS주재원(***), 고지팀장 합동상담, 자금력 부족
I 가맹점	05/04	표준화공사에 대해 대표자 이해부족으로 설명완료 견적 산출 후 공사시기 결정 예정
	05/11	대표자 면담 표준화 독려(고객지원팀장, 지원담당)
J 가맹점	04/28	경영상 어려움 호소하며 관망처리 요구(공사시기는 2012년)

셋째, 가맹본부 A는 상당한 비용을 들여 고객편의시설까지 포함한 표준화 공사를 진행 중인 가맹점 혹은 그러한 표준화를 완료했음에도 신규 영업 1년 미만에 해당하는 가맹점에게는 합리적이고 적정한 평가 없이 일방적으로 보증수리 등급별 공임 중 최저등급 보증수리 공임을 적용하였고, 이와 같은 행위로 인하여 가맹점사업자는 표준화 공사비용을 부담하는 것에 비해 최저 보증수리 공임이라는 적정하지 않은 대가를 받게 되는 불이익을 입었다고 할 수 있다.

또한 가맹본부 A의 자동차 판매시장에서의 경쟁압력이 심하지 아니하여 자신의 목적달성에 필요한 표준화 실시 대상이 아닌 도서지역 가맹점에 대하여도 합리적이고 적정한 평가 없이 일방적으로 보증수리 등급별 공임 중 최저등급 보증수리 공임을 지급하였으며 이 또한 가맹점사업자에게 불이익을 주는 행위라 볼 수 있다.

(3) 예외요건 해당 여부

공정위는 가맹본부 A의 행위가 △ 고객편의시설 및 시설 내 고객전용 TV 등 제품의 동일성 유지가 가맹본부 A의 상표권 보호 및 자동차정비업 용역의 동일성 유지에 반드시 필요한 부분이라고 할 수 없는 점, △ 가맹본부 A의 정보공개서에는 "표준화 기준은 제시되며 사업자의 보수범위는 가맹본부와 협의하여 가맹점사업자가 결정한다."라고 기재되어 있으며, 가맹계약서에는 "○○자동차정비소 사업장의 표준화된 이미지와 시장환경 변화 대응을 위해 필요시 시설 및 환경개선을 요구할 수 있으며.."라고 기재되어 있는 바, 구체적인 표준화 사양 · 범위 · 절차 · 비용 등의 제시 없이 이러한 조항만으로는 정보공개서나 계약서를 통하여 미리 알렸다고 볼 수 없는 점을 고려할 때 예외인정 요건에 해당하지 않는다고 판단했다.

3 한 걸음 더

위와 같은 공정위 판단에 대해, 가맹본부 A는 표준화를 시행한 경우 가맹점사업자에게 5년간 대출이자 지원, 보증수리 공임 인상의 경제적 이익을 제공하여 표준화 실시 비용을 분담하였으므로 가맹점사업자가 불이익을 입지 않았고, 가맹점사업자로부터 매월 정해진 금액의 가맹금을 받으므로 표준화 실시에 따른 직접적인 매출증가나 그로 인하여 가맹본부가 취하는 부당이득이 없으며, 신규 인가 후 1년 미만의 가맹점, 공사 진행 중인 가맹점, 도서지역의 가맹점을 평가대상에서 제외한 것은 평가의 정당한 사유가 있어서이지 불이익을 줄 의도가 아니라고 주장했다.

이러한 가맹본부 A의 주장에 대해 공정위는 다음과 같이 이유로 가맹본부 A의 주장을 받아들이지 않았다.

첫째, 가맹점사업자가 표준화 실시 비용을 대출받을 경우 5년간 이자를 부담하기로 한 것은 인정되나, 이자지원은 가맹본부 A가 전체 가맹점을 대상으로 표준화 실시 비용을 분담한 것이라고 할 수 없다.

즉, 표준화 실시가 2009년 12월부터 이루어진 데 반해, 대출이자 지원은 이후 2010년 7월에 지원 대상을 선별하여 지원하는 내용으로 시행되었고, 지원한도도 정해져 있어 그 한도를 초과한 공사비용은 가맹본부의 이자지원 대상이 아니며, 낮은 신용등급으로 은행에서 대출신청이 거절되어 가맹본부의 지원에서 제외된 가맹점사업자도 있으므로 가맹본부의 이자지원은 전체 가맹점을 대상으로 표준화 공사비용을 직접 지원한 것이라 할 수 없다고 보았다.

둘째, 가맹본부 A가 보증수리 업무 위탁 대가로 가맹점사업자에게 지급하는 공임의 등급별 금액을 평균적으로 상향한 것은 사실이나, 가맹본부 A가 보증수리 공임인상으로 전체 가맹점의 표준화 실시 비용을 분담한 것이라고 할 수 없다.

셋째, 외식업 등을 영위하는 가맹본부의 경우 가맹점사업자에게 원・부재료를 공급하므로 매장 리뉴얼에 따라 가맹점의 매출이 증대할 경우 가맹본부의 매출액도 같이 증대한다거나, 매장 리뉴얼 시설 공사 시 가맹점사업자로부터 감리비 등을 받는 방법으로 가맹본부의 직접적인 이익이 발생하는 점에 비추어 볼 때, 표준화 실시로 직접적인 매출증가나 그로 인하여 가맹본부 A가 직접 취하는 부당이득이 없다는 주장은 인정되나, 표준화 실시로 인하여 가맹본부 A의 자동차제조시장에서의 브랜드 가치 및 이미지가 제고되어 타 자동차 제조사 대비 경쟁력이 강화되는 측면이 있으므로 가맹본부 A도 가맹점사업자와 협의를 통한 적정한 비용을 부담해야 한다.

넷째, 도서지역의 가맹점도 실제 평가를 통해 최저이상의 등급을 받을 수도 있고, 신규 인가 후 1년 미만인 가맹점의 경우 실제 영업한 기간에 대하여 평가하는 등 평가가 불가능하다고 보기 어려우며, 표준화 공사 중인 가맹점의 경우에도 다른 제반 평가요소 등에 비추어 평가가 불가능하여 일괄적으로 최저등급을 부여하여야만 하는 것으로 보기 어렵다.

참고로, 공정위는 △ 가맹본부 A는 가맹점에서 매월 정액의 가맹금(60~90만 원)만을 받고 있어 매장 리뉴얼로 가맹점 매출이 증가해도 가맹본부 A의 직접적 매출 증가 효과는 없는 점, △ 가맹본부 A가 가맹점 리뉴얼 시 간판 설치 및 대출이자 비용을 지원(전체 비용의 약 15% 수준)하여 가맹점사업자의 불이익이 상쇄된 측면이 있는 점, △ ○○자동차정비소 가맹사업으로 전환된 이후 최초로 통일적 규격의 인테리어를 한 것으로 최근 사회적으로 문제가 된 가맹본부의 잦은 리뉴얼 강요행위와는 차이가 있는 점 등을 이유로 과징금을 부과하지는 않았다고 밝혔다.

MEMO

공모전에 소요되는 비용을 가맹점사업자들에게 부담시킨 경우, 불이익제공행위에 해당할까

[A카페의 가맹사업법 위반행위에 대한 건]

– 2017. 11. 1. 공정위 의결 제2017-332호 –

1 사안 바라보기

가맹본부 A(영업표지: ○○카페)는 2014년 7월 21일부터 2014년 12월 18일의 기간 동안 다음과 같이 워크샵 방식으로 「○○카페 공모전: 땡뀨! 리얼크리에이터」(이하 '제3회 공모전'이라 한다)[49]를 개최하였다. 제3회 공모전을 개최한 목적은 가맹본부 A의 영업표지 ○○카페의 브랜드 가치에 맞는 작가를 발굴하고 인재를 양성하여 "올바른 창작환경의 확산"이라는 개념을 추가하고, 브랜드 가치를 강화하기 위함이었다. 가맹본부 A는 위 공모전의 행사비용 47,500천 원 중 50%에 해당되는 23,750천 원을 16개 가맹점사업자가 부담하도록 통보하였다. 위와 같은 공모전 비용 분담통지 후 가맹본부 A는 2016. 8월부터 12월까지의 기간 동안 16개 가맹점사업자 중 15개 가맹점사업자들로부터 공모전 비용 22,230천 원을 수령하였다.

이러한 경우 가맹본부 A의 행위는 가맹사업법 제12조 제1항 제3호에서 금지하는 불이익제공 행위에 해당할까.

결론부터 말하면, 공정위는 가맹본부 A가 이 사건 공모전을 통하여 가맹본부 A의 브랜드 이미지가 강화되어 가맹점사업자의 상품판매에 긍정적인 영향을 주었고, 가맹점사업자들이 부담한 이 사건 공모전 비용이 가맹점사업자의 전체 매출액에서 차지하는 비중이 높지 않으므로 가맹점사업자에게 공모전 소요비용을 부담하게 한 행위는 불이익을 제공한 것으로 볼 수 없으며, 가맹본부 A와 가맹점사업자가 공모전 개최비용을 포함하여 각종 광고비용을 각각 50%씩 부담하는 사실을 정보공개서를 통하여 미리 알렸고, 이를 가맹계약서에도 반영하였으며, 공모전의 주제가 브랜드 이미지 또는 상품광고와 직접 연관이 있는지 여부에 따라 공모전과 브랜드 간 관련성을 판단하는 것은 타당하지 아니하므로 이 사건 비용 부담행위는 부당하게 불이익을 제공한 것으로 볼 수 없다고 판단했다.

49) ○○카페는 가맹본부 A가 운영하고 있는 커피전문점의 영업표지로서, 가맹본부 A는 제1회 공모전을 2013. 2월~2013. 3월, 제2회 공모전을 2013. 12월~2014. 1월 기간 동안 각각 개최하였다.

[제3회 공모전 개요]

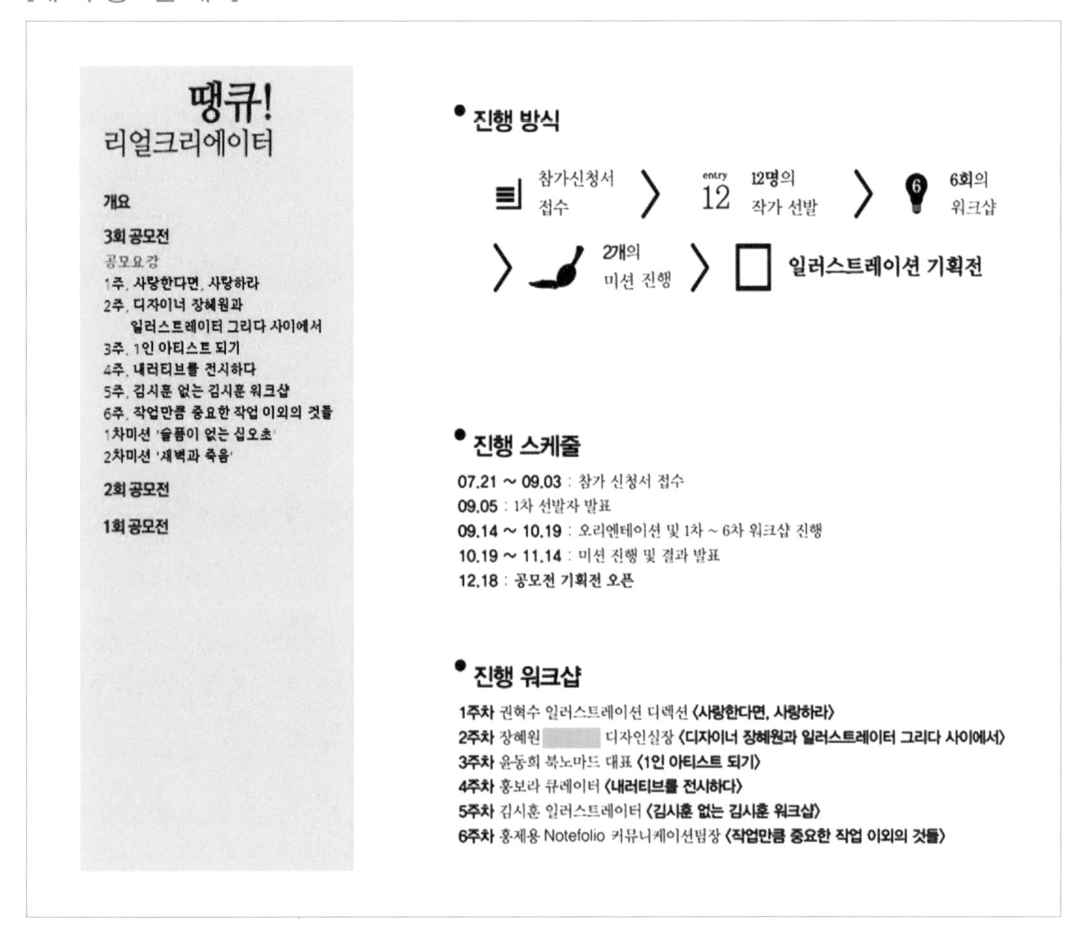

2 깊게 들여다보기

이 사건은 가맹점사업자들이 가맹본부 A가 가맹사업법 제12조 제1항 제3호에서 금지하는 불이익제공행위를 하였다는 이유로 공정위에 신고한 사안으로, 가맹점사업자들의 신고를 접수한 공정위 심사관은 다음과 같은 이유로 가맹본부 A의 행위가 불이익제공행위에 해당된다고 보고 심사보고서를 상정했다.

즉, △ 이 사건 공모전 개최목적이 브랜드 가치에 맞는 작가 발굴 및 인재양성으로 보이고 그 주제도 이 사건 가맹점사업자가 판매하는 상품의 홍보, 판매촉진 등과 직접적인 연관이 있다고 보기 어려워 해당 공모전으로 가맹점사업자들에게 상품 판매촉진, 매출액 증대 등 전국적인 광고 효과가 발생하였다고 보기 어려운 점, △ 이 사건 공모전을 전후하여 가맹본부 A의 가맹점 수와 매출액은 증가한 반면, 가맹점사업자들의 연 매출액은 대부분 감소하여 브랜드 이미지 강화 효과를 가맹본부 A가 독점하고 가맹점사업자들은 비용만 부담한 것으로 보이는 점, △ 이 사건 공모전 비용을 부담한 가맹점사업자 중 상당수가 영업부진으로 휴업 또는 폐업을 하는 등 경영 여건이 매우 어려운 상황인 점, △ 가맹본부 A가 가맹점사업자들과 이 사건 공모전 개최, 비용부담 등에 관하여 협의한 사실이 없고, 일부 가맹점사업자가 비용분담에 대하여 이의를 제기하자 가맹계약 해지를 언급한 점 등을 고려할 때, 가맹본부 A가 공모전 비용을 부담하게 한 행위는 자신의 가맹점사업자들에게 부당하게 불이익을 제공한 행위에 해당된다고 판단했다.

이러한 공정위 심사관 주장에 대해 가맹본부 A는 △ 전국광고의 실시는 매출액과 상관관계가 직접적으로 드러나지 않을 수 있는 점, △ 단기간의 매출 증가만을 위한 것이 아니라 장기적인 관점에서의 브랜드 이미지 제고를 위하여 실시되는 점, △ 광고의 소요비용을 선택적으로 부과하게 된다면 무임승차하는 가맹점사업자들이 발생할 수 있기 때문에 사전설명을 하였다는 점, △ 소요비용을 50%씩 분담하였기 때문에 분담금이 적정하다는 점, △ 결과물은 상품홍보에 사용된다는 점을 들어 가맹점사업자들에 대한 가맹본부 A의 광고비 분담은 정당한 행위라고 주장했다.

이에 공정위는 다음과 같은 사항들을 종합적으로 고려할 때, 가맹본부 A의 행위는 가맹사업법 제12조 제1항 제3호에 해당하는 위법한 행위로 보기 어렵다고 판단했다.

우선, △ 공모전은 가맹본부 A의 주요한 광고수단으로 활용되고 있고 이 사건 공모전이 가맹점사업자가 판매하는 제품과의 구체적인 관련성이 없다고 하여 ○○카페 브랜드의 이미지 제고 효과가 없었다고 보기 어려운 점, △ 이 사건 행위가 가맹점사업자에게 불이익을 제공한 행위에 해당하기 위해서는 가맹점사업자에게 다소 불이익한 정도를 넘어 판매목표 강제, 이익제공 강요 등과 동일시할 정도로 불이익을 주었음이 입증되어야 하는바, 가맹본부 A의 이 사건 행위로 인해 가맹점사업자에게 초래된 불이익의 규모와 공모전이 매출증가에 영향을 미치지 않았다는 점 등을 입증할 자료가 없는 점, △ 가맹점사업자의 영업부진, 휴・폐업 등과 이 사건 공모전 간에 직접적인 관련이 있다고 보기 어려운 점 등을 고려할 때 불이익을 제공한 것으로 보기 곤란하다고 보았다.

또한, △ 이 사건 가맹계약서에 브랜드 이미지광고, 상품광고, 공모전 등 광고의 대상, 실시방법, 비용분담의 원칙 및 방식 등에 관하여 세부적으로 규정하고 있으므로 이 사건 공모전은 가맹본부 A가 계약서에 근거를 두고 시행된 것인 점, △ 가맹점사업자가 공모전 소요비용 부담을 거절할 경우 그 자체로 계약해지 사유가 되는 것은 아니므로 가맹본부 A가 가맹점사업자들에게 비용부담을 통지하는 등의 과정에서 계약해지를 언급한 행위만으로 부당성이 당연히 인정되는 것으로 보기는 어려운 점 등을 고려할 때, 가맹본부 A가 자신의 거래상 지위를 부당하게 이용한 것으로 보기도 어렵다고 판단했다.

3 한 걸음 더

위와 같은 사례는 최근 공정위가 사회전반에 뿌리 깊게 박혀 있는 이른바 가맹본부의 갑질을 개선하기 위해 많은 노력을 하고 있는 가운데, 이러한 시류에 편승해 한몫 챙기려는 소위 블랙을, 슈퍼 을의 횡포에 대해 제동을 건 사례라고 할 수 있다.

즉, 위 사례는 가맹본부 A가 이미 가맹점사업자들과의 가맹계약서에서 공모전 실시에 대한 비용 분담을 명시하였고, 공모전 개최 결과 브랜드 이미지가 강화되었음에도 불구하고, 일부 가맹점사업자들이 자신의 매출액이 증가하지 않은 것을 이유로 가맹본부 A의 적법한 행사비용 분담에 대해 공정위 신고는 물론, 검찰고소, 민사소송, 언론보도 등까지 강행하는 을의 횡포가 자행되었고, 이에 대해 공정위에서는 갑이든 을이든 부당한 횡포는 더 이상 통하지 않는다는 점을 확인시켜 준 의미가 있다고 볼 수 있다.

MEMO

인테리어 개선 비용을 분담하지 않은 경우, 부당한 점포환경개선 강요 금지행위에 해당할까

[A치킨의 가맹사업법 위반행위에 대한 건]

– 2018. 4. 23. 공정위 의결 제2018-126호 –

1 사안 바라보기

가맹본부 A(영업표지: ○○치킨)는 기존의 배달판매 중심에서 내점판매를 보다 확대한 형태의 가맹점 운영방식으로 전환하기 위해 2012년부터 2016년까지 연도별 경영계획을 수립하면서 '카페전환 활성화 전략'을 주요 경영목표로 설정했다. 주로 직전 점포환경개선일로부터 5년이 경과된 가맹점을 카페전환대상으로 정하여 계약 갱신 또는 재계약일 기준 180일 이전에 내용증명을 발송한 후 계약 갱신 또는 재계약 조건으로 카페전환을 요구하거나 담당 직원들이 개별적으로 대상 가맹점을 방문하여 카페전환을 독려하였다.

이후 가맹점사업자가 점포리뉴얼요청서 또는 점포이전요청서 등을 작성하게 되면, 가맹본부 A는 협력업체와 함께 가맹점을 방문하여 도면협의 등을 거침으로써 점포환경개선에 소요되는 비용을 산출하였으며 해당 가맹점사업자가 동 금액의 50%를 지급할 경우 공사를 진행하였다.

이러한 경우 가맹본부 A의 행위는 가맹사업법 제12조의2 제2항에서 금지하는 부당한 점포환경개선 강요 금지행위에 해당할까.

결론부터 말하면, 공정위는 가맹본부 A가 점포환경개선 비용을 부담하지 아니하거나 법정비율 미만으로 부담한 것으로 가맹사업법 제12조의2 제2항에 위반된다고 판단하고, 가맹본부 A에 대해 시정명령(지급명령, 향후 재발방지 및 통지명령) 및 과징금을 부과했다.

2 깊게 들여다보기

가맹사업법 제12조의2 제2항에 따른 위반행위가 성립하기 위해서는 가맹본부가 가맹점사업자의 점포환경개선에 소요되는 비용으로서 간판교체 비용 또는 인테리어 공사비용[50]을 부담하지 않거나 법정비율[51] 미만으로 부담하여야 한다.

또한, 가맹점사업자가 공사계약서 등 공사비용을 증명할 수 있는 서류를 제출하여 점포환경개선 비용의 지급을 청구하는 경우에는 지급청구일로부터 90일을 경과할 때까지 법정비율에 해당하는 금액을 지급하지 않을 때 위반행위가 성립한다.

---

50) 인테리어 공사비용 중 장비·집기의 교체비용이나 가맹사업의 통일성과 관계 없는 추가공사 비용은 제외한다.

51) 가맹사업법 시행령 제13조의2 제3항 각 호의 구분에 따른 비율로서 점포환경개선이 점포의 확장 또는 이전을 수반하는 경우에는 100분의 40, 수반하지 아니하는 경우에는 100분의 20이다.

다만, 가맹점사업자가 가맹본부의 권유 또는 요구가 없음에도 자발적 의사에 의하여 점포환경개선을 실시하거나, 가맹점사업자의 귀책사유로 인하여 위생 · 안전 및 이와 유사한 문제가 발생하여 불가피하게 실시하는 경우에는 예외가 인정된다.

위 규정과 함께 다음 사정을 종합할 때, 공정위는 가맹본부 A가 점포환경개선 비용을 부담하지 아니하거나 법정비율 미만으로 부담한 것으로 가맹사업법 제12조의2 제2항에 위반된다고 판단했다.

첫째, 가맹본부 A는 75개 가맹점사업자가 실시한 점포환경개선에 소요된 비용 중 법정비율에 해당하는 금액을 전혀 부담한 사실이 없다.

둘째, 가맹본부 A가 2014년 2월부터 2017년 5월까지 연도별 경영전략 하에 점포환경 개선을 직접 기획한 후 이를 75개 가맹점사업자에게 권유 또는 요구한 사실이 인정되고, 다수의 점포환경개선이 재계약 또는 계약 갱신 전 · 후에 실시되어 가맹점사업자의 온전한 자발적 의사에 기인하여 이루어진 것으로 보기도 어렵다.

셋째, 75개 가맹점은 점포가 노후화된 사정만 일부 인정될 수 있을 뿐 가맹점사업자와의 귀책사유로 인한 위생 · 안전 및 이와 유사한 문제가 발생하였다고 볼 만한 객관적인 사정이 확인되지 않는다.

3 한 걸음 더

공정위의 판단에 대해 가맹본부 A는 이 사건 점포환경개선을 권유 또는 요구한 사실이 있다고 하더라도 가맹점사업자들의 자발적인 의사에 기인하여 실시되었으며 대다수 가맹점들이 점포환경개선을 실시하지 아니한 기간이 상당함에 따라 점포 노후화로 인한 위생 · 안전 등의 문제가 발생할 수 있었던 점을 고려할 때 가맹사업법 제12조의2 제2항 각 호의 예외사유에 해당하고, 가맹점사업자가 가맹본부 부담액의 지급을 청구하지 아니한 이상 그 지급금액이나 시기 등이 구체적으로 특정되지 않으므로 점포환경개선 분담의무가 발생하였다고 볼 수 없으며, 최초 가맹계약 체결일로부터 10년이 경과하여 가맹사업법 제13조에 따른 갱신요구권이 인정되지 않는 가맹점에 대해서는 새로운 가맹점사업자와의 신규계약을 통해 가맹본부 A의 비용부담 없이 점포환경개선이 가능하므로 이를 위반대상에서 제외하여야 한다고 주장했다.

하지만, 공정위는 △ 가맹본부의 권유 또는 요구가 없는 상황에서도 가맹점사업자의 자발적인 의사로 실시된 점포환경개선과 달리 이 사건은 가맹본부 A의 점포환경개선 권유 또는 요구가 구체적으로 확인되는바 가맹사업법 제12조의2 제2항 제1호의 예외사유를 인정하기 곤란한 점, △ 가맹점사업자들의 귀책사유로 인한 위생・안전 등의 문제가 발생하였음이 객관적 근거에 의해 인정되지 않는 이상 단순히 점포가 노후화된 사정만으로는 가맹사업법 제12조의2 제2항 제2호의 예외사유에 해당한다고 보기도 어려운 점 등을 고려할 때, 이 사건 점포환경개선이 가맹사업법 제12조의2 제2항 각 호에서 정한 예외사유에 해당한다는 가맹본부 A의 주장은 이유 없다고 보았다.

또한, 점포환경개선비용 분담의무를 규정한 가맹사업법 제12조의2 제2항이 가맹점사업자의 지급청구를 요건으로 명시하고 있지 않은 점, 가맹사업법 시행령 제13조의2 제4항 및 제5항에 따른 가맹본부부담액의 청구 및 지급절차도 동 지급청구 없이는 가맹본부가 법정부담액・지급기일 등을 직접 산정하기 곤란한 경우에 대해 이를 명확히 확정할 수 있도록 규정한 것이므로 그 외는 이에 준하는 기준으로 충분히 판단할 수 있는 점, 가맹본부 A가 이 사건 점포환경개선을 기획하여 가맹점사업자들로부터 공사비용까지 직접 수령한 이상 충분히 법정부담액을 산정할 수 있었던 점, 가맹점사업자들로부터 점포리뉴얼 요청서를 징구하였으므로 이들의 지급청구도 기대하기 어려웠던 점 등을 고려할 때 가맹점사업자들이 가맹본부부담액의 지급을 청구하지 아니하여 점포환경 개선 분담의무가 발생하였다고 볼 수 없다는 가맹본부 A의 주장은 이유 없다고 판단했다.

마지막으로, 최초 가맹계약 체결일로부터 10년이 경과함에 따라 갱신요구권이 인정되지 않는 가맹점들이라고 하여 가맹사업법 제12조의2 제2항의 예외로 볼 수 있는 명문상 근거가 존재하지 않을 뿐만 아니라 가맹본부 A도 점포환경개선에 따른 이익 등을 공동으로 향유하는 자로서 이에 소요된 비용을 분담해야 한다고 봄이 타당하므로 이에 관한 가맹본부 A의 주장도 이유 없다고 보았다.

4 알아두기

2013년 8월 가맹사업법이 개정되어 가맹본부는 가맹점사업자들의 점포 리뉴얼 공사에 소요된 비용의 20%(점포를 이전・확장한 경우 40%)에 해당하는 금액을 부담해야 한다. 다만, 가맹점사업자가 자발적으로 점포 리뉴얼 공사를 실시하거나 가맹점사업자의 귀책사유로 점포의 안전 등에 문제가 발생하여 공사를 실시한 경우에는 지급의무를 면제한다.

점포 리뉴얼을 실시하면 가맹점사업자와 가맹본부의 매출이 함께 증가하게 되므로, 리뉴얼에 소요된 비용을 합리적으로 분담토록 하고, 가맹본부의 불필요한 점포 리뉴얼 요구도 방지하기 위해 도입되었다.

한편, 개정된 가맹사업법 시행령은 가맹점사업자가 가맹본부 또는 가맹본부가 지정한 자를 통해 점포환경개선 공사를 시행한 경우, 가맹본부에 대해 비용 청구를 하지 않더라도 공사 완료일로부터 90일 이내에 점포환경개선 공사비용을 가맹본부로부터 지급받도록 규정했다.

이처럼, 점포환경개선 비용 지급절차를 개선함에 따라 가맹점사업자가 가맹본부에 대해 공사대금 지급을 청구할 수 있다는 점을 알지 못해 피해를 보거나, 가맹본부의 횡포를 우려해 청구 자체를 포기하는 문제가 해소될 것으로 기대된다.

점포환경개선 비용 지급절차 개선

가맹사업법 시행령 §13의2 ⑥항 신설

⑥ 가맹본부는 제4항 및 제5항 본문에도 불구하고 가맹점사업자가 가맹본부 또는 가맹본부가 지정한 자를 통하여 점포환경개선을 한 경우에는 **점포환경개선이 끝난 날부터 90일 이내에** 가맹본부부담액을 가맹점사업자에게 지급하여야 한다.

MEMO

가맹계약서 상 주요 불공정약관 조항, 어떠한 것들이 있을까

[A자동차 정비업의 약관규제법 위반행위에 대한 건]

- 2013. 2. 18.자 공정위 보도자료 -

1 사안 바라보기

가맹본부 A는 1년에 한 번 있는 업장평가에 시설개선 실적을 반영하겠다며 인테리어 리뉴얼을 강요하였으나 경기악화로 사업운영이 어려워진 가맹점사업자들의 리뉴얼 실적이 저조하자, 계약서를 변경하여 시설개선 불응을 해지사유의 하나로 추가하였고, 이에 대다수의 가맹점사업자들은 계약을 유지하기 위해 시설개선에 응할 수 밖에 없었다.

또한, 가맹본부 B는 가맹점사업자들에게 자신의 상호가 새겨져 있는 차량소모성 물품 등을 일정금액 이상만 주문이 가능하도록 약관조항을 두었다. 이에 가맹점사업자는 필요 이상의 제품을 구매할 수밖에 없었는데, 가맹본부 B는 계약해지 시 남은 물품의 반품을 받아주지 않아 피해를 보았다.

공정위는 가맹사업의 형태로 자동차 정비업을 영위하는 A자동차 정비업 등 4개 가맹본부의 가맹계약서를 심사하여 가맹본부의 시설개선 요구에 불응할 경우 가맹계약을 해지할 수 있도록 규정하여 사실상 시설개선을 강제하는 조항 등 15개 유형의 불공정약관을 시정하였다.

위 4개 가맹본부가 사용하는 가맹계약서상 주요 불공정약관 조항은 시설개선 및 제품구입 강제 조항, 과중한 경업금지 조항, 계약해지 시 과도한 위약금 조항, 대금결제 수단 제한 조항 등으로, 이들 약관은 대형 가맹본부의 우월적 지위를 이용하여 가맹점사업자에게 필요 이상의 의무를 지우거나 과도한 위약금을 요구하는 등 부당하게 불리한 내용을 담고 있어 약관규제법상 무효에 해당한다.

2 깊게 들여다보기

(1) 가맹본부의 비용분담 없이 시설개선을 강제하는 조항

가맹사업의 통일성을 유지하기 위해 표준화 시설교체작업을 하게 되면 브랜드 이미지가 개선되는 등 간접적으로는 가맹본부에 유익한 효과도 있는데, 해당 조항은 시설개선 요구 불응을 계약해지 사유로 규정하여 사실상 시설개선을 강제하고, 이에 수반되는 비용에 대해서는 아무런 분담 규정을 두지 않아 가맹점사업자에게 지나치게 불공정하기 때문에, 시설개선 불응을 해지사유에서 삭제하고, 시설개선 시 가맹본부가 비용을 분담하는 방향으로 약관을 수정하도록 하였다.

구분	시정 전	시정 후
약관조항	가맹본부의 계약해지 사유에 시설개선 요구불응이 포함되어 있어 사실상 가맹점사업자에게 시설개선을 강제하고 있으며, 비용분담에 관한 내용이 없었음	시설개선에 응하지 않을 경우 계약을 해지할수 있다는 내용을 삭제하고, 시설개선 시 가맹본부가 일부 비용 분담을 하는 것으로 약관을 수정함

(2) 일정 규모 이상의 제품구입을 강제하는 조항

가맹본부는 물류의 효율화를 이유로 가맹점사업자에게 필요 이상의 물품을 구입하도록 강제하고 있는데, 이는 가맹사업법상 불공정거래행위의 하나인 구입강제에 해당할 소지가 있어 가맹점사업자에게 부당하게 불리하기 때문에 소량구매도 가능하도록 해당 조항을 삭제하도록 하였다.

구분	시정 전	시정 후
약관조항	1회 주문 시 일정금액 이상의 제품만 가능하도록 규정하여, 경영상황이 좋지 않은 가맹점사업자에게는 필요 이상의 부품 구입을 강제하는 결과를 초래함	해당 조항을 삭제하여 가맹점사업자가 필요한 양만큼 주문이 가능하도록 약관을 수정함

(3) 계약기간 중 유사업종까지 경업을 금지하는 조항

가맹사업법 제6조 제10호는 가맹계약기간 중 동종업종에 대한 경업만을 직접적으로 금지하고 있으나, 해당 조항은 유사업종에 대해서까지 확대하여 경업금지의무를 부과하고 있어 가맹점사업자의 직업선택의 자유를 과도하게 제한하고 있기 때문에 동종업종만 금지되도록 약관을 수정하도록 하였다.

구분	시정 전	시정 후
약관조항	가맹점사업자에게 가맹계약기간 중 가맹본부와 유사한 업종을 영위하지 못하도록 규정	가맹사업법은 가맹점사업자의 준수사항으로 가맹계약기간 중 가맹본부와 동일한 업종을 영위하는 행위를 금지하고 있을 뿐이므로 가맹사업법의 기준에 맞추어 유사업종까지 경업금지 의무를 부과하는 내용을 삭제함

(4) 계약종료 후까지 부당하게 경업을 금지하는 조항

경업금지의무는 본질적으로 가맹점사업자의 직업선택의 자유에 대한 중대한 제한을 초래하므로 필요 최소한으로 인정되어야 하는데, 해당 조항은 가맹점사업자에게 기간, 지역, 업무범위에 대한 아무런 제한 없이 계약종료 후 가맹본부의 가맹사업과 동일 혹은 유사한 영업행위를 일체 하지 못하도록 규정하고 있어 가맹점사업자의 직업선택의 자유를 침해하는 수준에 이르기 때문에, 계약종료 후 경업금지가 아니라 가맹본부의 영업표지를 일체 사용하지 못한다는 내용으로 약관을 수정하도록 하였다.

구분	시정 전	시정 후
약관조항	가맹계약이 종료된 후 가맹점사업자에게 가맹점과 동일 혹은 유사하여 혼동이 생길 수 있는 영업행위를 일체 금지함	지역적 범위, 사업유형, 금지기간 등을 정하지 않고 가맹점사업자에게 무조건 동일 혹인 유사한 영업행위를 하지 못하도록 하는 것은 가맹점사업자의 직업선택의 자유를 지나치게 제한하는 것이므로 가맹본부의 영업표지를 더 이상 사용하지 않겠다는 내용으로 약관을 수정함

(5) 개점 전 계약해지 시 위약금을 과도하게 부과하는 조항

개점 전 계약해지에 대한 위약금 규정의 필요성은 인정되나, 일률적으로 500만 원의 위약금을 부과하는 것은 계약체결 직후 해지사유가 생긴 가맹점사업자에게는 과다한 위약금을 부담시키는 것인 반면, 개점준비가 어느 정도 이루어진 단계에서 가맹본부가 임의로 해지하는 경우에는 가맹본부의 손해배상책임을 경감시키는 조항에 해당하여 불공정하기 때문에, 양 당사자 모두 실제 지출한 실제 손해를 위약금으로 부담하도록 약관을 수정하도록 하였다.

구분	시정 전	시정 후
약관조항	개점 준비 정도와 관계없이 가맹보증금 전부를 위약금으로 규정하고, 위약금을 초과하는 가맹본부의 손해는 별도로 손해배상을 청구할 수 있도록 규정함	가맹보증금을 일률적으로 위약금으로 규정하는 것은 계약체결 직후 해지하게 된 가맹점사업자에게는 과다한 위약금을 부과하는 것이므로 계약해지 상대방의 실 손해를 배상청구하도록 약관을 수정함

(6) 계약의 중도해지 시 위약금을 과도하게 부과하는 조항

해당 조항은 가맹점사업의 계약해지 시에는 가맹본부의 실 손실을 능가하는 수준의 과도한 위약금을 부과하고(잔여기간 로열티의 2배), 가맹본부의 계약해지 시에는 임의로 계약을 해지하는 경우조차 가맹점사업자에 비하여 경감된 손해배상 의무를 부담하도록 규정하고 있어 최대 4배 이상의 위약금 액수가 차이나게 되므로 가맹점사업자에게 부당하게 불리하기 때문에, 양 당사자 모두 실 손해를 위약금으로 부담하도록 약관을 수정하도록 하였다.

구분	시정 전	시정 후
약관조항	가맹본부의 계약해지 시에는 가맹점사업자에게 계약이 지속되었다면 받을 수 있었던 로열티 합계의 2배를 위약금으로 부과하고, 가맹점사업자의 계약해지 시에는 직전 1년간 월평균 매출이익 3개월 분과 인테리어 비용 잔존가액을 위약금으로 규정하여 최대 4배 이상 위약금 액수의 차이가 남	가맹본부에게 일방적으로 유리하게 책정된 위약금 조항을 삭제하고 양 당사자의 실 손해를 반영하여 손해배상을 하도록 수정함

(7) 대금결제 수단을 현금으로 제한하는 조항

지급시점에 대해서는 외상거래까지 허용하나, 지급수단은 현금결제만을 강제하는 해당 조항은 고객에게 주로 신용카드로 결제를 받는 가맹점사업자에게 지나치게 불리하고, 여신전문금융업법 제19조 제1항에 위반되기 때문에, 결제수단을 다양화하여 신용카드 결제도 가능하도록 약관을 수정하도록 하였다.

구분	시정 전	시정 후
약관조항	제품구입에 따른 대금결제수단을 현금으로만 받도록 규정하여 신용카드 고객이 많은 가맹점사업자들에게 제품 대금결제에 대한 부담을 줌	결제수단을 다양화하여 신용카드로도 결제가 가능하도록 약관을 수정함

(8) 가맹본부의 의사만 반영하여 계약 갱신 여부를 결정하는 조항

가맹사업법상 가맹점사업자에게 보장된 최대 10년의 계약갱신요구권을 인정하지 않으면서 계약을 변경할지 혹은 갱신할지 여부를 전적으로 가맹본부의 의사에 따라 결정하는 해당 조항은 상당한 이유 없이 가맹사업법이 가맹점사업자에게 부여한 계약갱신요구권을 배제하는 것이어서 불공정하기 때문에, 가맹사업법의 취지에 따라 양 당사자의 갱신의사가 반영될 수 있도록 약관을 수정하도록 하였다.

구분	시정 전	시정 후
약관조항	가맹본부만이 계약조건을 변경하여 계약을 갱신하거나 갱신거절 여부를 결정하도록 규정함	가맹점사업자에게 10년간 계약갱신요구권을 인정한 가맹계약법의 취지에 따라 계약 갱신 여부를 결정할 경우 양당사자의 의사가 모두 반영되도록 약관을 수정함

(9) 부당한 해지사유를 규정한 조항

업무매뉴얼 등 가맹본부의 지침을 고의로 위반하여 가맹본부에게 손해를 초래하거나 초래할 우려가 있다는 이유로 즉시 해지가 가능하도록 규정한 해당 조항은 가맹사업법 시행령이 가맹계약해지 제한의 예외로 열거한 해지사유에 해당하지 않아 가맹본부에게 가맹사업법이 정한 것 이상의 해지권을 부여한 것이기 때문에, 즉시 해지 조항에서 해당 사유를 삭제하도록 하였다.

구분	시정 전	시정 후
약관조항	가맹점사업자가 가맹본부의 업무매뉴얼을 위반하여 가맹본부에게 손해를 입힐 우려가 있는 경우까지 가맹계약의 즉시 해지가 가능하도록 규정함	이러한 내용을 즉시 해지사유에서 삭제함

(10) 가맹본부의 영업비밀 누설 시 위약금을 과도하게 규정한 조항

가맹본부가 영업비밀을 누설한 가맹점사업자에게 손해배상을 청구하기 위해서는 그 누설행위가 부정경쟁방지법상 영업비밀 및 영업비밀 침해행위에 해당되는지 여부를 우선적으로 판단해야 하나, 해당 조항은 이에 대한 고려 없이 기업비밀 및 경영기술 “등”이라는 모호하고 포괄적인 문구를 사용하여 가맹본부가 자의적으로 상당수준의 손해배상액을 청구할 수 있도록 규정하고 있는데, 이는 부정경쟁방지법에 의해 해결이 가능하기 때문에 해당 조항을 삭제하도록 하였다.

구분	시정 전	시정 후
약관조항	가맹점사업자가 제3자에게 가맹본부의 경영기술 등을 누설한 경우 1천만 원에서 3천만 원까지 위약금을 배상하도록 규정하고, 이를 넘어서는 손해가 발생할 경우 별도로 손해배상을 청구할 수 있도록 함	부정경쟁방지법이 영업비밀침해에 대한 손해배상 규정을 두고 있음에도 약관으로 법이 정한 요건보다 모호하고 포괄적인 용어를 사용하여 상당수준의 위약금을 부과하는 조항을 삭제하고, 부정경쟁방지법상 손해배상책임 규정에 따르도록 약관을 수정함

(11) 부당하게 불리한 사업장 양도 조항

사업자의 양도 승인 여부는 가맹점사업자의 이익에 중대한 영향을 미치는 사항인데, 해당 조항은 가맹본부가 합당한 이유 없이 양도승인을 거부하거나 아무런 통보를 하지 않은 경우, 가맹점사업자가 이의를 제기할 수 있는 절차를 마련하지 않아 가맹점사업자에게 부당하게 불리하기 때문에, 가맹본부의 불승인 통보 시 재심사 절차를 추가하고, 재심사 결과 통보기간을 30일 이내로 약관을 수정하도록 하였다.

구분	시정 전	시정 후
약관조항	가맹점사업자가 사업장 양도승인 요청을 한 경우, 가맹본부가 합당한 이유 없이 불승인하거나 아무런 통보를 하지 않더라도 다툴 수 있는 규정이 없음	가맹본부가 자의적으로 사업장 양도를 거부하지 못하도록 가맹본부의 불승인 통보에 대해 재심을 청구할 수 있도록 하고, 재심의 경우 그 결과를 30일 내에 가맹점사업자에게 통보하도록 약관을 수정함

(12) 긴급출동 시 가맹점사업자에게 과중한 책임을 지우는 조항

자동차관리법상 자동차 제작자인 가맹본부가 책임져야 할 보증수리업무를 가맹점사업자가 대행하고 있다는 점에 비추어, 귀책사유 유무를 불문하고 긴급출동 시 발생한 모든 책임을 가맹점사업자에게 부담시키는 조항은 가맹본부가 부담하여야 할 위험까지 가맹점사업자에게 전가하는 것이어서 불공정하기 때문에, 가맹점사업자의 귀책사유 없는 경우는 제외되도록 약관을 수정하도록 하였다.

구분	시정 전	시정 후
약관조항	가맹본부의 자동차 보증수리업무를 대행하는 가맹점사업자에게 긴급출동 시 발생한 사건에 대하여 모든 책임을 지도록 규정함	긴급출동 서비스 콜센터 운영은 가맹본부가 하고 있으며, 보증수리업무가 본래 가맹본부의 업무라는 점에 비추어 가맹점사업자에게 귀책사유가 있는 경우에만 책임을 지우도록 약관을 수정함

(13) 계약위반행위를 부당하게 제재하는 조항

행위를 한 시점과 무관하게 행위사실이 적발된 시점의 계약내용에 따라 제재를 받도록 하는 것은 우월적 지위에 있는 가맹본부가 갱신된 계약서를 통해 얼마든지 계약 갱신 이전의 제재보다 수위를 높일 수 있다는 점에서 가맹점사업자에게 지나치게 불이익하기 때문에, 위반행위 시의 계약내용에 근거하여 제재받도록 약관을 수정하도록 하였다.

구분	시정 전	시정 후
약관조항	계약갱신 전에 있었던 계약위반행위를 갱신된 계약내용에 따라 제재하도록 규정함	가맹점사업자보다 우월적 지위에 있는 가맹본부가 제재의 수위를 높여 갱신계약서를 작성할 수 있으므로 계약위반행위가 있었던 시점의 계약내용에 따라 제재하도록 약관을 수정함

(14) 계약해지 시 임의제기를 금지하는 조항

계약의 해지는 계약당사자의 권리와 의무에 중대한 영향을 미치는 사항이므로, 약관으로 해지조항을 둘 경우에는 해지권의 남용을 방지하기 위하여 합당한 해지사유 및 명확한 해지절차를 규정하여야 하며, 해지를 당하는 상대방의 이의제기 가능성도 열려 있어야 하는데, 해당 조항은 가맹본부의 부당한 해지가 있더라도 가맹점사업자가 아무런 이의도 하지 못하도록 규정하고 있어 불공정하기 때문에, 가맹사업법이 정하는 해지절차를 추가(2개월 이상의 유예기간, 2회 이상 해지의사 서면통지)하고, 이의제기 금지문구를 삭제하도록 하였다.

구분	시정 전	시정 후
약관조항	가맹본부의 계약해지 시 가맹점사업자가 일체 이의제기를 못하도록 규정함	가맹계약과 같은 계속적 계약의 경우 계약의 해지는 계약상대방의 권리와 의무에 중대한 영향을 미치는 것이므로, 해지절차를 명시하고, 이의제기가 가능하도록 약관을 수정함

(15) 가맹본부 임의로 관할법원을 지정한 조항

가맹본부가 일방적으로 관할법원을 정하는 것은 전국 각지에 소재하는 가맹점사업자에게 응소상 불편을 초래하며, 경우에 따라서는 소 제기 자체를 봉쇄할 우려가 있어 불공정하기 때문에, 관할법원을 특정법원으로 지정하는 내용을 삭제하도록 하였다.

구분	시정 전	시정 후
약관조항	가맹본부가 편의대로 관할법원을 지정함	전국 각지에 소재한 가맹점사업자들의 소송상 편의를 위해 가맹본부가 일방적으로 지정한 관할법원 조항을 삭제함

MEMO

치킨 가맹본부는 가맹점에게 양배추샐러드를 본사로부터만 구입하도록 강제할 수 있을까

[A치킨에 대한 시정명령 취소의 건]

- 2000. 12. 23. 의결 제2000-180호 -

- 대법원 2005. 6. 9. 선고 2003두7484 판결 -

1 사안 바라보기

가맹본부 A는 ○○치킨 프랜차이즈 본사를 운영하고 있고, 1,100개(1999년 말)의 ○○치킨 가맹점을 두고 있다. 과거 ○○치킨 가맹점들은 치킨에 곁들여서 공급하는 보조음식으로 백깍두기나 양배추샐러드를 선택적으로 소비자들에게 제공하였다. 그런데 가맹본부 A는 2000. 7. 1.부터 치킨 제품을 판매할 때 양배추샐러드만을 무료로 제공하도록 하면서, 신선육(치킨)을 공급하면서 일정한 양의 양배추샐러드를 본사로부터 의무적으로 공급받도록 가맹점사업자들에게 요구하였다.

이러한 경우, 가맹본부 A는 가맹점사업자들에게 양배추샐러드를 가맹본부 A로부터만 구입하도록 강제할 수 있을까.

2 깊게 들여다보기

위 사안에 대해 공정위는 가맹본부 A의 양배추샐러드 구입강제를 부당하다고 보았으나, 대법원은 부당하지 않다고 판단하였다.

우선 공정위는 가맹본부 A가 가맹점사업자에게 치킨과 함께 양배추 샐러드를 가맹점사업자의 의사에 반하여 자기로부터만 의무적으로 공급받도록 하는 행위를 하여서는 아니된다고 보았다. 그 판단의 근거는 다음과 같다.

첫째, 1995년 가맹사업 개시 이후 2000. 7. 1.까지 양배추 샐러드는 가맹점사업자의 자율적인 주문에 의하여 원하는 가맹점사업자에 한하여 가맹본부 A가 가맹점사업자의 주문량만큼 공급하여 왔으며, 또 백깍두기를 사용하는 가맹점사업자에 대해 제재 조치를 취해오지 않은 상태에서, 모든 가맹점사업자에 대하여 일방적으로 백깍두기의 사용을 금지하고 양배추 샐러드를 의무적으로 공급받도록 하여 사용하게 하였다.

둘째, 가맹본부 A는 "양배추 샐러드를 일괄 구입하여 공급한 이유는 가맹점이 개별적으로 구입하는 경우 비싸기 때문"이라고 주장을 하고 있으나, 양배추 샐러드의 주문량이 당해 제조업체의 생산능력을 초과하는 경우 그 품질이 조악하게 되거나 생산원가가 오히려 높아질 수 있고 또 양배추 샐러드의 신선도를 유지하기 위해서 가맹본부 A가 관리·수송비용을 과다하게 지출하거나 판매마진을 과다하게 책정하는 경우 가맹점사업자가 가맹본부 A로부터 구입하는 가격은 가맹점사업자가 개별적으로 구입하는 가격보다 높아질 수 있는 등 비용문제는 각 가맹점사업자들이 독자적으로 판단할 사항이므로 가맹본부 A의 주장이 옳다고 볼 수 없다.

셋째, 주품목인 치킨의 경우 생육 그 자체를 가맹점에 공급하고 조리는 가맹점사업자에 일임하면서도 조리기술이나 비법 그리고 양념이 특이하다고 판단되지 않는 양배추 샐러드에 대해 완제품을 가맹본부 A를 통해서만 공급받도록 하였다.

넷째, 양배추 샐러드의 조리기술이나 비법 그리고 양념의 구성면을 보면 가맹본부 A가 사전에 양념의 구성(Spec)을 제시하고 품질지도를 할 경우 가맹점사업자가 제작하더라도 양배추샐러드의 맛의 통일성을 유지할 수 있다고 판단된다.

다섯째, 가맹본부 A가 양배추샐러드를 일방적으로 공급한 것에 대하여 1,100개 가맹점사업자 중 20%가 넘는 265개의 가맹점사업자가 양배추샐러드의 강제공급을 거부하여 가맹본부 A가 2000. 8. 1.부터 가맹점사업자의 주문에 의한 공급방법으로 변경하였다는 사실로 보아 양배추 샐러드의 공급가격이나 그 방법에 있어 문제가 있었다고 판단된다.

반면, 대법원은 가맹본부 A가 가맹점사업자에게 양배추샐러드를 가맹본부 A로부터만 구입하도록 한 것은 그것이 거래상 지위를 이용하여 가맹점사업자로 하여금 가맹사업의 목적달성을 위하여 필요한 범위를 벗어나서 판매상품(원재료 포함)을 가맹본부로부터 구입하도록 강제하는 행위에 해당한다고 볼 수는 없다고 판단했다. 그 판단의 근거는 다음과 같다.

첫째, 가맹사업에서는 가맹사업의 통일성과 가맹본부의 명성을 유지하기 위하여 합리적으로 필요한 범위 내에서 가맹점사업자가 판매하는 상품 및 용역에 대하여 가맹점사업자로 하여금 가맹본부가 제시하는 품질기준을 준수하도록 요구하고, 그러한 품질기준의 준수를 위하여 필요한 경우 가맹본부가 제공하는 상품 또는 용역을 사용하도록 요구할 수 있다고 봄이 상당하다.

둘째, 가맹본부 A는 가맹점사업자로부터 매출액의 일정비율에 상당하는 금원을 가맹금으로 받는 것이 아니라 가맹점사업자에게 공급하는 원·부재료의 가격과 가맹본부 A가 구입하는 원·부재료의 가격의 차액에 해당하는 금원을 가맹금으로 하는 사업구조를 취하고 있으므로, 모든 원·부재료를 가맹점사업자가 개별적으로 직접 구입하도록 한다면 가맹사업의 존립 자체가 불가능하게 된다.

셋째, 양배추샐러드는 주력상품 또는 중심상품인 치킨제품의 느끼한 맛을 덜하도록 하기 위하여 함께 제공되는 보조음식(반찬과 양념에 해당하는 것)으로서 양배추샐러드의 맛과 품질은 치킨제품의 맛과 품질을 유지함에 있어서 중요한 의미를 가지므로, 양배추샐러드의 맛과 품질은 치킨제품의 매출에도 중대한 영향을 미칠 수 있다.

넷째, 가맹본부 A는 1995. ○○치킨 가맹사업을 개시한 이후 2000. 6. 30.까지는 가맹점계약 제6조 제1항, 제21조에 따라 치킨제품을 판매할 때 양배추샐러드를 무료로 제공하는 영업형태를 취하면서도(뒤에서 보는 바와 같이 가맹본부 A는 양배추샐러드의 가격을 치킨제품의 판매가격에 이미 반영하여 책정하고 있으므로 엄격한 의미에서는 무료라고 할 수 없음) 양배추샐러드를 주문하는 가맹점사업자에 대하여만 양배추샐러드를 공급함으로써 가맹점사업자들이 이익을 증대하기 위하여 양배추샐러드 대신 백깍두기를 제공하는 것을 어느 정도 방임해 왔으나, 백깍두기의 원료가 되는 사카린이 미국에서 발암성 의심물질로 규정되어 있고 □□치킨을 비롯한 외국의 가맹사업체의 경우 치킨제품을 판매할 때 백깍두기가 아닌 양배추샐러드를 제공하고 있으며, 소비자들이 백깍두기보다 양배추샐러드를 선호하고 있다는 시장조사 결과 등을 감안하여, 가맹본부 A의 ○○치킨의 이미지 제고와 가맹사업의 경쟁력 강화를 위하여 가맹점사업자에 대하여 2000. 7. 1.부터 치킨제품을 판매할 때 양배추샐러드를 무료로 제공하도록 함과 아울러 신선육을 공급받음에 있어 일정한 양의 양배추샐러드를 의무적으로 공급받도록 하였다.

다섯째, 가맹본부 A가 공급하는 양배추샐러드는 고유한 양념과 제조비법으로 만들어지므로 그 고유한 맛과 품질을 유지하기 위하여 가맹점사업자로 하여금 가맹본부 A가 공급하는 양배추샐러드만을 사용하도록 할 필요성이 있다고 보인다.

여섯째, 가맹사업의 거래특성 등을 종합하여 보면, 가맹점사업자가 치킨제품을 판매할 때 양배추샐러드와 백깍두기를 선택적으로 제공하는 것을 사실상 방치하면서 신선육을 공급함에 있어서도 양배추샐러드는 가맹점사업자의 신청에 따라 공급하던 영업정책을, 가맹본부 A의 영업표지의 이미지 제고와 경쟁력 강화를 위하여 치킨제품을 판매할 때 양배추샐러드만을 무료로 제공하도록 하면서 신선육을 공급함에 있어서도 일정한 양의 양배추샐러드를 가맹본부 A로부터 의무적으로 공급받도록 하는 것으로 변경하였다고 하더라도 이는 가맹사업의 목적달성을 위하여 필요한 범위 내의 통제라고 보인다.

3 한 걸음 더

위 사례는 프랜차이즈 가맹본부가 가맹점사업자에 대한 통제권을 어느 정도까지 행사할 수 있는지 여부에 대해, 대법원의 공식적인 법리를 판시한 중요한 사건이다. 위 사례에서 공정위는 가맹점사업자는 독립적인 사업자이므로 양배추샐러드를 본사로부터 구입할 것인지 말 것인지를 스스로 구입할 수 있고, 양배추샐러드의 드레싱 요리법을 가맹점에게 제공하면 충분하고 양배추와 샐러드 드레싱 자체를 본사로부터 구입할 필요성은 없다고 판단했다.

그런데 대법원은 가맹본부 A가 따로 월정액의 가맹비를 받지 않고, 원재료(생닭 가격 등)와 가맹점 공급가의 차액을 가맹비로 받고 있다는 점을 중요시하여, 가맹사업의 통일성을 위해 양배추샐러드도 가맹본사 A로부터 구입하도록 강제할 수 있다고 판단했다.

외식업 관련 많은 가맹본부들은 대체로 월정액의 가맹비를 받지 않고, 대신 식자재 유통마진을 가맹비로 취하고 있는데, 위 대법원 판례에 따르자면 "가맹계약을 통해 가맹본부는 가맹점주의 개별적 재료 구입을 금지할 수 있다."는 것이다. 일반적인 경쟁법 원칙에 따르면 사업자의 거래상대방을 부당하게 구속하는 행위는 금지되는데(가맹사업법 제12조 제1항 제2호), 가맹사업에 있어서는 가맹본부로부터 재료 구입을 구속하는 것이 정당화되고 있어 가맹사업 분야는 일반 경쟁법 원칙에 대한 예외를 이루고 있다.

4 알아두기

원칙적으로 가맹점 사업자는 별개의 사업자이므로, 상품이나 재료를 자유롭게 취급할 수 있다. 다만, 가맹계약을 통해 가맹본부의 상품만 취급하고, 가맹본부로부터 재료를 구입할 것이라는 점을 약정함으로써 가맹본부의 통제에 따를 의무가 발생하게 된다. 따라서 가맹본부가 공급하는 상품만을 취급하도록 통제하기 위해서는 아래와 같은 내용을 정보공개서와 가맹계약서에 기재하여야 한다.

제0조(가맹점사업자가 취급하는 상품·용역의 판매 제한)

1) 가맹본부의 상표권을 보호하고 상품 또는 용역의 동일성 유지를 위하여, 가맹점사업자는 가맹본부에서 제공하는 상품만을 취급하여야 한다.
2) 가맹점사업자가 가맹본부에서 제공하지 않는 상품 또는 용역을 판매하려는 경우 사전에 가맹본부로부터 서면으로 승인을 받아야 한다.

점포설비를 가맹본부로부터 구입을 강제하거나, 인테리어공사를 지정업체에서만 하도록 요구할 수 있을까

[A패스트푸드의 점포설비 구입강제의 건]

- 2000. 1. 8. 공정위 의결 제2000-1호 -

- 대법원 2006. 3. 10. 선고 2002두332 판결 -

1 사안 바라보기

가맹본부 A는 ○○패스트푸드 프랜차이즈의 가맹본부이다. 가맹본부 A는 가맹사업의 통일적 이미지와 중심상품인 햄버거 등 패스트푸드의 맛과 품질을 전국적으로 동일하게 유지하기 위하여 햄버거 패티 등의 품목뿐만 아니라, 콜라, 연유, 케찹팩, 주방용세제 등의 공산품 등도 가맹본부 A로부터 구입하도록 강제하였다.

그리고 시설과 관련하여 냉장고, 냉동고, 테이블, 쉐이크 머신 등의 집기도 가맹본부 A로부터 구입하도록 요구하였고, 인테리어공사도 가맹본부 A가 지정한 전국의 7개 업체 중 하나에서만 실시하도록 하였다. 가맹본부 A가 공급하는 품목 및 점포설비는 다음과 같다.

[가맹본부 A가 공급하는 품목]

<table>
<tr><th colspan="2">구분</th><th>개수</th><th>품목</th></tr>
<tr><td rowspan="2">가맹본부가 공급하는 품목</td><td>가맹본부가 사양을 정해 주문 생산하는 품목</td><td>103개</td><td>번스, 레몬파이, 새우패티, 비프 패티, 냉동포테이토, 빙수용 찰떡, 화이어윙, 아이스커피, 치킨 패티 등</td></tr>
<tr><td>일반공산품</td><td>21개</td><td>탄산시럽(사이다, 콜라), 후르츠칵테일, 밀감, 천연체리, 연유, 오랜지, 빙수용찰떡, 모카시럽, 케찹팩, 피클, 그라뉴당, 마스터드, 슈가팩, 카넬콘, 주방용세제, 폴리팩, 청소용페이퍼타올, 후라잉오일, 다스타류, k-5, 액상제리</td></tr>
<tr><td>자유구매품목</td><td>-</td><td>-</td><td>레타스(양배추), 양파, 토마토</td></tr>
</table>

[가맹본부 A가 공급하는 점포설비]

구분	품목
가맹본부가 공급하는 품목	냉동고, 냉장고, 콜드 테이블, 번스워머, 덤프스테이션, 워크테이블, 그리들, 번스토스타, 후리이어, 타이머, 후드워머, 쉐이크머신, 소프트머신, 제빙기, 그리들패티캐비넷, 마이크로오븐기, 1인의자, 테이블, 빠의자, 금전등록기, 전산장비(PC), 크로마필림, 인테리어공사, 간판류
자유구매품목(6개 품목)	에어콘, 온풍기, 냉난방기, 식기살균건조기, 사무실집기, 방송장비

이러한 경우, 가맹본부 A는 가맹점사업자에게 위와 같은 제품 재료와 점포설비, 인테리어를 가맹본부 A 또는 가맹본부의 지정업체로부터만 구입하도록 강제할 수 있을까.

2 깊게 들여다보기

공정위는 가맹점사업자의 자율성을 강조하여 시중에서 구입할 수 있는 공산품을 가맹본부로부터 구입하도록 강제함은 부당하다고 보았으나, 본 사안은 「가맹사업거래의 공정화에 관한 법률」 제정 이전의 사안으로서 「독점규제 및 공정거래에 관한 법률」과 「가맹사업(프랜차이즈)의 불공정거래행위의 기준 지정고시」가 적용되었다.

공정위는 상품 등의 구입처 제한행위와 관련하여 다음은 이유로 가맹점사업자의 자율성을 강조하여 구입할 수 있는 공산품을 가맹본부로부터 구입하도록 강제한 것은 부당하다고 판단했다.

「가맹사업(프랜차이즈)의 불공정거래행위의 기준 지정고시」 제8조에 따르면, 가맹사업자가 가맹사업의 목적달성을 위한 필요한 범위를 벗어나서 가맹계약자의 판매상품 또는 용역을 자기 또는 자기가 지정한 자로부터 공급받도록 하거나 그 구입처 변경을 제한하는 행위를 불공정거래행위로 규정해 놓고 있다.

위와 같은 규정에 다음과 같은 사정에 비추어 볼 때 일반공산품인 상품에 대해서는 가맹본부 A가 제조회사, 제품명 등을 지정하고 이를 가맹계약자가 자유롭게 구매하도록 하더라도 가맹사업에 필요한 통일성 유지는 가능하다 할 것이므로 가맹본부가 누구나 제한 없이 구입 가능한 일반 공산품을 자기 또는 자기가 지정한 자로부터 구입하도록 강제하는 행위는 가맹사업의 목적달성을 위한 필요범위를 벗어나 자기의 거래상의 지위를 부당하게 이용하여 거래상대방이 구입할 의사가 없는 상품을 구입하도록 강요하는 행위에 해당된다.

또한, 「가맹사업(프랜차이즈)의 불공정거래행위의 기준 지정고시」 제6조에 따르면, 가맹사업자가 가맹사업의 이미지통일을 위해 가맹희망자 또는 가맹계약자로 하여금 점포의 실내외장식 등의 설비를 설치하게 함에 있어서 자기가 제시한 사양서나 품질기준에 따를 경우 점포의 통일적 이미지 확보에 지장이 없음에도 점포설비의 구입 및 설치를 자기 또는 자기가 지정한 자로부터 하도록 강요하는 행위를 불공정거래행위로 규정해 놓고 있다.

위와 같은 규정에 다음과 같은 사정에 비추어 볼 때 가맹본부 A가 일정한 공급업체를 지정하여 가맹계약자에게 공급하고 있는 설비 중 냉동고, 냉장고, 콜드테이블, 워크테이블, 쉐이크머신, 소프트머신, 제빙기, 그리들패티케비넷, 후라이패티케비넷, 마이크로오븐기, 1인의자, 테이블, 빠의자, 금전등록기, 전산장비(PC), 인테리어공사 등은 일정한 사양이나 품질기준을 제시하고 가맹계약자가 이에 따를 경우 점포의 통일적 이미지 확보에 지장이 없는데도, 가맹계약자에게 구입처를 자율적으로 선택할 수 있도록 하지 아니하고 신규 가맹계약자에 대해서는 일정한 선수금을 지급받고 자기가 직접 주방기기 등의 점포설비를 공급하거나, 기존 가맹계약자에 대해서는 반드시 자기가 지정한 공급업자로부터 설비를 구입하도록 하고 그 비용을 정산함에 있어서도 자기를 통해서 하도록 하는 행위는 자기의 거래상 지위를 부당하게 이용하여 거래상대방이 구입할 의사가 없는 설비를 구입하도록 강제하는 행위에 해당된다.

반면, 대법원은 일반 공산품 중에서도 가맹사업의 중심 상품인 식품 관련 제품에 대해서는 가맹본부로부터 구입하도록 강제할 수 있다고 보아 공정위의 시정명령을 취소하였다.

가맹본부가 가맹점사업자의 판매상품 또는 용역을 자기 또는 자기가 지정한 자로부터 공급받도록 하거나 그 공급 상대방의 변경을 제한하는 행위가 가맹사업의 목적달성을 위한 필요한 범위 내인지 여부는 가맹사업의 목적과 가맹점계약의 내용, 가맹금의 지급방식, 가맹사업의 대상인 상품과 공급 상대방이 제한된 상품과의 관계, 상품의 이미지와 품질을 관리하기 위한 기술관리 · 표준관리 · 유통관리 · 위생관리의 필요성 등에 비추어 가맹점사업자에게 품질기준만을 제시하고 임의로 구입하도록 하여서는 가맹사업의 통일적 이미지와 상품의 동일한 품질을 유지하는 데 지장이 있는지 여부를 판단하여 결정하여야 할 것이다.

위와 같은 법리에 다음과 같은 사정을 종합해 볼 때 법원은, 가맹본부 A가 가맹점과의 계약에 따라 가맹점으로부터 매출액 비율의 가맹료는 별도로 받지 아니하고, 대신 가맹본부로부터 원 · 부재료를 공급받도록 하는 사업구조를 취함으로써 공급가액에 추가한 일정의 이윤이 가맹계약자가 지급할 가맹료에 갈음하는 것이라 할 것인데, 이는 가맹본부의 가맹사업의 수익구조의 핵심적인 사항으로서, 일반공산품에 해당하는 원 · 부재료를 가맹점이 개별적으로 직접 구입하도록 한다면 가맹본부의 사업 존립 자체가 불가능한 점, 가맹본부 A가 원 · 부재료의 공급을 독점하여 시중거래가 이상으로 가맹점들에게 공급함으로써 부당한 이윤을 취하고 그로 인하여 가맹점들이 손해를 입었다는 점을 인정할 아무런 자료도 없는 점, 가맹본부 A가 유통과정, 유통기한 등이 정상적인 안전한 원 · 부재료의 공급을 책임지고 또한 그 사용량을 지속적으로 관리 · 통제함으로써, 제품의 맛과 품질을 전국적으로 균일하게 유지하여야 하는 패스트푸드 산업의 통일성을 유지할 수 있다고 보이는 점 등을 종합적으로 고려하면, 가맹본부 A가 가맹점에게 일반공산품인 원·부재료를 가맹본부 A로부터만 공급받도록 하는 것은 사업의 구체적인 운영실상에 비추어 그 합리성이 인정되어 가맹사업의 목적달성에 필요한 범위 내의 통제라고 할 것이며, 거래상의 지위를 이용하여 부당하게 거래상대방으로 하여금 구입할 의사가 없는 상품을 구입하도록 강요하는 행위로는 도저히 볼 수가 없다고 보았다.

따라서, 가맹본부 A가 가맹사업의 통일적 이미지와 중심상품인 햄버거 등 패스트푸드의 맛과 품질을 전국적으로 동일하게 유지하기 위하여는 탄산시럽(사이다, 콜라), 후르츠칵테일, 밀감, 천연체리, 가당연유, 오렌지주스, 빙수용찰떡, 모카시럽, 케찹(팩), 피클, 그라뉴당, 마스타드, 슈가(팩), 카넬콘, 후라잉오일, 액상제리 등 16개의 일반공산품을 가맹본부 A로부터만 공급받도록 하는 것은 부당한 구입강제라 할 수 없다고 판단했다.

다만, 법원은 주방용세제, 폴리백, 청소용페이퍼타올, 더스터, 케이(KAY)-5(이하 'K-5'로 표시한다) 등 5개의 일반공산품의 경우에는, 가맹사업의 중심상품인 패스트푸드의 맛과 품질의 균질성과 관련이 없고, 위 5개의 일반공산품에 대해서는 가맹본부가 품질기준을 제시하고 가맹점사업자가 자유롭게 구매한다고 하더라도 그 용도나 기능에 지장이 있다고 보이지 아니하므로, 위 5개의 일반공산품을 가맹본부로부터만 공급받도록 한 것은 부당한 구입강제에 해당한다고 판단했다.

한편, 가맹본부가 가맹점에 설치할 점포의 실내외장식 등의 설비의 구입 및 설치를 자기 또는 자기가 지정한 자로부터 하도록 하는 행위가 가맹사업의 목적달성을 위한 필요한 범위 내인지 여부는 가맹사업의 목적과 가맹점계약의 내용, 가맹금의 지급방식, 가맹사업의 대상인 상품 또는 용역과 설비와의 관계, 가맹사업의 통일적 이미지 확보와 상품의 동일한 품질유지를 위한 기술관리·표준관리·유통관리·위생관리의 필요성 등에 비추어 가맹점사업자에게 사양서나 품질기준만을 제시하고 임의로 구입 또는 설치하도록 방치하여서는 가맹사업의 통일적 이미지 확보와 상품의 동일한 품질을 보증하는 데 지장이 있는지 여부를 판단하여 결정하여야 할 것이다.

냉동고, 냉장고, 콜드테이블, 워크테이블, 쉐이크머신, 소프트머신, 제빙기, 그리들패티캐비넷, 후라이어패티캐비넷, 마이크로오븐기 등의 주방기기는 가맹본부 A의 가맹사업의 통일적 이미지와 동일한 품질의 유지와 관련이 있고, 인테리어공사는 점포 레이아웃(Lay-Out)의 통일적 이미지의 유지와 관련이 있는 점, 주방기기는 가맹점의 개점시기에 맞추어 적기에 공급될 필요성이 있는 것으로서 원고를 통하여 일괄적으로 구입하도록 한 것에 합리성이 있는 점, 인테리어공사는 가맹본부 A가 당시 전국에 7개 업체를 시공업체로 선정함으로써 가맹점사업자에게 선택의 자유가 어느 정도 보장되어 있는 점, 앞서 본 바와 같은 가맹본부 A의 가맹사업의 수익구조에 있어서의 특성, 가맹본부 A가 주방기기와 인테리어공사의 구입 및 설치를 통하여 부당한 이윤을 취하고 그로 인하여 개별 가맹점사업자들이 구체적인 손해를 입었음을 인정할 자료가 없는 점 등에 비추어 보면, 가맹본부 A가 가맹점사업자에게 주방기기를 가맹본부 A로부터만 구입하도록 한 것과 인테리어공사를 가맹본부 A가 지정한 사업자에게만 의뢰하도록 한 것은 가맹사업의 목적 달성에 필요한 범위 내의 통제로서 거래상의 지위를 이용하여 부당하게 점포설비의 구입 및 설치를 자기 또는 자기가 지정한 자로부터 하도록 강제하는 행위에 해당한다고 할 수 없다.

그러나, 1인 의자, 테이블, 빠의자, 금전등록기, 전산장비(PC)의 경우에는 가맹사업의 통일적 이미지나 주력상품 내지 중심상품인 패스트푸드의 맛과 품질의 동일성과 관련이 없는 점, 위 5개의 설비가 가맹본부 A가 가맹점사업자들에게 공급하는 설비에서 차지하는 비중, 위 5개의 설비에 대해서는 가맹본부 A가 품질기준을 제시하고 가맹점사업자로 하여금 자유롭게 구매하게 하더라도 위 5개의 설비의 용도나 기능에 지장이 있다고 보이지 아니하므로, 위 5개의 설비를 가맹본부 A로부터만 구입 또는 설치하도록 하는 것은 부당한 구입강제에 해당한다.

3 한 걸음 더

대법원은 음식의 재료를 가맹점사업자가 개별적으로 구입하여 사용하게 된다면 따로 가맹비를 받지 않는 가맹본부의 가맹사업 자체가 불가능하게 된다는 점을 중요시하여, 음식의 원・부재료를 가맹본부로부터만 구입하도록 강제하는 것이 부당하지 않다고 보았다.

또한 주방기기나 인테리어 또한 가맹본부 또는 가맹본부가 지정한 업체로부터 구입하도록 요구할 수 있다고 보았다. 다만, 그러한 판단의 전제로 "가맹본부가 주방기기와 인테리어공사의 구입 및 설치를 통하여 부당한 이윤을 취하고 그로 인하여 개별 가맹점사업자들이 구체적인 손해를 입었음을 인정할 자료가 없는 점"을 들고 있어서, 가맹본부가 주방기기나 인테리어공사비를 통해 부당한 이윤을 취한 경우에는 부당한 거래구속에 해당할 수 있다고 볼 여지를 남겨 놓았다.

4 알아두기

음식업 프랜차이즈의 경우 매월 일정한 가맹비를 받지 않고 식자재의 유통마진을 통해 가맹비를 얻는 경우가 많은데, 가맹본부는 가맹계약을 통해 가맹점에게 식자재의 원・부재료를 가맹본부에서만 구입하도록 요구할 수 있다.

한편 냉장고, 커피머신 등의 점포설비의 경우에는 가맹상품의 품질 및 서비스의 동일성을 위해 가맹본부로부터 구입을 요구할 수 있으나, 그 가격이 시중에서 구입할 수 있는 가격보다 현저히 높은 경우에는 부당한 거래구속에 해당한다. 그러나 전산장비(PC)와 같이 가맹상품의 품질이나 서비스와 관련 없는 시설의 경우에는 가맹본부로부터 구입을 강요할 수 없다는 점을 유의하여야 한다.

MEMO

가맹본부가 예상매출액을 과장 광고한 경우, 가맹점은 이로 인한 손해배상을 청구할 수 있을까

[A카페의 예상매출액 과장광고의 건]

- 서울중앙지방법원 2017. 3. 17. 선고 2016나43390 판결 -

1 사안 바라보기

가맹본부 A는 '○○ㅇ차'라는 브랜드로 커피와 다양한 차를 판매하는 프랜차이즈를 운영하고 있다. 가맹본부 A와 가맹점사업자는 2014년 6월 가맹거래사업 컨설팅회사의 주선으로 커피·차 전문점인 '○○ㅇ차'를 서해안고속도로 행담도휴게소점에서 운영하기로 하고 가맹점계약을 체결하였다. 가맹계약 당시 가맹본부 A와 컨설팅회사는 매장의 예상매출액이 월 5,000만 원~1억 원에 이르고 그에 따른 수익은 최소한 월 1,000만 원 이상이라고 설명하며 예상매출액에 관한 도표 이미지 파일을 휴대전화로 가맹점사업자에게 전달했다.

가맹점사업자는 2014년 7월부터 영업을 시작했지만 가맹본부 A의 설명과 달리 실제 매출액은 8월 2,150만 원, 9월 972만 원, 10월 683만 원에 불과했다. 가맹점사업자는 수익이 자신이 휴게소에 매달 내야 하는 최소 매장 수수료인 월 1,000만 원에도 미치지 못하는 등 매출부진이 심해지자 2014년 10월 가맹본부와 가맹계약을 합의해지했다. 이후 가맹점사업자주는 '가맹본부에 지급한 가맹비용 9500만 원과 컨설팅회사에 제공한 컨설팅 비용 1,000만 원 등 총 1억 500만 원에서 행담도휴게소 매장을 양도하면서 회수한 1,466만 원과 컨설팅회사로부터 변제받은 2,500만 원을 공제한 6,534만 원을 달라'며 손해배상청구 소송을 제기했다.

이러한 경우, 예상매출액에 대한 서면을 제공하지 않고, 예상매출액에 대한 과장 광고를 한 가맹본부 A는 가맹점사업자에 대해 손해배상의무를 부담할까.

2 깊게 들여다보기

1심 재판부는 "가맹본부는 객관적인 근거에 따라 예상수익상황에 관한 정보를 서면으로 제공할 의무와 예상수익상황에 관한 정보의 산출에 사용된 사실적인 근거와 예측에 관한 객관적이고 구체적인 자료를 작성해 비치할 주의의무가 있다."고 전제하고, "가맹본부 A는 중개자인 컨설팅회사를 통해 가맹희망자인 가맹점사업자와 대면한 자리에서 행담도휴게소 매장의 예상매출액과 예상수익액에 관한 정보를 제공하긴 했지만 이를 구두로만 했을 뿐 관련 서면은 제공하지 않았다."며 "가맹본부는 예상매출액 등의 산출근거에 관해 객관적이고 구체적인 자료를 마련했다는 점을 입증하지도 못했다."고 판단하여, 가맹점사업자에게 전부 승소판결을 하였다[52].

52) 서울중앙지방법원 2016. 7. 13. 선고 2015가단5154976 판결 참조.

가맹본부 A는 1심 판결에 대해 불복하였는데, 항소심은 "가맹본부로부터 예상매출액 등에 관하여 서면으로 정보를 제공받은 바 없었고, 가맹본부가 그 산출근거에 관하여 법령이 정한 객관적이고 구체적인 자료를 사무실에 비치한 바도 없는 점 등을 종합하여 보면, 가맹본부는 가맹점과 사이에 이 사건 가맹계약을 체결할 당시 가맹점에게 가맹사업거래의 공정화에 관한 법률에 따라 사실과 다르게 정보를 제공하거나 사실을 부풀려 정보를 제공하지 않을 주의의무를 위반하였고, 예상수익상황에 관한 정보를 서면으로 제공하고 그 정보의 산출근거가 되는 자료를 비치할 주의의무도 위반하였으므로, 이로 인해 가맹점이 입은 손해를 배상할 의무가 있다."고 판단하면서, "다만 이 사건 가맹계약을 체결함에 있어 별다른 근거자료를 확인하지도 않은 채 가맹본부 내지 컨설팅회사가 제공하는 예상매출액 및 예상수익액에 관한 정보를 선불리 믿은 가맹점의 과실도 이 사건 손해의 발생 내지 확대에 기여하였다고 봄이 상당하고, 가맹계약 체결의 경위 및 전후의 사정 등을 고려하여 가맹본부의 책임을 60%로 제한한다."고 판단하여, 1심 인용금액을 감액하였다[53].

이후 가맹본부 A가 대법원에 상고하였으나, 대법원은 심리불속행으로 상고를 기각하였다[54].

3 한 걸음 더

가맹사업법은 가맹본부의 허위・과장 정보제공과 기만적 정보제공을 금지하고 있고(가맹사업법 제9조 제1항), 예상매출액・수익에 대한 서면제공의무(가맹사업법 제9조 제3항), 예상매출액・수익의 산출근거자료를 비치하고 열람하게 할 의무(가맹사업법 제9조 제4항)를 규정하고 있다.

가맹사업법 제9조 제3항은 "가맹본부가 가맹점에게 예상매출정보를 제공하는 경우에는 서면으로 하여야 한다."고 규정하고 있는데, 가맹본부가 가맹점에게 항상 예상매출액을 제시할 의무는 없는 것이지만, 만약 가맹본부가 가맹점에게 예상매출액을 제시한다면 그 경우에는 서면으로 제공해야 한다. 다만, 가맹본부가 대기업(중소기업기본법이 정한 중소기업이 아닌 경우)이거나 동일한 영업표지를 사용하는 가맹점이 100개 이상인 경우 가맹본부는 가맹점에게 예상매출정보를 서면(예상매출액 산정서)으로 제공하여야 한다(가맹사업법 제9조 제5항).

'○○○차' 가맹점에 대한 서울중앙지방법원의 1심과 항소심 판결은 가맹본부 A가 예상매출

53) 서울중앙지방법원 2017. 3. 17. 선고 2016나43390 판결 참조.
54) 대법원 2017. 8. 23. 선고 2017다226049 판결 참조.

액을 서면으로 제공하지 아니하였다는 점과 가맹점의 실제 매출액과 가맹본부 A가 홍보한 예상 매출액이 크게 차이가 났다는 점을 감안하여, 가맹본부 A의 허위·과장 정보제공을 인정하였다. 1심 판결에서는 손해배상액 산정에 있어서 가맹점사업자의 과실비율을 감안하지 아니하였는데, 항소심에서는 가맹점사업자의 과실도 40%로 인정하여, 가맹본부 A의 손해배상책임을 전체 손해액의 60%로 제한하였다.

허위·과장 정보제공뿐만 아니라 가맹사업에 있어 중요한 사항에 대한 정보제공을 하지 않은 경우에도 손해배상책임이 인정된다. 대법원 판례(대법원 2015. 4. 9. 선고 2014다84824, 84831 판결)는 "유아 대상 놀이학교 프로그램을 제공하는 가맹본부가 가맹점을 모집하면서, 유아대상 교육기관은 학원법상 학원으로 등록하여 운영하여야 함에도 불구하고 수익사업을 하지 않는 비영리법인으로 고유번호증을 받아서 영업을 하도록 안내한 경우, 이로써 가맹점들이 유아교육원이 적법하게 운영될 것이라고 믿고 가맹계약을 체결하였다면, 가맹본부는 이에 대해 손해배상책임이 있다."라고 판단하였다. 다만, 이 대법원 판례에서 가맹점이 스스로 학원관련 법령을 확인하지 아니한 과실 등을 인정하여 가맹본부의 책임은 70%로 제한하였다.

한편, 2017년 4월 가맹사업법 개정으로, 징벌적 손해배상에 대한 규정이 신설되었는데(가맹사업법 제37조의2), 가맹본부가 허위·과장 정보제공행위를 한 경우, 부당한 거래거절을 한 경우 가맹본부는 가맹점사업자에게 발생한 손해의 3배를 넘지 않는 범위에서 손해배상책임을 진다. 징벌적 손해배상에 대한 개정 법률은 2017. 10. 19. 이후에 가맹본부가 허위·과장 정보제공행위를 하거나 부당한 거래거절을 한 경우에 적용된다(개정법 부칙 제4조).

4 알아두기

가맹본부가 대기업이거나 가맹점수가 100개 이상인 경우가 아닌 경우, 가맹본부가 가맹희망자에게 예상매출액이나 수익을 제시해야 할 의무는 없다. 그런데 가맹본부가 가맹점 홍보를 위해 예상매출액을 제시하는 경우가 많은데, 만약 예상매출액을 제시하는 경우에는 반드시 서면(예상매출액 산정서)을 작성하여 교부하여야 한다. 예상매출액 산정서의 표준양식은 공정거래위원회 가맹사업거래 홈페이지(http://franchise.ftc.go.kr)의 관련서식 자료에서 구할 수 있으므로, 이를 참고하여 작성하면 된다.

예상매출액 산정서에 들어가야 하는 내용은 ① 영업개시 이후 1년간 예상되는 매출액의 최저액과 최고액(최고액은 최저액의 1.7배 초과해서는 안 됨), ② 그와 같이 예상매출액을 산정한 근거가 들어가야 한다(가맹사업법 시행령 제9조 제3항). 다만 같은 도시(특별시 · 광역시 등)에 5개 이상의 다른 가맹점이 있는 경우에는 가장 인접한 5개의 가맹점 중에서 중간 매출의 3개의 가맹점(매출이 가장 높은 가맹점과 매출이 가장 낮은 가맹점을 제외)의 매출액을 제시함으로써 예상매출액 산정서 제공을 대신할 수 있다(가맹사업법 시행령 제9조 제4항).

MEMO

가맹본부는 가맹점에게 광고비를 얼마나 부담시킬 수 있을까

[A피자의 가맹계약서상 불공정약관조항에 대한 건]

- 2007. 2. 1. 공정위 의결 제2007-011호 -

1 사안 바라보기

가맹본부 A는 ○○피자라는 상표로 피자 가맹사업을 운영하는 가맹본부이다. 가맹본부 A는 가맹점과 체결한 가맹계약서에 "가맹점은 계약기간 동안 매월 순매출액의 2%에 해당하는 광고료(VAT 별도)를 지불하여야 한다. 상기의 순매출액은 본사에서 재료 구입액의 3배의 금액으로 한다. 광고료의 지급은 영업개시 후 매월 5일까지 현금으로 지불한다."고 정하고 있었는데, 가맹점주가 위 가맹계약의 내용이 불공정약관에 해당한다 하여, 공정위에 신고를 하였다.

2 깊게 들여다보기

공정위는 위와 같은 약관을 불공정약관에 해당하여 무효라고 판단하였다(2007. 2. 1. 의결 제2007-011호). 그 근거는 다음과 같다.

광고비의 경우에 가맹본부와 가맹사업자에게 모두 이익이 되는 것이고 사업운영을 하면서 광고비로 어느 정도를 부담할 것인지는 영업방식에 따라 큰 차이가 있으므로 이에 대해 제3자가 광고비가 어느 정도가 적정한지를 판단하는 것은 어렵다 할 것이나, 가맹본부가 판매촉진행사비를 비롯한 광고비를 결정할 수 있다고 하더라도 광고비는 가맹본부와 가맹점사업자 사이에 합리적인 방법으로 분담하도록 정해져야 하고, 광고비 산출근거와 가맹점사업자가 분담하는 광고비에 대해서도 가맹점사업자가 충분히 알 수 있도록 되어 있어야 할 것인데, 위 조항은 광고비의 산출 근거 및 가맹본부와 가맹점사업자의 광고비 분담비율에 대해서는 전혀 언급이 없이 단순히 광고비는 순매출액의 2%이고, 순매출액은 본사에서 재료 구입액의 3배의 금액으로 한다고 규정하고 있으므로, 가맹본부가 합리적인 방법으로 가맹점사업자에게 광고비를 분담하도록 하고 있다고 볼 수 없으므로 고객에게 부당하게 불리한 조항으로서 약관의 규제에 관한 법률 제6조 제2항 제1호에 해당한다.

3 한 걸음 더

가맹계약에서 가맹본부가 가맹점에게 광고비의 분담을 요구할 수 있다고 정한 경우, 가맹본부는 가맹점에게 광고비의 분담을 요구할 수 있다. 가맹본부가 가맹점 상품에 대한 광고를 실시하게 되면, 광고로 인한 혜택은 가맹점들도 같이 누릴 수 있게 되므로, 광고비를 나누어 분담할 합리성도 인정된다. 그런데 문제는 가맹본부가 가맹점에게 어느 정도의 분담을 요구할 수 있느냐는 데에 있다.

광고비의 분담기준에 대해 공정위나 대법원은 모두 "합리적으로 분담해야 한다."는 추상적인 기준을 제시하고 있을 뿐이다.

대법원은 ○○치킨 사건[55]에서, "가맹점계약에서 가맹본부와 가맹점사업자 사이에 판매촉진행사에 소요된 비용을 합리적인 방법으로 분담하도록 약정하고 있다면, 비록 가맹본부가 판매촉진행사의 시행과 집행에 대하여 가맹점사업자와 미리 협의하도록 되어 있지 않더라도 그러한 내용의 조항이 약관의 규제에 관한 법률 제6조 제2항 제1호 소정의 고객에 대하여 부당하게 불리한 조항에 해당한다고 할 수는 없다. 판매촉진행사의 일환으로 한 신문 및 텔레비전 광고비용 25억 5,400만 원과 광고전단지의 디자인 비용은 모두 가맹본부가 부담하고, 광고전단지의 디자인 비용을 제외한 비용 약 5,482만 원을 가맹점사업자들이 부담하게 한 경우 이를 부당한 불이익제공행위(독점규제 및 공정거래에 관한 법률 시행령 제36조 제1항)에 해당한다고 볼 수도 없다."고 판시한 바 있다.

그런데 위 ○○피자의 가맹계약의 경우 가맹점에게는 가맹점 매출액의 2%를 광고비로 부담하도록 정해놓았을 뿐, 가맹본부 A는 광고비 중 어느 정도를 부담할 것인지를 정함이 전혀 없기 때문에 가맹본부 A는 가맹점들이 납부한 광고비만 가지고도 광고를 실시할 수 있게 되고 가맹본부의 부담비율을 정함이 전혀 없으므로, 불공정한 약관이 된 것이다.

다만, 가맹사업별로 가맹비를 받는 구조가 다르기 때문에 광고비 분담에 대한 일반적인 기준을 세우기는 어려운 측면이 있다. 광고비 투입을 통해서 가맹본부가 얻게 되는 이익의 비율과 가맹점이 얻게 되는 이익의 비율을 따져서, 이익을 얻게 되는 비율대로 광고비도 나눠서 부담하는 것이 공평할 것이다.

한편, 가맹본부가 가맹점들로부터 모은 광고비나 판촉행사비를 제대로 광고 등에 사용하였는지 여부를 확인할 수 없다는 점이 문제되었다. 그리하여 가맹사업법이 2016년 3월 개정되어 "가맹본부는 가맹점사업자가 비용의 전부 또는 일부를 부담하는 광고나 판촉행사를 실시한 경우 그 집행 내역을 가맹점사업자에게 통보하고 가맹점사업자의 요구가 있는 경우 이를 열람할 수 있도록 하여야 한다."는 내용이 신설되었다(가맹사업법 제12조의6).

55) 대법원 2005. 6. 9. 선고 2003두7484 시정명령처분취소 판결 참조.

MEMO

편의점 가맹점이 가맹본부에게 일일송금의무를 위반한 경우, 가맹본부는 가맹계약을 해지할 수 있을까

[A편의점의 일일송금의무 위반에 대한 손해배상의 건]

– 대법원 2000. 6. 9 선고 98다45553 판결 –

1 사안 바라보기

가맹본부 A는 ○○편의점이라는 상표로 편의점 가맹사업을 운영하는 가맹본부로 가맹점사업자와 가맹계약 시 매일 편의점에서 발생한 매출을 가맹본부 A에게 송금하도록 하고, 매출액에서 상품공급가격 등을 공제한 금액을 매월 일정한 날짜에 가맹점에게 지급하는 방식의 정산을 하고 있다.

그런데 가맹점사업자가 1994. 5. 23. 판매분부터 판매대금의 일일 송금의무를 이행하지 아니하자 이를 이유로 가맹본부 A는 1994. 6. 9.자 가맹계약 해지 예고 통고를 하였다. 그리고 가맹본부 A는 가맹계약에서 정하고 있는 10일간의 최고기간이 경과한 1994. 6. 19. 가맹계약이 해지되었다고 판단한 다음 물품의 공급을 중단하고 POS 시스템의 지원도 중단하였다. 그 후 가맹본부 A는 가맹점사업자를 상대로 가맹점의 가맹계약위반에 대해 위약금 청구소송을 제기하였다.

이에 가맹점사업자는 가맹계약은 계속적 공급계약으로서 가맹점사업자의 투하자본 회수를 보장하기 위하여 계약을 존속시키기 어려운 부득이한 사유가 있는 경우에 한하여 중도에 계약의 해지를 할 수 있다고 보아야 할 것이므로 일일 송금의무와 같은 사소한 의무 위반을 이유로 가맹계약을 해지할 수 없다고 항변하였다.

이와 같은 경우, 편의점 가맹사업자의 일일송금의무 위반을 이유로 한 가맹본부 A의 가맹계약 해지는 적법할까.

2 깊게 들여다보기

대법원은 "편의점 가맹점이 일일 송금의무를 위반한 경우 지체배상금을 부과하는 외에 3일 이상 계속 송금하지 아니하는 경우 가맹점계약을 해지할 수 있도록 한 약정을 불공정 약관이나 부당한 구속조건부 거래행위라고 볼 수 없다."고 판단하였다[56]. 그 판단근거는 다음과 같다.

가맹점주의 일일 송금의무는 그 기본적인 성격이 가맹본부가 공급한 물품의 판매대금을 변제하는 것으로서, 그 안에는 가맹점주가 취하여야 할 이익금도 포함되어 있기는 하나, 가맹본부는 가맹점주의 회계 및 세무관리를 위한 자료를 작성・보관・제공하는 의무를 부담하고 있고 상품

56) 대법원 2000. 6. 9 선고 98다45553 판결 참조.

을 일괄 구입하여 가맹점에 공급하여야 하는데 그 대금은 주로 가맹점주들이 송금하는 일일 판매대금으로 결제되는 것이며, 가맹점주가 송금하는 일일 판매대금은 상호계산계정을 통하여 정산됨과 아울러 가맹점주는 월 인출금, 분기 인출금, 특별 인출금을 인출할 수 있고 최저수익의 보장을 받고 있는 점 등의 사정을 감안하면, 일일 송금의무를 규정하고 이를 위반한 경우 지체배상금을 부과하는 이외에 3일 이상 계속 송금하지 아니하는 경우 계약을 해지할 수 있도록 한 약정이 가맹점주의 자유로운 사업활동을 부당하게 구속하는 조건(독점규제 및 공정거래에 관한 법률 제23조 제1항 제5호)이라 할 수 없고, 나아가 약관의 규제에 관한 법률 제6조 제1항, 제2항 제1호, 제3호에서 정한 가맹점주에게 부당하게 불리한 조항 또는 계약의 목적을 달성할 수 없을 정도로 가맹점주의 본질적인 권리를 침해하는 불공정 약관에 해당하여 무효라고 볼 수도 없다.

3 한 걸음 더

편의점 가맹사업의 경우는 가맹편의점을 개설할 당시에 편의점에 들어가는 설비(냉장고 등)와 인테리어를 가맹본부가 투자하여 개설하게 되며, 가맹편의점에서 발생하는 일일매출은 매일 가맹본부에게 송금하도록 요구하며, 가맹본부는 송금된 매출액에서 상품대금 등을 상호 계산한 다음 매월 일정한 날짜에 정산한 금액을 가맹점에게 월급식으로 지급해주는 방식으로 가맹계약이 운영되고 있다.

편의점을 개설할 때 가맹본부가 투자한 설비비용은 5년간의 가맹계약이 종료되면 그 후에는 가맹점이 상환할 책임이 없지만, 5년 이내에 가맹계약이 해지되면 가맹점은 가맹본부에게 시설의 감가상각 잔존액만큼 시설위약금을 지급해야 한다.

편의점 가맹계약은 최초에 가맹본부가 투자한 금액이 있으며, 매출액을 가맹본부가 모두 보유하고 가맹점을 통제하기 때문에, 가맹사업 중에서도 가장 강력한 형태의 가맹점 통제를 실시하고 있는 것이 현실이며, 그로 인해 그 가맹계약의 불공정성이 문제되는 경우가 많다.

위 대법원 판례에서는 편의점 가맹점이 일일매출송금을 일정기간 위반한 경우, 송금 지연에 대한 지연배상금 부과는 물론 가맹계약에 대한 즉시해지 또한 가능한 것으로 판단하였다. 그러나, 가맹 편의점주의 입장에서는 가맹점 개설을 위해 점포를 얻기 위해 상당한 투자를 하게 되고, 가맹 편의점주는 가맹점 사업을 통해 생계를 유지하고 있는 경우가 많은 점을 감안하면, 사소한 가맹계약위반에 대해 즉시 해지할 수 있다고 보는 대법원 판례의 입장은 문제가 있었다.

그리하여 위 대법원 판례 이후 가맹사업거래의 공정화에 관한 법률이 제정(2002. 5. 13.)되었는데, 제정된 가맹사업법에서는 가맹계약을 위반한 경우라 하더라도 즉시 가맹계약 해지는 할 수 없다고 정하면서, "2개월 이상의 유예기간을 두고 3회 이상 시정요청을 하여야 한다."고 규정했었다.

그런데 동일한 시정요구를 3회 이상 통지하도록 함은 가맹본부에게 과중한 부담이 된다는 비판을 받아서, 2007. 8. 3. 가맹사업법 개정으로 "2개월 이상의 유예기간을 두고 계약의 위반 사실을 구체적으로 밝히고 이를 시정하지 아니하면 그 계약을 해지한다는 사실을 서면으로 2회 이상 통지하여야 한다."고 개정되어 현재에 이르고 있다.

따라서 현행법에 따르면 가맹점의 가맹계약위반을 이유로 가맹계약 해지를 하기 위해서는 2개월 이상 시정할 수 있는 유예기간을 두고 2회 이상 "시정요청 및 계약해지 예고통지"를 해야 하고, 유예기간 내에 시정이 되지 않는 경우에 가서야 가맹계약해지를 할 수 있다. 가맹계약이 적법하게 해지되기 위해서는 가맹계약해지통지서가 가맹점주에게 도달하여야 한다. 비유컨대 야구에서의 삼진아웃이라 하겠다.

민법상의 일반원칙에 의한다면 상대방이 계약을 불이행하는 경우 상당한 기한을 정하여 이행을 최고하고 그 기간 내에 이행하지 아니한 경우에 계약을 해지할 수 있는데(민법 제544조), 가맹사업법에서는 특칙을 두어 가맹계약 해지 통지 이전에 2회 이상 시정요청을 하고, 그 후에 가서야 가맹계약을 해지할 수 있도록 규정한 것이다.

한편 상법 제168조의10(계약의 해지)은 "가맹계약상 존속기간에 대한 약정의 유무와 관계없이 부득이한 사정이 있으면 각 당사자는 상당한 기간을 정하여 예고한 후 가맹계약을 해지할 수 있다."고 정하고 있는데, 이 규정은 2010. 5. 14. 상법개정으로 도입되었는데, 가맹점주가 가맹계약을 해지하고자 하는 경우에 이용할 수 있는 규정이라 할 수 있다. 상법 제168조의10에서 정한 '부득이한 사유'란 영업 적자가 지속되는 경우, 가맹점주가 병에 걸리는 등의 사정이 발생한 경우로 해석함이 적절할 것이다.

4 알아두기

가맹점주가 가맹계약을 지속적으로 위반하고 있어, 가맹본부가 가맹계약의 해지를 하고자 하는 경우 2개월 이상의 유예기간을 두고 2회 이상 가맹계약 위반사항에 대한 시정요청을 하고, 그 기간 내에도 시정하지 않는 경우 가맹계약 해지통지서를 보내야 한다. 시정요청 및 가맹계약 해지통지는 가맹계약을 적법하게 해지하기 위한 법적인 요건이 되므로, 이를 내용증명우편으로 보내서 증거를 남겨두어야 한다.

MEMO

가맹계약기간 종료 후 가맹점에게 경업금지를 요구할 수 있을까

[A치킨의 불공정약관에 대한 건]

- 공정위 시정권고 제2009-013호 -

1 사안 바라보기

가맹본부 A는 ○○치킨 프랜차이즈의 가맹본부이다. 가맹본부 A는 가맹계약서에서 "가맹점은 가맹계약 종료 후에도 2년간 자기 또는 제3자 명의로 가맹본부와 동일 또는 유사한 경쟁관계에 있는 영업을 할 수 없다."고 정하였다. 이에 ○○치킨 가맹점주는 위 계약 조항에 대해 불공정 약관이라고 주장하며 공정위에 신고하였다.

2 깊게 들여다보기

공정위는 위 약관 내용을 불공정약관으로 보아, 시정권고 결정을 하였다[57]. 그 판단 근거는 다음과 같다.

경업금지의무는 일정한 기간 동안에 영업비밀, 영업양도 등을 보호하기 위한 약정으로, 이로 인한 사업자와 고객의 이익수준에 형평성이 유지되어야 한다. 위 약관조항에서 가맹점사업자에게 경업금지의무를 부과할 합리적인 사유가 있다고 하더라도 이로 인한 가맹본부가 얻는 이익과 가맹점사업자의 직업선택의 자유가 침해되지 아니하는 범위 내에서 이루어져야 할 것이다.

그러나 계약이 종료한 후에까지 가맹점사업자의 동종 또는 유사한 업종에 대한 경업을 금지하는 것은 가맹점사업자의 직업선택의 자유를 지나치게 침해하는 것이다. 또한 본 가맹계약의 경우 가맹계약자가 가맹계약으로 인하여 어떤 특수한 영업상의 비밀이나 기술상의 핵심기술 등을 습득하였다고 보기는 어렵다. 오히려 경업금지가 가맹점사업자의 영업이익의 독점을 위한 것으로 볼 여지가 많다.

그러므로 계약 종료 후까지 겸업을 금지하는 위 약관조항은 고객에게 부당하게 불리한 조항으로써 약관의 규제에 관한 법률 제6조 제2항 제1호에 해당한다. 따라서 위와 같은 가맹계약의 내용은 불공정약관에 해당하여 무효이다.

3 한 걸음 더

가맹사업법은 가맹계약기간 중에 가맹사업자가 가맹본부와 동일한 업종을 영위하는 행위를

57) 공정거래위원회 시정권고 2009-013호(사건번호 2009약관0849)

금지하고 있는데(가맹사업법 제6조 제10호), 이는 가맹본부의 노하우 등을 보호할 필요성이라는 측면에서 규정된 것이다. 그런데, 가맹계약에서 가맹계약기간 종료 후에도 경업금지를 규정하고 있는 경우가 있어, 그와 같은 가맹종료 후 경업금지 조항이 유효한 지가 문제된다.

공정위는 위 ○○치킨 가맹계약상의 가맹기간 종료 후 경업금지조항을 무효라고 판단하였고, 그러한 공정위의 입장은 다른 종류의 가맹점 약관 심사에서도 그대로 유지되고 있다.

떡을 판매하는 가맹본부 B의 사례(공정위 의결 제2015-092호, 사건번호 2014부사3014)에서도 공정위는, "가맹본부가 가맹계약서에서 계약종료 후 1년간 당해 가맹사업과 유사한 사업 및 가맹사업본부를 경영하거나 가맹본부와 경쟁관계에 있는 가맹사업의 가맹점을 경영할 수 없도록 규정"한 내용은 부당한 계약 조항의 설정으로 판단하였다.

한편, 상법은 영업양도인의 경업금지의무에 대해, "영업을 양도한 경우에 다른 약정이 없으면 양도인은 10년간 동일한 특별시·광역시·시·군과 인접 특별시·광역시·시·군에서 동종영업을 하지 못한다."고 규정하고 있는데(상법 제41조 제1항), 같은 내용이 가맹계약서에 포함된 경우 그 효력이 문제된 바 있다. ○○클럽 미용실 가맹본부 C의 사례(공정위 의결 제2006-166호, 2006약관1419)에서, 가맹본부 C는 가맹점 양도양수시에 "체인본부와 양수인의 동의 없이는 10년간 본건 가맹점이 소재한 상권 및 그 상권과 인접한 상권에서 다른 미용실 또는 이용실, ○○클럽과 동종, 경쟁업체의 가맹점을 개설하지 않는다."고 규정하였는데, 이에 대해 공정위는 "미용업은 그 특성상 비교적 소규모의 자본과 기술을 가지고 영위되는 업종으로 통상 좁은 지역 내에도 다수의 점포가 존재하고 경업관계가 형성되는 지역적 범위가 그리 넓지 않은 종류의 영업이라는 것과, 가맹본부가 가맹점계약서에 가맹점의 영업지역을 지정하고 있는 데 반해 양도 가맹점주의 경업금지범위를 상권(영업지역)과 인접 상권까지 과도하게 넓혀 인정하려는 것은 형평성이 결여되므로, 위 가맹계약 조항은 불공정약관에 해당한다."고 하였다.

가맹점사업자는 가맹사업 영업 분야에 대한 경험과 지식이 없어서, 가맹점에 가입함으로써 새로운 사업과 기술을 배우고 그에 대한 대가로 가맹비를 지급하게 된다. 가맹점사업자는 가맹계약기간 동안 해당 분야에 대한 경험을 쌓게 되므로, 가맹계약이 끝난 이후에도 유사 업종을 택하여 자영업을 계속 해 나가기가 쉽다. 그런데, 가맹점에게 가맹사업 업종과 동일 또는 유사 업종을 영위하지 못하도록 강제한다면, 가맹점으로서는 가맹계약을 중단할 수가 없고, 영원히 가맹본부의 소속 하에서 가맹사업을 할 수밖에 없게 된다. 그와 같이 가맹계약 종료 후의 경업금지조항은 가맹점사업자의 직업선택의 자유를 심각하게 침해하므로, 원칙적으로 허용될 수 없다.

가맹본부의 입장에서는 가맹본부가 만들어놓은 레시피(요리법) 등의 영업비밀을 가맹점에게 가르쳐 주었으므로, 그러한 영업비밀을 보호하기 위한 계약 조항이라고 주장하였으나, ○○치킨 가맹점의 경우 치킨 요리에 들어가는 소스 등이 가맹본부로부터 공급되며 치킨 소스의 제조법을 가맹점에게 교육한 것도 아니었으므로 가맹점이 가맹본부의 영업비밀인 레시피를 습득하였다고 볼 수도 없는 경우였다.

무늬만 위탁 관리 계약? 가맹사업법이 적용되어 보호될까

[A커피의 가맹사업법 위반행위에 대한 건]

– 2017. 8. 9. 공정위 의결(약) 제2017-080호 –

1 사안 바라보기

가맹본부 A(영업표지: ○○커피)는 2013년 7월 초 국립중앙의료원 건물 1층에 위치한 점포의 사용 허가 입찰에 참가하여 낙찰자로 선정되었고, 해당 점포를 커피 전문점으로 사용하기 위한 계약을 국립중앙의료원과 체결했다. 가맹본부 A는 위 계약 체결 직후 가맹희망자 B와 커피전문점 위탁 관리 계약을 체결하고 1년치 임차료, 인테리어 시공 비용, 교육비 등의 명목으로 총 316,000,000원을 수령했다.

가맹본부 A는 B와 체결한 계약은 가맹계약이 아닌, 위탁 관리 계약이라는 이유로 정보공개서를 제공하지 않았다. 그러나 가맹본부 A가 B와 체결한 계약은 그 명칭은 위탁 관리 계약이지만 그 운영의 실질은 위수탁거래[58]가 아닌 가맹사업이었다. 즉, 점포에서 발생한 영업이익과 손실은 B에게 귀속되었고, 점포의 인테리어 비용, 각종 시설・집기 설치 비용, 임차료・관리비, 재고 손실 등 점포의 개설・운영에 소요되는 비용 등도 모두 B가 부담했다.

이러한 경우 가맹본부 A의 행위는 가맹사업법이 적용되어 가맹사업법 제7조 제2항에서 금지하는 '가맹희망자에게 공정거래위원회에 등록된 정보공개서를 제공하지 아니한 상태에서 가맹희망자로부터 가맹금을 수령하거나 가맹계약을 체결한 행위'에 해당할까.

결론부터 말하면, 공정위는 이 사건 계약 계약의 명칭과는 별개로 그 내용과 운영의 실질이 가맹 계약이라고 판단했고, 가맹본부 A는 가맹사업에 해당함에도 정보공개서를 제공하지 않은 상태에서 가맹희망자인 B와 가맹계약을 체결하고 가맹금을 수령하는 행위를 하였으므로, 가맹사업법 제7조(정보공개서의 제공의무 등)에 위반된다고 판단하여 시정명령을 부과했다.

2 깊게 들여다보기

이 사건 위탁관리계약이 가맹본부 A와 B간 가맹사업에 해당하기 위해서는 가맹사업법 제2조 제1호에서 규정하는 다섯 가지 요건(① 가맹본부의 상표・서비스표・상호・간판 등 영업표지 사용, ② 일정한 품질기준이나 영업방식에 따라 상품・용역을 판매, ③ 영업활동에 대한 가맹본부의 지원・교육 및 통제, ④ 가맹점사업자는 영업표지 사용 및 지원・교육에 대한 대가로 가맹본부에 가맹금 지급, ⑤ 계속적인 거래관계)을 모두 충족하여야 한다.

---

58) 수탁자가 위탁자의 계산으로 상품 또는 용역을 판매하고 그 법적 효과는 위탁자에게 귀속하는 법률행위를 말한다.

이와 관련하여 공정위는 다음과 같은 이유로 이 사건 위탁관리계약은 그 명칭과는 별개로 그 내용과 운영의 실질이 가맹사업법상 가맹사업에 해당하므로, 가맹본부 A가 B에게 정보공개서를 제공하지 아니한 상태에서 가맹계약을 체결하고 가맹금을 수령한 행위는 가맹사업법 제7조 제2항에 위반된다고 판단했다.

즉, B는 가맹본부의 ○○커피 영어표지를 사용하였고(①), 이 사건 점포의 시설・인테리어가 ○○커피 컨셉에 부합하였고, 가맹본부 A의 영업방식에 따라 가맹본부 A의 다른 가맹점들과 동일한 방식으로 커피, 음료 등을 판매하였으며(②), 영업활동에 대한 가맹본부 A의 교육 및 통제가 있었고[59](③), B가 가맹본부 A에게 지급한 180백만 원은 B가 가맹본부 A의 영업표지 사용 및 지원・교육 등에 대한 대가로 가맹본부 A에게 지급한 가맹금에 해당하고(④), B가 이 사건 점포 운영 중 가맹본부 A로부터 원・부자재를 지속적으로 공급받았으므로 계속적 거래관계[60](⑤)에 있다고 보았다.

3 한 걸음 더

위와 같은 공정위 판단에 앞서 가맹본부 A는 이 사건 점포가 가맹점이 아닌 직영점이고, B는 이 사건 점포의 위탁관리인에 불과하며, 가맹본부 A에게 가맹금을 지급한 바 없으므로 이 사건 위탁관리계약은 가맹사업법상 가맹사업에 해당하지 않는다고 주장했다.

그러나 공정위는 통상 '위수탁거래'라 함은 '수탁자가 위탁자의 계산으로 상품 또는 용역을 판매하고 그 법적 효과는 위탁자에게 귀속하는 법률행위'를 의미하는데, 이 사건 위탁관리계약이 그 실질도 위수탁거래에 해당하려면, 이 사건 점포에서 취급하는 상품 또는 용역의 실질적인 소유권 귀속 주체 및 당해 상품 또는 용역의 판매・취급에 따른 실질적인 위험의 부담주체가 가맹본부 A이어야 하는바, 다음을 감안할 때 이 사건 위탁관리계약의 실질은 위수탁거래로 볼 수 없다며 가맹본부 A의 주장을 받아들이지 않았다.

---

59) 이 사건 위탁관리계약서 제5조(책임 및 의무사항) 다) 매장 청결유지, 고객서비스, 영업교육, 매장점검 등 기타 매출향상을 위한 협조가 요구될 경우 쌍방은 이에 적극 협조한다. 라) "을"은 "갑"의 교육과 지시에 맞추어 영업하기로 하고, "갑"의 지시에 반하는 영업행위 또는 "갑"과의 사전 상의나 인허가 없이 무단 영업하는 행위 적발 시 "을"의 위약으로 간주하여 본 계약은 해지할 수 있고, "을"은 상기 점포의 영업권자로서 어떠한 권리와 조건도 주장하지 않기로 한다. (예, 승인되지 않은 타사 제품 무단 사용에 따른 적발)

60) 이 사건 위탁관리계약서 제7조(제품의 공급 및 검수) "갑"은 "을"이 주문한 수량, 품목을 공급하며, "을"은 "갑"의 공급계획에 차질이 없도록 사전신청 및 주문해야 하며, "을"은 주문한 제품 및 재료에 대한 제품 인수를 이유 없이 거절하거나 인수증 발행을 지체하지 않기로 한다.

첫째, 가맹본부 A는 이 사건 점포에서 발생한 총 매출액에서 원·부자재 및 점포 관리비 등 점포운영비용을 공제한 비용을 B에게 전액 지급하였으므로 이 사건 점포에서 발생한 영업이익과 손실은 가맹본부 A가 아닌 B에게 전부 귀속되었다.

둘째, 가맹본부 A가 공급하는 원·부자재의 재고손실도 모두 B가 부담하였다.

셋째, 이 사건 점포의 인테리어 비용, 각종 시설·집기 설치비용, 직원 임금 및 보험료, 임차료·관리비 등 점포의 개설·운영에 소요되는 비용 전부를 B가 부담하였다.

또한, 이 사건 위탁관리계약서에서 가맹본부 A를 가맹본부, B를 가맹점사업자로 칭하고 있었으며, B가 가맹본부 A에게 지급해야 하는 금원인 180백만 원의 명목에 가맹비, 교육비가 포함되어 있은바, 결국 동 금원은 B가 가맹본부 A의 영업표지 사용 및 지원·교육 등에 대한 대가로 가맹본부 A에게 지급한 가맹금으로 보는 것이 타당하다.

더불어, 가맹본부 A는 블로그나 언론기사 등을 통해 병원, 백화점 등 수요층이 안정적인 특수상권에서의 창업을 홍보하고 있는데, 창업이라 함은 직영점이 아닌 가맹점에 해당하는 사항이며, 언론보도 내용에서도 가맹비, 교육비 및 물품보증금을 한시적으로 면제한다고 소개하면서 국립중앙의료원점을 명시하고 있는데 가맹본부 A 스스로도 이 사건 거래방식을 가맹계약을 보고 있다.

4 알아두기

가맹본부들이 병원, 대형마트 등 안정적인 상권에 위치한 점포를 임차한 후, 해당 점포의 위탁관리 계약을 가맹희망자와 체결하면서 가맹계약이 아니라는 이유로 정보공개서를 제공하지 않는 경우가 있다.

그러나, 계약 내용을 살펴보면 가맹계약과 차이가 없고, 오히려 우수 상권이라는 이유로 소위 프리미엄(웃돈)까지 부가하며, 가맹희망자들은 통상적인 가맹계약 시보다 더 많은 투자하게 된다.

가맹계약인지 여부는 그 명칭이 아니라 계약내용에 따라 결정되므로 가맹희망자들은 자신이 체결한 계약의 내용을 면밀히 살펴봐야 한다. 왜냐하면 가맹계약의 경우 가맹사업법의 적용을 받게 되므로 위수탁계약에 비해 가맹희망자는 더 많은 보호를 받을 수 있기 때문이다.

특히, 영업 이익과 손실이 가맹희망자에게 귀속되고, 점포의 개설·운영에 소요되는 비용을 모두 가맹희망자가 부담한다면 위수탁계약이 아닌 가맹계약일 가능성이 크므로, 가맹희망자는 계약 내용을 살펴 정보공개서를 제공받아야 한다.

또한, 가맹계약에서는 가맹본부가 가맹희망자에게 정보공개서를 제공하지 않았다면, 가맹금의 반환을 요구할 수 있다. 이 경우 가맹희망자는 가맹본부에게 가맹 계약 체결일로부터 4개월 이내에 가맹금 반환을 서면으로 요청할 수 있다.

MEMO

가맹점주들의 동의 안 받은 프로모션행사, 무조건 위법할까

[A피자의 가맹사업법 위반행위에 대한 건]

– 2018. 3. 29. 심의 2016가맹1880 –

1 사안 바라보기

가맹본부 A(영업표지: ○○피자)는 2016년 3월 11일부터 같은 해 11월 30일까지 가맹사업자로 하여금 종전에 별개의 제품으로 판매하던 피자 2판, 통베이컨포테이토, 리치치즈파스타, 치즈모찌볼 5개를 '트리플박스'라는 명칭의 세트로 구성하여 제품가격의 합계액에서 약 30~44% 가량 할인된 28,900원에 판매하도록 했다.

이와 같이 가맹본부 A가 가맹점사업자로 하여금 이 사건 트리플박스를 출시하여 판매하도록 한 행위가 가맹사업법 제12조 제1항 제3호에서 금지하는 불이익제공행위에 해당할까.

결론부터 말하면, 공정위 심사관은 가맹본부 A가 이 사건 트리플박스를 출시하여 판매하도록 한 행위가 가맹점사업자들에게 부당하게 불이익을 제공한 행위라고 주장하며 심사보고서를 상정했지만, 공정위는 가맹본부 A가 할인율이 30%를 초과하는 판매촉진행사인 트리플박스 프로모션을 실시하면서 가맹계약서 및 정보공개서 등에서 정한 바와 달리 전체 가맹점사업자들을 대상으로 사전에 동의나 의견수렴절차를 거친 사실이 없을 뿐만 아니라 전체 가맹점의 30% 이상이 트리플박스 출시를 반대하였음에도 불구하고 이를 강제하였다는 점은 인정되지만, 트리플박스 출시가 해당 가맹점사업자들에게 불이익을 제공하였다는 점을 입증하기 곤란하고 이를 인정할 만한 다른 증거자료가 없다는 이유로 무혐의 결정했다.

2 깊게 들여다보기

공정위 심사관은 가맹본부 A가 이 사건 트리플박스를 출시하여 판매하도록 한 행위가 다음과 같은 이유로 자신의 가맹점사업자들에게 부당하게 불이익을 제공한 행위에 해당한다고 주장했다.

가맹본부 A는 할인율이 30%를 초과하는 판촉행사인 트리플박스 프로모션을 전국적 단위로 진행하면서 당시 가맹계약서[61] 및 정보공개서[62] 기재와 달리, ① 가맹본부 A가 전체 가맹점의

61) 가맹계약서 마케팅 4. 운영 4) 프랜차이즈본부는 제휴할인 또는 판촉행사를 전국 단위로 진행할 경우 위 행사의 주요한 내용을 포함한 행사계획을 사전에 전체 가맹점들에게 공지하고, 필요한 경우 전체 가맹점들과 협의 절차를 거칠 수 있다. 다만, 매출가격 대비 20%를 초과하는 제휴할인 또는 매출가 격 대비 30%를 초과하는 판촉행사를 전국 단위로 진행할 경우, 전체 가맹점들의 사전 동의를 구하는 절차를 거치며 전체 가맹점들 중 30% 이상의 명시적인 반대가 있을 경우, 해당 제휴할인 또는 판촉 행사를 진행하지 않는다.

62) 정보공개서 Ⅴ. 영업활동의 조건 및 제한, 8. 광고 및 판촉활동 3) 판촉행사 가맹점사업자 동의 절차 : 가맹본부는 20%를 초과하는 제휴할인 또는 30%를 초과하는 판촉행사를 전국 단위로 진행할 경우, 전체 가맹점사업자들의 사전 동의를 구하는 절차를 거치며 전체 가맹점사업자 30% 이상의 명시적인 반대가 있을 경우, 해당 제휴할인

5% 가량만 참여하는 마케팅 회의를 개최한 것 외에는 전체 가맹점사업자들을 대상으로 사전 동의나 의견수렴 절차를 거친 사실이 없는 점, ② A피자 가맹점주협의회가 구성 가맹점사업자들을 대상으로 실시한 투표에서 전체 가맹점의 30%를 초과하는 168개가 트리플박스 출시에 반대했음에도 불구하고 이를 강행한 점, ③ 트리플박스 출시 이후에도 미출시 가맹점사업자들을 대상으로 계약해지 및 민사상 손해배상청구 등의 강제수단이 명시된 가맹사업시정요구서를 발송한 점 등을 고려할 때, 가맹본부 A가 거래상 지위를 남용하여 부당하게 트리플박스 프로모션을 시행한 것이다.

또한, 트리플박스는 기존에 별개로 판매하던 제품들을 하나의 단일 제품으로 구성한 것에 불과하여 신규 수요를 창출하는 효과에 비해 기존 수요를 대체하는 효과가 상대적으로 클 수 있고, 높은 제조원가의 비율로 인하여 구조적으로 가맹점사업자의 영업이익을 감소시킬 가능성이 존재하는 점, 2016년 1월 · 3월 매출 자료에 근거하여 이중차분법[63]으로 경제분석을 실시한 결과 트리플박스 출시로 인한 영업이익률 · 영업이익 감소효과가 확인되는 점 등을 고려할 때, 트리플박스가 출시 가맹점사업자들에게 불이익[64]을 발생시켰다.

이에 대해 가맹본부 A는 ① 트리플박스 프로모션이 기존에 판매하던 제품을 할인하여 판매한 것이 아니라 파격적인 가격으로 설정된 패키지상품을 신규로 출시한 것에 불과하므로 가맹점사업자들로부터 사전 동의를 받아야 하는 대상이 아니고, ② A피자 가맹점주협의회의 투표결과는 마케팅미팅에서의 협의내용과 배치되어 그 결과를 전적으로 신뢰하기 곤란할 뿐만 아니라 당해 투표에도 불구하고 2016년 3월 11일 반대의사를 표시하였던 168개 가맹점 중 73개가 트리플박스를 출시한 점에 비추어 볼 때, 전체 가맹점사업자의 30% 이상이 트리플박스 출시를 반대하거나 가맹본부 A가 이를 강제하였다고 보기는 어려우며, ③ 트리플박스 출시를 통해 가맹점사업자들에게 불이익을 제공할 의도가 전혀 없었고, 실제로도 불이익이 발생하지 않았다고 반반했다.

또는 판촉행사를 진행하지 않습니다.

63) 허위상관 요소를 효과적으로 제거하여 특정 프로그램 시행의 순 효과를 추정하는 방법론으로서 특정 프로그램의 대상이 되는 처리집단과 그렇지 않은 통제집단 간의 평균 차이에서 특정 프로그램처리의 전·후 기간 간의 평균 차이를 공제하는 방식으로 분석한다.

64) 심사관은 심사보고서 제출 이후 2016년 1·2월과 3·4월을 분석기간으로 한 경제 분석을 추가로 실시 하였으며, 동 분석에서 ① 다른 가맹점 형태들과는 매출액 변동추이가 상이한 레스토랑 매장을 분석 대상에서 제외하고, ② 트리플박스 출시 전 판매촉진행사 간 효과를 상호 비교하기 위하여 시험판매(트리플박스, 오늘의 피자, 빅피자)를 실시하였던 가맹점들도 모두 제외하며, ③ 당시 트리플박스 프로모션과 별개로 진행되던 판매촉진행사 등 경제 분석 결과에 영향을 미칠 수 있는 요소를 제거할 경우에는 여전히 트리플박스 판매가 가맹점사업자의 영업이익과 영업이익률을 감소시켰다는 결과를 도출하였다.

특히, 이 사건 경제분석과 관련하여, ① 트리플박스 출시 이전은 2016년 1월로, 출시 이후는 같은 해 3월로 그 비교대상 기간을 한정하고 있는 심사보고서 기재의 경제 분석이 트리플박스 출시 효과를 제대로 추정하지 못하고 있는 점, ② 추가로 심사관이 비교대상 기간을 2016년 1·2월과 같은 해 3·4월로 확장하면서도 이전 경제 분석에서는 고려되지 아니하였던 개별적 요소들을 반영하여 경제분석을 새로이 실시한 사실 그 자체가 기존 경제 분석과정에 오류가 있었음을 나타내는 점, ③ 경제분석도 분석결과에 영향을 주는 요소를 배제한다는 이유로 자의적으로 처리 집단·통제 집단을 구성하고 통제변수를 설정한 오류가 존재하는 점 등을 고려할 때, 이는 실증분석의 기본적인 방법에 따르지 아니한 결과로서 신뢰하기 곤란하다고 주장했다.

3 한 걸음 더

이와 같은 심사관과 가맹본부 A의 주장에 대해, 공정위는 가맹본부 A가 할인율이 30%를 초과하는 판매촉진 행사인 트리플박스 프로모션[65]을 실시하면서 가맹계약서 및 정보공개서 등에서 정한 바와 같이 전체 가맹점사업자들을 대상으로 사전에 동의나 의견수렴 절차를 거친 사실이 없을 뿐만 아니라 전체 가맹점의 30% 이상이 트리플박스 출시를 반대하였음에도 불구하고 이를 강제하였다고 판단했다.

그러나, 심사관이 주장하는 내용만으로는 아래와 같이 트리플박스 출시가 해당 가맹점사업자들에게 불이익을 제공하였다는 점을 입증하기 곤란하고, 이를 인정할 만한 다른 증거자료 또한 없다고 판단했다.

첫째, 트리플박스 프로모션은 일종의 할인판매행사로서 판매증진 효과에 따라 가맹점사업자의 영업이익 증감 여부가 결정되므로, 그 자체로서 불이익이 예정된다고 보기는 어려운 반면, 당해 할인율이 가맹점들의 수익구조·경영상황 등에 비추어 불이익을 발생시킬 만큼 과도한 수준이라고 인정할 만한 구체적인 자료가 없다.

둘째, 트리플박스 출시효과에 관한 경제 분석 내용도 트리플박스가 출시된 2016년 3월 11일이 아닌 같은 해 3월 1일을 기준으로 하여 전·후 일정기간에 대해 분석한 것으로서 정확한 효과를

---

65) 트리플박스 프로모션은 이미 기존에 낱개로 판매되고 있었던 제품들을 하나의 제품으로 구성하여 보다 할인된 가격으로 판매함으로써 소비자 수요를 늘려 판매를 증진시키기 위한 목적으로 시행되었 다는 점에서 그 명칭이나 형식에 관계없이 판매촉진행사에 해당한다.

포착하기 어려운 점, 비교집단의 구성, 분석기간 설정, 통제변수 등의 차이에 따라 상반된 결과가 도출되고 있으므로 어느 하나의 결과만을 전적으로 신뢰하기도 곤란한 점, 이 사건 트리플박스 출시로 인하여 신규 고객이 유입되는 등 장기간에 걸친 효과가 충분히 나타날 수 있는 점 등을 고려할 때, 동 분석결과만으로는 트리플박스 출시로 인한 불이익의 발생 여부와 그 내용 · 정도가 명확하게 특정되고 있다고 보기 어렵다.

MEMO

가맹점주 단체 설립했다는 이유로 계약종료, 보복조치일까

[A피자의 가맹사업법 위반행위에 대한 건]

– 2018. 11. 26. 의결 제2018-346호 –

1 사안 바라보기

가맹본부 A(영업표지: ○○피자)는 2015년 3월경 A피자 가맹점주협회 설립을 주도했다는 이유로 인천시 소재 부개점과 구월점을 집중관리 매장으로 분류한 후 2015년 3월부터 5월까지 약 2개월 동안 이들 가맹점을 위생 점검 등의 명목으로 각각 12회, 9회에 걸쳐 이례적인 매장 점검을 실시하고, 이를 통해 적발한 일부 계약 미준수 사항 등을 내세워 이들 가맹점과의 계약 관계를 종료(갱신거절)했다.

이러한 경우, 가맹본부 A의 행위는 가맹사업법 제14조의2(가맹점사업자단체의 거래조건 변경 협의 등) 제5항에서 금지하는 '가맹점사업자단체 구성・가입・활동 등을 이유로 가맹점사업자에게 불이익을 주는 행위'에 해당할까.

결론부터 말하면, 공정위는 가맹본부 A가 A피자 가맹점주협회 설립과 활동을 주도한 가맹점주들의 매장을 집중적으로 점검하고 계약 해지(또는 갱신 거절) 등 불이익을 제공한 행위가 가맹사업법 제12조의4 제5항에서 금지하는 '가맹점사업자단체 활동을 이유로 가맹점주에게 불이익을 주는 행위'라고 판단하고, 시정명령과 함께 과징금 5억 원을 부과했다.

2 깊게 들여다보기

가맹사업법 제14조의2 제5항의 위반행위가 성립하기 위해서는 ① 가맹점사업자의 가맹점사업자단체 구성・가입・활동 등의 행위가 있어야 하고, ② 이를 이유로 가맹본부가 가맹점사업자에게 불이익을 주는 행위가 있어야 한다.

가맹본부가 '가맹점사업자단체의 구성・가입・활동 등을 이유로 가맹점사업자에게 불이익을 주는 행위'에 해당하는지 여부는 가맹본부의 의도 내지 목적, 불이익을 주게 된 경위, 불이익의 내용 및 정도, 가맹본부의 내부규정, 다른 가맹점과의 형평성, 가맹점사업자들의 단체 활동방해 가능성 등을 종합적으로 고려하여 판단한다.

공정위는 다음과 같은 이유로 가맹본부 A의 행위는 가맹점사업자들의 단체활동을 이유로 가맹점사업자들에게 불이익을 주는 행위로서 가맹사업법 제14조의2 제5항에 위반된다고 판단했다.

첫째, 가맹점사업자단체 활동이 있었는지 여부와 관련하여 해당 가맹점주들은 A피자 가맹점주협회 설립을 주도했고, 가맹점사업자단체의 초대 회장 및 부회장의 직책을 맡는 등 가맹점사업자단체 활동을 하였다.

둘째, 가맹본부 A의 의도 내지 목적과 관련하여, 가맹본부 A가 작성한 내부문건을 보면 가맹본부 A는 처음부터 가맹점사업자단체를 대화 및 타협의 대상이 아닌 자진해산을 유도하거나 강제적으로 해산시켜야 할 대상으로 인식하였고, 가맹점사업자단체에 적극적으로 참여하던 부개점 및 구월점을 집중관리매장으로 분류한 후 사전에 계약종료(갱신거절) 방침을 결정해 놓은 상태에서 통상적인 수준을 넘어서는 보복성 매장점검을 실시한 것이므로 가맹점사업자단체를 무력화시키려는 의도 내지 목적이 명백하다.

셋째, 부개점 및 구월점에 대한 집중점검 행위가 불이익에 해당하는지 여부와 관련하여, 가맹본부 A는 해당 가맹점주들이 가맹점사업자단체 결성을 적극적으로 준비하던 시기인 2015년 3월부터 5월경까지 부개점 및 구월점에 대하여 주 1회에 달하는 강도 높은 매장점검을 실시하였는데, 이와 같은 집중점검 행위는 방문 횟수, 방문 목적, 점검 강도 등을 고려할 때, 가맹본부의 통상적인 매장관리 수준을 벗어나 불이익 조치에 해당한다.

넷째, 부개점 및 구월점에 대한 계약종료(갱신거절) 행위가 불이익에 해당하는지 여부와 관련하여, 가맹본부 A는 해당 가맹점에 대하여 계약종료(갱신거절)를 하면서 명목상 부개점은 가맹계약기간이 10년이 초과하였다는 이유로, 구월점은 매장점검에서 적발된 물류비 미납, 외부사입, 운영시간 미준수 등 계약위반을 이유로 제시하였으나, 지난 7년간 가맹본부 A가 계약기간 10년 초과를 이유로 가맹계약을 종료시킨 사례는 부개점 외에 답십리점이 유일한 점, 최근 3년간 계약위반으로 가맹본부 A로부터 1,329건에 달하는 내용증명을 받은 283개 가맹점 중에서 부개점 및 구월점보다 미납금액 또는 횟수가 더 많은 가맹점도 다수 포함되어 있으나 실제 계약해지 내지 계약종료(갱신거절)에 이르게 된 가맹점은 구월점 외에 별내·신내점 정도에 불과한 점을 고려할 때, 해당 가맹점들에 대한 계약종료 조치는 매우 이례적인 것으로 가맹점사업자단체 활동 주도에 대한 보복적 성격이 강하다.

다섯째, 가맹점사업자의 가맹점사업자단체 활동 방해 가능성 관련하여, 가맹본부 A의 가맹점사업자들은 향후 적극적으로 가맹점사업자단체 활동에 참여할 경우 본보기로 계약종료 조치를 당한 부개점 및 구월점의 사례와 같이 관리매장으로 편입되어 집중적인 매장점검 대상이 되고, 결국 가맹본부 A의 갱신거절로 가맹점사업을 종료하게 될 것이라는 우려를 하게 될 개연성이 큰 점, 실제로 집중 관리대상으로 분류되었던 다른 매장들도 대부분 폐점 또는 양수도하여 현재 2개 가맹점만 유지 중인 것으로 확인되는 점, 가맹점사업자의 지위를 상실하여 더 이상 정상적인 가맹점사업자 단체 활동을 할 수 없는 해당 가맹점주들을 대신하여 새로운 임원진을 모집하였으나 가맹본부 A의 보복이 두려워 지원하는 가맹점사업자가 없는 상황인 점 등을 고려할 때, 가맹본부 A의 행위로 인하여 사실상 가맹점사업자단체 활동이 와해되었다.

3 한 걸음 더

가맹본부 A는 위와 같은 공정위 판단에 앞서, 가맹본부 A는 ① 부개점 및 구월점이 가맹점사업자단체 설립 전부터 지속적으로 영업시간, 식자재 관련 준수사항 등 가맹계약의 중요사항을 위반하였고, 물류비, 광고비 등의 가맹금을 미납하면서도 이를 개선하거나 시정하려는 노력을 보이지 않았으며, 가맹점사업자단체 해체를 빌미로 가맹본부 A에게 금품을 요구하는 등의 행위를 하여 가맹사업의 본질적인 신뢰관계를 훼손하였으므로 가맹계약 갱신거절의 정당성이 인정되는 점, ② 정보공개서를 통해 수시로 매장점검이 진행될 수 있다는 사실을 사전에 고지하였고, 이 사건 행위가 있었던 2015년도에는 본사 기준 179개 가맹점에 대하여 8명의 담당직원이 월평균 3.19회 매장점검을 실시(총 6,845회)하였으므로 부개점 및 구월점에 대하여 주 1회 정도의 매장점검을 실시한 것은 통상적인 수준에 불과하며, 지속적으로 계약위반을 하면서도 시정의지가 없는 가맹점에 대해서는 동일하게 가맹계약을 종료하였으므로 부개점 및 구월점에게 특별히 불이익을 제공한 사실이 없는 점, ③ 그동안 가맹본부 A는 가맹점사업자단체와 성실하게 협의의무를 수행하면서 요청사항 대부분을 수용하였으나 가맹점사업자단체가 공정거래위원회 신고 결과를 지켜보자는 취지로 일방적으로 협의를 중단한 것일 뿐이므로 가맹본부 A의 행위로 인해 가맹점사업자단체 활동이 와해되었다고 보기 어려운 점 등을 이유로 가맹사업법 위반이 아니라고 주장했다.

그러나 공정위는 ① 부개점 및 구월점이 가맹계약기간 동안 중요 계약사항을 상습적으로 위반하였다고 볼만한 근거는 빈약하고, 가맹점사업자단체 결성 전 물류비 및 광고비를 미납한 사례는 있었으나 이는 가맹본부 A의 일방적인 물류비 현금결제 강요, 비합리적 광고비 분담 등이 가맹점사업자단체 결성의 결정적 계기가 되었던 사정을 고려하면 부개점 및 구월점에 국한된 문제이거나 부개점 및 구월점에게만 책임을 지워야 할 사유로 보기 어려운 점, ② 가맹본부 A는 2015년 각 가맹점에 월 평균 3.19회 매장점검을 실시하였다고 주장하면서도 이를 입증할만한 아무런 증거자료도 제출하지 아니하였고, 오히려 조사과정에서는 2016년 본사 이전으로 인해 2015년 당시의 매장 방문일지 등을 모두 폐기하였다고 소명한 바 있으므로 동 주장 자체의 신빙성이 의심되는 점, ③ 이 사건 인정사실과 가맹본부 A가 제출한 부개점 및 구월점의 금품요구 관련 녹취록을 종합하여 보면 가맹본부 A는 처음부터 가맹점사업자단체를 대화와 타협의 대상이 아니라 해산시켜야 할 대상으로 인식하면서, 이를 실행하기 위해 가맹본부 A의 이사 와 친분이 있는 덕소점 가맹점주를 이용하여 부개점과 구월점을 양수함으로써 가맹점사업자단체를 와해시키려 시도한 정황을 알 수 있으므로 가맹점사업자단체와 성실하게 협의하였다는 주장도 믿기 어렵다고 하면서 가맹본부 A의 주장을 받아들이지 않았다.

4 알아두기

위 사례는 가맹본부가 점주의 단체 활동을 이유로 가맹점주에게 불이익을 준 행위를 최초로 적발하여 과징금을 부과한 사례이다.

아울러 국회에서는 가맹점사업자단체 신고제를 도입하고, 신고된 단체가 가맹본부에 거래 조건 협의를 요청하는 경우 가맹본부는 일정 기한 이내에 협의에 응하도록 의무화하는 내용의 개정안이 발의되어 있는데, 향후 가맹점주단체의 법적 지위가 향상되어 가맹본부에 대한 협상력이 보다 높아질 것으로 기대된다.

MEMO

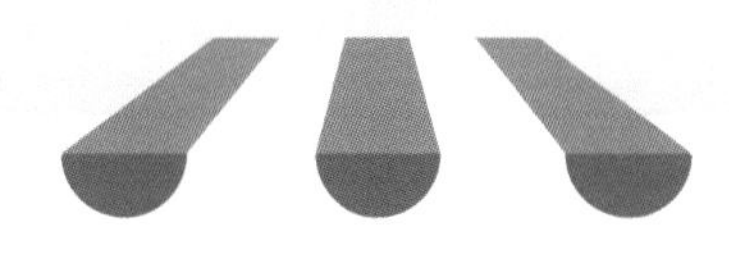

참고자료

1 공정거래위원회 정책 및 주요 소관법률

기능	정책분야	주요 내용
경쟁촉진, 부당한 경제력 집중 방지	경쟁정책	시장지배적 지위 남용, 담합, 경쟁제한적 M&A 등 시정, 대기업집단 소유구조 개선 및 부당내부거래·사익편취 등 시정
대·중소기업 간 공정거래질서 확립	기업거래정책	대기업의 거래상 지위 남용으로부터 중소기업 보호
소비자 권익증진	소비자정책	소비자 역량강화 및 소비자피해 예방·구제

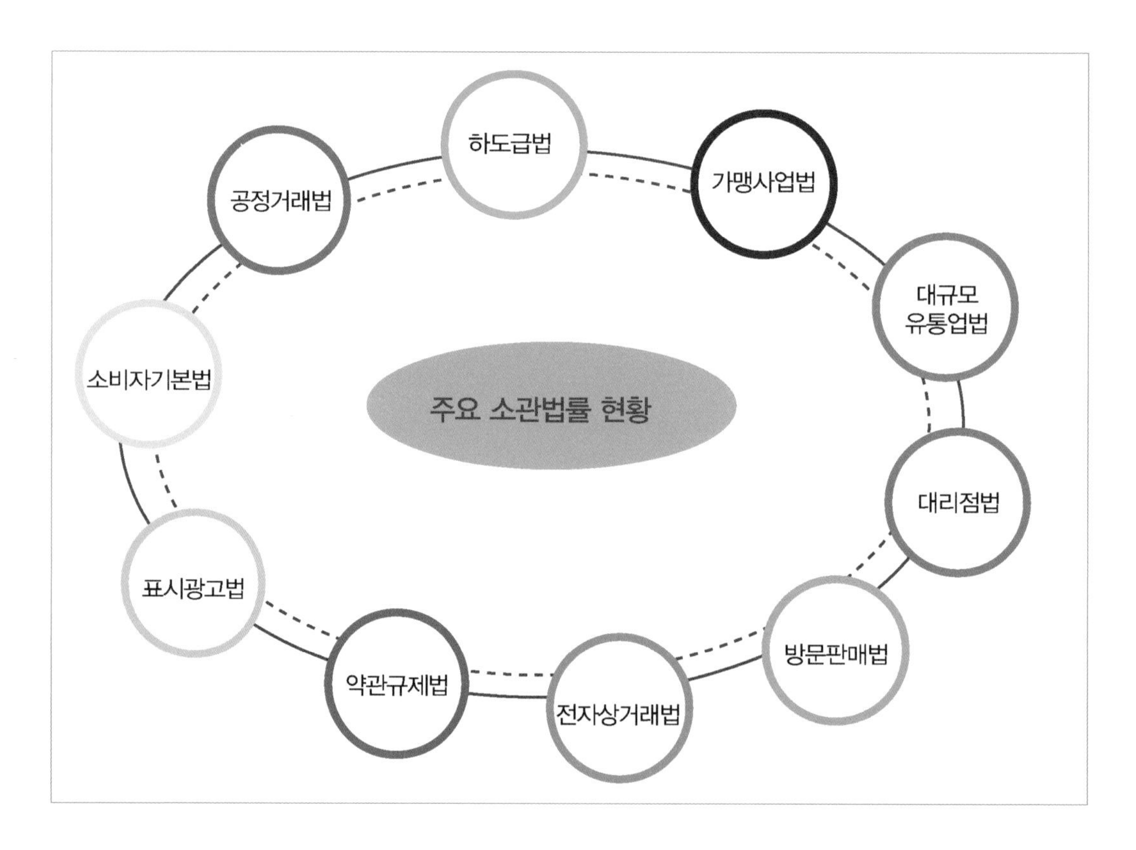

2 경쟁정책의 주요 내용

(1) 부당공동행위(담합)

□ 기본개념

○ 부당공동행위(담합, 카르텔, 짬짜미)란 사업자가 상호 간의 경쟁을 회피하기 위해 다른 사업자와 공동으로 가격을 결정하거나 인상하기도 하고, 시장을 분할하기도 하며, 출고를 조절하는 등의 내용으로 합의하여 부당하게 경쟁을 제한하는 행위를 말한다(공정거래법 19조 ①항).

○ 담합을 규제하는 이유는 경제 전반에 걸쳐 많은 폐해를 유발하여 '시장경제의 암(癌)'이기 때문이다. 기업에서는 신기술과 신상품을 개발할 유인을 감소시키고, 소비자에게는 높은 가격으로 낮은 품질의 상품을 선택권 없이 구입하도록 강제하게 되며, 국가경제 전체적으로는 기술혁신의 침체로 잠재 생산능력의 증가를 저해하는 등 경제 전반에 부정적 영향을 미치게 된다.

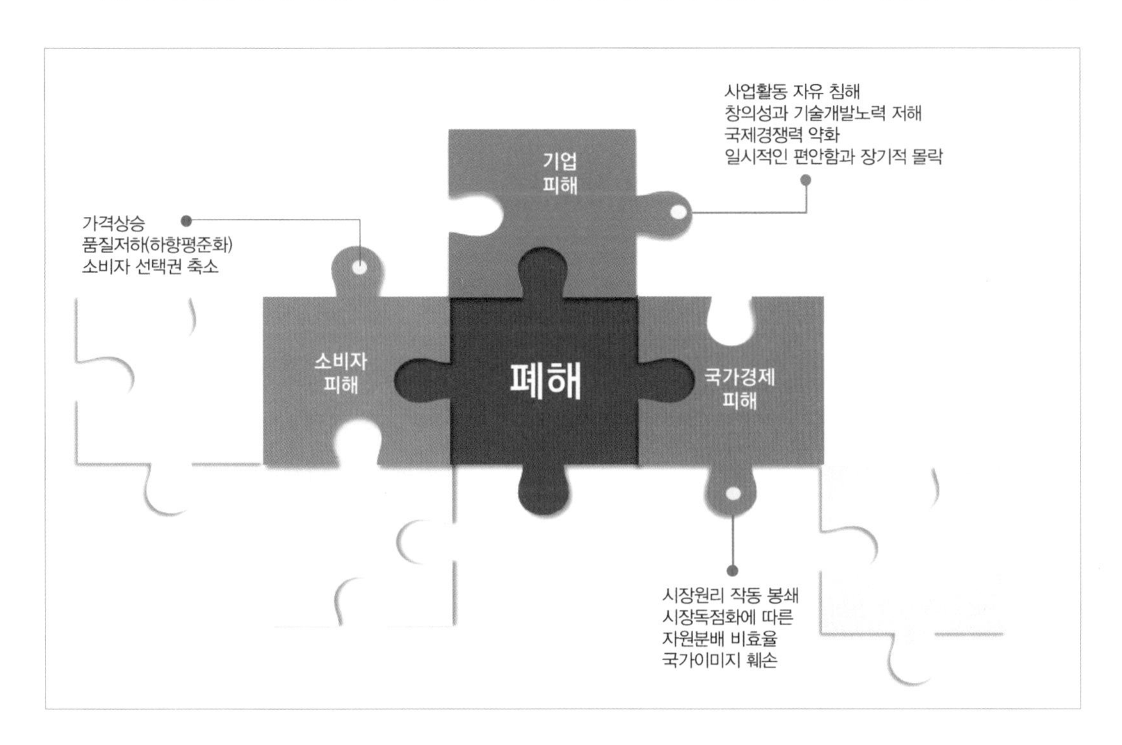

□ 공동행위 유형

○ ① 가격의 결정·유지·변경(가격 인상, 인하, 유지하는 행위를 할 것을 직접 또는 간접적으로 합의하는 경우), ② 거래조건 설정, ③ 거래제한, ④ 시장분할, ⑤ 설비제한, ⑥ 상품의 종류·규격제한

협정, ⑦ 영업의 주요부문 공동관리, ⑧ 입찰담합, ⑨ 기타 다른 사업자의 영업활동방해 등의 8개 유형으로 구분된다.

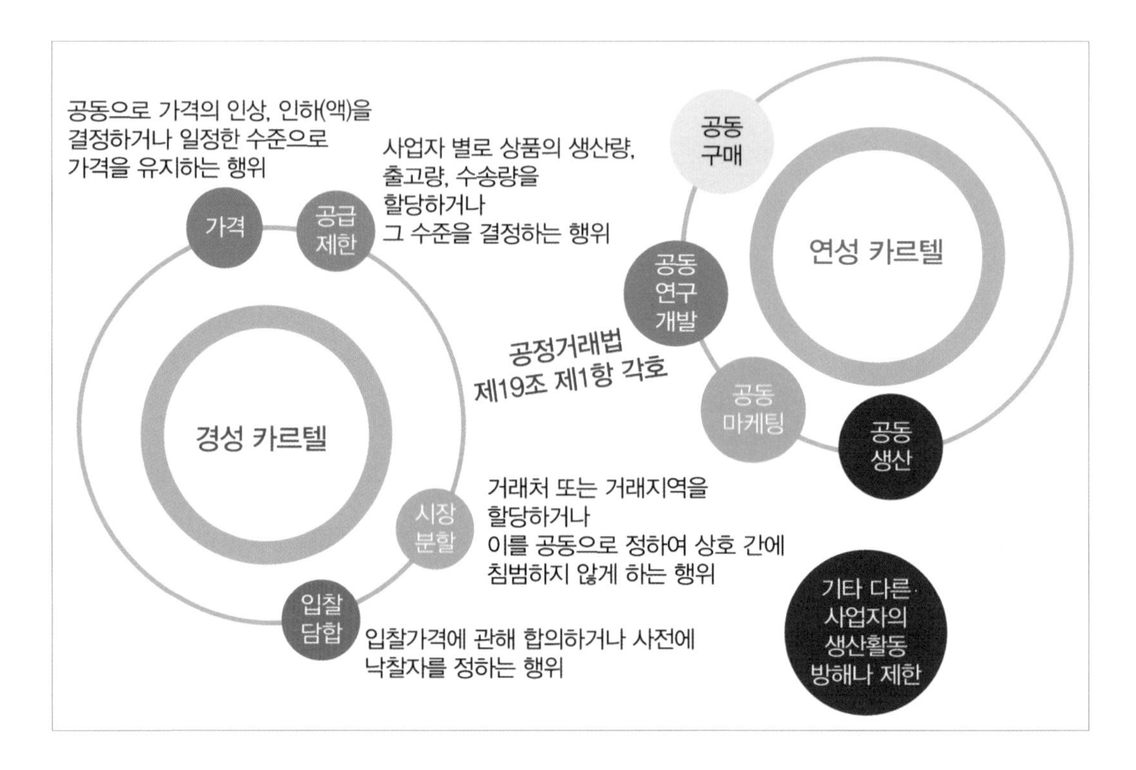

□ 자진신고감면제도(leniency)

○ 부당공동행위에 참여한 기업이 그 사실을 자진신고하거나 조사에 협조하는 경우 시정조치나 과징금 등 제재의 수준을 감면하는 제도를 말한다. 첫 번째 자진신고자는 과징금, 시정조치를 완전 면제받게 되며, 두 번째 신고자는 과징금을 50% 감경받게 되고 시정조치도 감경받을 수 있다.

[감면요건]

□ 법 위반시 제재

○ 행정적 제재(시정조치와 과징금)

- 당해 행위의 중지, 시정명령을 받은 사실의 공표, 기타 시정을 위해 필요한 조치 등이 있다.

○ 벌칙

- 공정위의 고발에 의해 3년 이하의 징역 또는 2억 원 이하의 벌금에 처해질 수 있다. 또한 시정조치 등에 응하지 않은 경우에는 2년 이하의 징역 또는 1억 5천만 원 이하의 벌금에 처할 수 있다. 또한 그 법인 또는 개인에 대해서도 처벌이 가능하다.

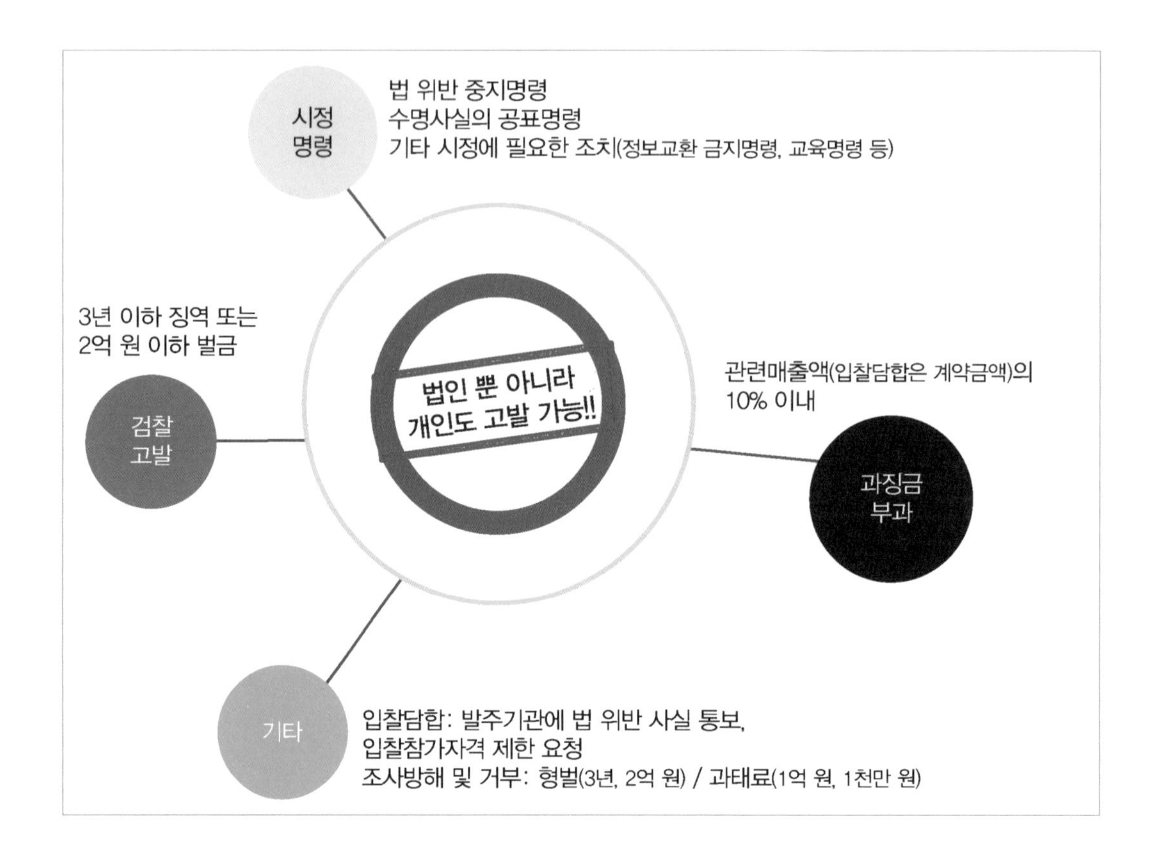

(2) 불공정거래행위

□ 기본 개념

○ 불공정거래행위란 자유로운 시장경쟁을 저해할 수 있는 공정하지 않거나 정당하지 못한 방법 등을 사용하여 거래하는 행위를 말한다. 불공정거래행위는 공정거래법 제23조 ①항 및 동법 시행령 제36조 ①항 별표 1에서 아래 9개 주요 유형을 규정하고 있다.

□ 불공정행위 유형

○ ① 거래거절, ② 차별적 취급, ③ 경쟁사업자 배제, ④ 부당한 고객유인, ⑤ 거래강제, ⑥ 거래상지위 남용, ⑦ 구속조건부거래, ⑧ 사업활동 방해, ⑨ 부당한 자금・자산・인력의 지원 등이 있다.

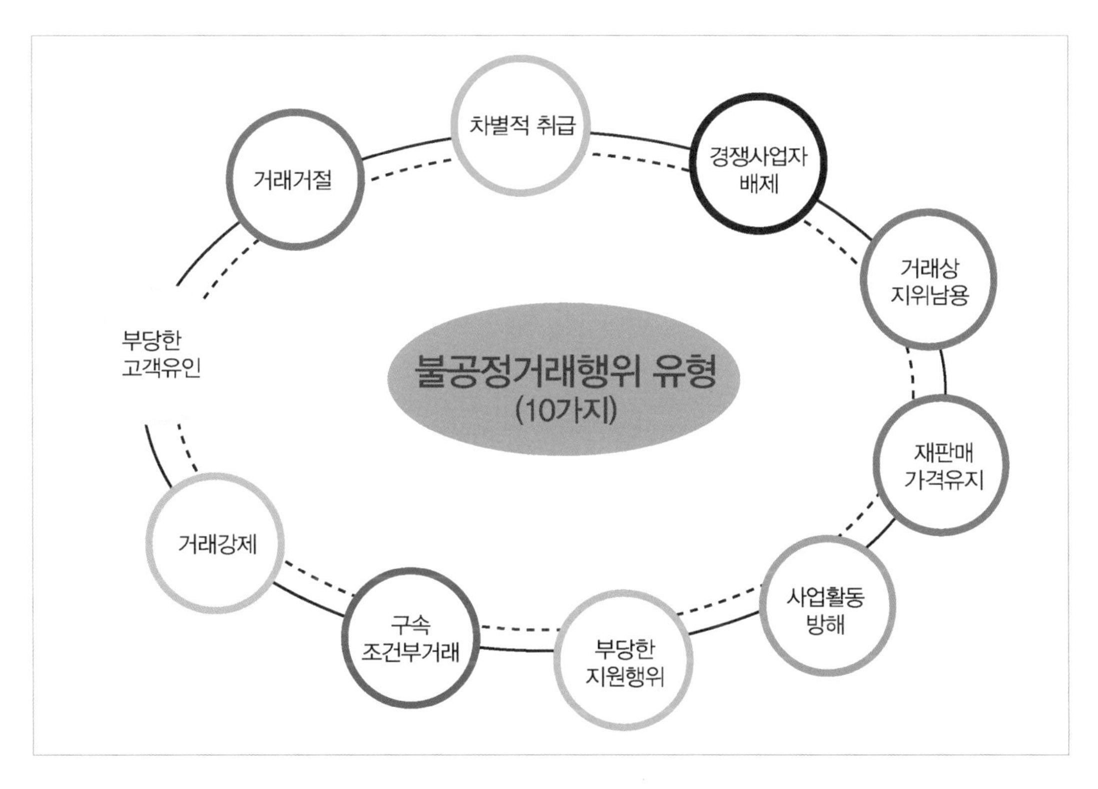

○ 거래거절은 사업자가 정당한 이유 없이 거래의 개시를 거절하거나, 계속적인 거래관계를 중단하거나, 거래하는 상품이나 용역의 수량·내용을 현저히 제한하는 행위를 말한다(공정거래법 23조 ①항 1호 전단).

○ 차별적 취급은 사업자가 거래상대방에 대해 거래지역이나 가격, 기타 거래조건을 차별하여 경쟁사업자나 거래상대방의 지위를 약화시켜 자신의 지위를 유지·강화하는 행위를 말한다(공정거래법 23조 ①항 1호 후단).

○ 경쟁사업자 배제는 사업자가 경쟁사업자를 배제하기 위해 정상적인 경쟁 수단을 사용하지 않고 상품 또는 용역을 공급원가보다 현저히 낮은 가격으로 판매하거나 통상 거래되는 가격에 비하여 부당하게 높은 가격으로 구입하는 행위를 말한다(공정거래법 23조 ①항 2호).

○ 부당한 고객유인은 사업자가 과도한 이익의 제공, 계약성립의 저지, 계약불이행의 유인 등을 통해 부당하게 경쟁자의 고객을 자기와 거래하도록 유인하는 행위를 말한다(공정거래법 23조 ①항 3호 전단).

○ 거래강제는 사업자가 끼워팔기나 회사 임직원으로 하여금 본인 의사에 반하여 상품이나 용역을 구입·판매하도록 강제하는 행위 등을 통해 부당하게 경쟁자의 고객을 자기와 거래하도

록 강제하는 행위를 말한다(공정거래법 23조 ①항 3호 후단).

○ 거래상지위 남용은 거래상 우월적 지위를 갖고 있는 사업자가 그 지위를 부당하게 남용하여 거래상대방의 자유로운 의사결정을 침해하여 거래상 불이익을 주는 행위를 말한다(공정거래법 23조 ①항 4호).

○ 구속조건부거래는 사업자가 자유롭고 공정한 시장경쟁을 침해하여 거래지역 또는 거래상대방을 제한함으로써 사업활동을 부당하게 구속하는 조건으로 거래하는 행위를 말한다(공정거래법 23조 ①항 5호 전단).

○ 사업활동 방해는 사업자가 과도한 이익의 제공, 계약성립의 저지, 계약불이행의 유인 등을 통해 부당하게 경쟁자의 고객을 자기와 거래하도록 유인하는 행위를 말한다(공정거래법 23조 ①항 5호 후단).

○ 부당한 자금・자산・인력의 지원(부당 지원행위)은 부당하게 특수관계인 또는 다른 회사에 대하여 가지급금・대여금・인력・부동산・유가증권・상품・용역・무체재산권 등을 제공하거나 현저히 유리한 조건으로 거래하여 특수관계인 또는 다른 회사를 지원하는 행위를 말한다(공정거래법 23조 ①항 7호).

□ 법 위반시 제재

○ 행정적 제재(시정조치와 과징금)

- 당해 사업자에 대하여 당해 불공정거래행위의 중지, 계약조항의 삭제, 시정명령을 받은 사실의 공표, 기타 시정을 위한 필요한 조치 등이 있다(공정거래법 24조).
- 과징금은 위반사업자가 위반기간 동안 일정한 거래분야에서 판매한 관련 상품이나 용역의 매출액 또는 이에 준하는 금액에 100분의 5를 곱한 금액을 초과하지 아니하는 범위 안에서 부과할 수 있으며, 매출액이 없는 경우 등에는 5억 원을 초과하지 아니하는 범위 안에서 과징금을 부과 (공정거래법 24조의2)

○ 벌칙

- 공정위의 고발에 의해 2년 이하의 징역 또는 1억5천만 원 이하의 벌금에 처해질 수 있다(공정거래법 67조 2호). 시정조치 등에 응하지 않은 경우에는 2년 이하의 징역 또는 1억 5천만 원 이하의 벌금에 처할 수 있다(공정거래법 67조 6호).

(3) 부당내부거래

□ 기본 개념

○ 부당지원행위란 사업자가 부당하게 계열회사 등에게 과다한 경제상 이익이 되도록 자금이나 자산 등을 현저하게 유리한 조건으로 거래하는 행위를 말한다(공정거래법 23조 ①항 7호). 부당지원행위는 개념상으로는 독립된 기업 간에도 발생할 수 있으나, 주로 동일 기업집단 내의 계열회사 간의 내부거래를 통해 이루어지므로 통상 '부당내부거래'라고 한다.

○ 부당지원행위를 규제하는 이유는 부당지원행위가 이루어지면 시장기능에 의해 퇴출되어야 할 부실 계열회사가 존속하게 되고, 독립기업은 시장에서 배제되어 '회사 대 회사'라는 공정 경쟁기반을 훼손하고 '회사 대 기업집단'이라는 불공정한 경쟁의 틀을 강요하기 때문이다. 결과적으로 기업의 성쇠가 경쟁력이 아닌 기업집단과의 관련성에 의해 좌우되는 것을 방지하여 자유롭고 공정한 경쟁을 보장하기 위해서는 부당지원행위에 대한 규제가 필요하다.

□ 부당내부거래 유형

○ 부당내부거래의 유형에는 ① 부당한 자금지원, ② 부당한 자산 상품 등 지원, ③ 부당한 인력 지원 등의 3개 유형으로 구분된다(공정거래법 시행령 별표 1 제10호).

○ 부당한 자금지원은 부당하게 특수관계인 또는 다른 회사에 대하여 가지급금・대여금 등 자금을 현저히 낮거나 높은 대가로 제공하거나 현저한 규모로 제공하여 과다한 경제상 이익을 제공함으로써 특수관계인 또는 다른 회사를 지원하는 행위 계열 금융회사가 계열회사의 약정 연체이자율을 받지 않고 비계열사의 대출이자율을 적용하여 연체이자를 수령한 행위를 말한다.

○ 부당한 자산・상품 등 지원은 부당하게 특수관계인 또는 다른 회사에 대하여 부동산・유가증권・상품・용역・무체재산권 등 자산을 현저히 낮거나 높은 대가로 제공하거나 현저한 규모로 제공하여 과다한 경제상 이익을 제공함으로써 특수관계인 또는 다른 회사를 지원하는 행위를 말한다.

○ 부당한 인력지원은 부당하게 특수관계인 또는 다른 회사에 대하여 인력을 현저히 낮거나 높은 대가로 제공하거나 현저한 규모로 제공하여 과다한 경제상 이익을 제공함으로써 특수관계인 또는 다른 회사를 지원하는 행위 업무지원을 위해 인력을 제공한 후 인건비는 계열회사가 부담한 경우를 말한다.

□ 법 위반시 제재

○ 행정적 제재(시정조치와 과징금)

- 부당지원행위의 중지, 시정명령을 받은 사실의 공표, 기타 시정을 위한 필요한 조치를 부과할 수 있다(공정거래법 24조).

- 과징금은 당해 사업자의 직전 3개 사업연도의 평균매출액의 100분의 5를 초과하지 아니하는 범위 안에서 부과할 수 있으며, 매출액이 없는 경우 등에는 5억 원을 초과하지 아니하는 범위 안에서 과징금을 부과할 수 있다(공정거래법 24조의2).

○ 벌칙

- 공정위의 고발에 의해 2년 이하의 징역 또는 1억5천만 원 이하의 벌금에 처해질 수 있다(공정거래법 67조 2호). 시정조치 등에 응하지 않은 경우에는 2년 이하의 징역 또는 1억5천만 원 이하의 벌금에 처할 수 있고(공정거래법 67조 6호) 그 법인 또는 개인에 대해서도 처벌이 가능하다(공정거래법 70조).

3 소비자정책의 주요 내용

(1) 부당 표시·광고

□ 기본 개념

○ '표시'란 상품 또는 용역의 내용 등에 관하여 용기, 포장 또는 사업장의 게시물 등에 쓰거나 붙인 문자, 도형 및 상품의 특성을 나타내는 용기·포장을 말한다.

○ '광고'란 상품의 내용이나 거래조건 등에 관하여 신문, 방송, 잡지, 견본, 인터넷, 간판 등을 이용하여 소비자에게 널리 알리는 행위를 말한다.

○ 표시·광고법이란 상품 또는 용역에 관한 표시·광고에 있어서 소비자를 속이거나 소비자로 하여금 잘못 알게 할 우려가 있는 부당한 표시·광고행위를 방지하고, 소비자에게 바르고 유용한 정보의 제공을 촉진함으로써 소비자를 보호하기 위해 제정된 법률이다.

○ 부당표시광고행위를 규제하는 이유는 사업자가 자기제품뿐만 아니라 그 외 많은 정보를 획득할 수 있는 반면 개인의 소비자는 경제적 의사결정에 필요한 정보를 충분히 얻지 못하는 정보 비대칭의 문제가 발생하기 때문이다. 이러한 과정에서 사업자는 자기에게 유리한 정보는 허위·과장하고, 불리한 정보는 은폐·축소하는 등 왜곡된 정보를 제공하여 소비자 피해를

발생시키기 때문이다. 또한 사업자는 경쟁보다는 부당광고를 통한 소비자 오인행위에 치중하여 시장경제가 제대로 작동하지 않는 문제 발생하기도 한다.

□ 부당 표시광고 유형

○ 부당 표시·광고의 금지 유형에는 ① 허위·과장의 표시·광고, ② 기만적인 표시·광고, ③ 부당하게 비교하는 표시·광고, ④ 비방적인 표시·광고 등의 4개 유형으로 구분된다.

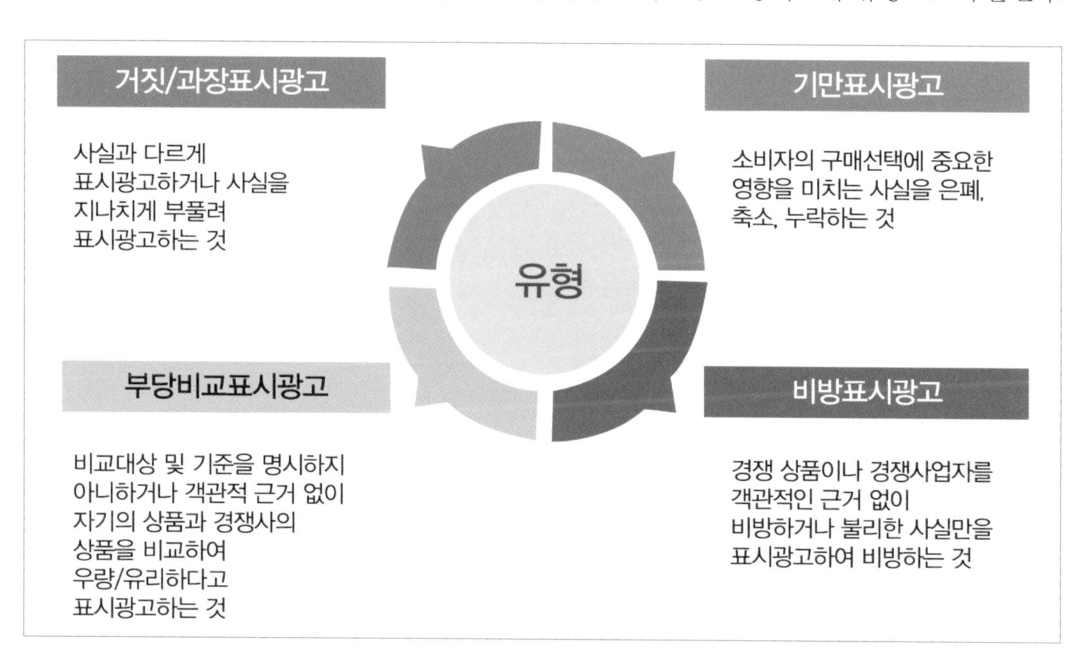

○ 허위·과장의 표시·광고는 사실과 다르게 표시·광고하거나 사실을 지나치게 부풀려 표시·광고하는 행위를 말한다(표시광고법 3조 ①항 1호).

○ 기만적인 표시·광고는 사실을 은폐하거나 축소하는 등의 방법으로 표시·광고하는 행위를 말한다(표시광고법 3조 ①항 2호).

○ 부당하게 비교하는 표시·광고는 비교대상 및 기준을 명시하지 아니하거나 객관적인 근거없이 자기의 것이 다른 사업자의 것과 비교하여 우량 또는 유리하다고 표시·광고하는 행위를 말한다(표시광고법 3조 ①항 3호).

○ 비방적인 표시·광고는 다른 사업자나 다른 사업자의 상품 등에 관하여 객관적인 근거가 없는 내용으로 표시·광고하여 비방하거나 불리한 사실만을 표시·광고하여 비방하는 행위를 말한다(표시광고법 3조 ①항 4호).

□ 법 위반시 제재

○ 행정적 제재

- 시정조치로 당해 위반행위의 중지, 시정명령을 받은 사실의 공표, 정정광고, 기타 위반행위 시정을 위하여 필요한 조치 등을 부과할 수 있다(표시 · 광고법 7조).
- 과징금은 매출액의 2%를 초과하지 아니하는 범위 안에서 부과할 수 있으며, 매출액이 없거나 산정이 곤란한 경우에는 5억 원의 범위 안에서 부과할 수 있다(표시 · 광고법 4조 ①항 1호, 2호).

○ 벌칙

- 위반유형에 따라 최대 2년 이하의 징역 또는 1억5천만 원 이하의 벌금 부과 가능하다(표시 광고법 17조).

(2) 불공정약관

□ 기본 개념

○ 약관규제법은 사업자가 그 거래상의 지위를 남용하여 불공정한 내용의 약관을 작성 · 통용하는 것을 방지하고 불공정한 내용의 약관을 규제하여 건전한 거래질서를 확립하고 소비자를 보호하기 위해 제정된 법률이다.

○ 불공정한 약관을 규제하는 이유는 거래를 신속 · 간편하게 이루어지게 하고 경제사회 구조의 복잡 · 다양화에 따른 법의 불비를 보완하기 위하여 약관의 사용이 보편화되었으나, 약관작성 주체가 대부분 조항을 자기에게 유리하게 작성하거나 대부분의 고객이 약관을 알지 못하여 자기 의사에 의해 계약내용을 자유롭게 결정할 자유를 갖지 못하고 있는 것이 현실이다. 이에 경제적 약자인 소비자, 고객 등의 진정한 의사를 보호하고 약관거래의 공정성을 확립하기 위해서 불공정약관의 규제가 필요한 것이다.

○ 공정위의 약관심사는 구체적인 계약관계를 전제하지 않고, 오로지 약관조항 자체의 불공정성을 심사하여 그 효력 유무를 결정한 후 필요한 경우 특정 약관조항의 삭제 및 수정 등 필요한 조치를 취하는 반면, 법원은 구체적인 계약관계에 있어서 당사자의 권리 · 의무관계를 확정하기 위한 선결문제로서 약관조항의 효력유무를 심사하며, 그 효과도 개별 사건을 제기한 사람에게만 사후적으로 미친다는 점에서 차이점이 있다.

□ 약관규제법의 부당성 판정 기준

○ 약관규제법은 개별약관의 불공정조항을 가려내기 위해 크게 2가지의 판정기준(일반조항과 개별금지조항)을 두고 있다. 일반조항으로는 신의성실원칙(약관법 6조)이 있으며, 개별금지조항으로는 ① 사업자 면책조항의 금지, ② 손해배상액의 예정, ③ 사업자의 부당한 계약 해제·해지권 제한, ④ 채무의 이행, ⑤ 고객의 권익보호, ⑥ 의사표시의 의제, ⑦ 대리인의 책임가중, ⑧ 소송상권리의 제한 등 8개 유형으로 구분된다(약관법 7조~14조).

□ 법 위반시 제재

○ 행정적 제재

- 시정조치로 법 위반 약관조항의 삭제·수정 등 시정에 필요한 조치의 권고 또는 시정명령을 할 수 있다.

○ 벌칙

- 시정명령에 위반한 자에 대해 2년 이하의 징역 또는 1억 원 이하의 벌금 부과 가능하다.

(3) 전자상거래

□ 기본 개념

○ 전자상거래란 재화 또는 용역의 거래에 있어서 그 전부 또는 일부가 전자문서에 의하여 처리되는 방법으로 이루어지는 상행위를 말한다.

○ 전자상거래소비자보호법이란 전자상거래 및 통신판매 등에 의한 재화 또는 용역의 공정한 거래에 관한 사항을 규정하여 소비자의 권익을 보호하고 시장의 신뢰도를 제고하기 위해 제정된 법률로, 전자상거래를 규제하는 이유는 비대면·비접촉·원격거래에 따른 기대하는 실물의 상이로 인해 분쟁이 빈발하고, 전자문서 등의 사용 및 기록의 조작 가능성 등으로 인해 책임소재의 입증이 어려운 부분이 있기 때문이다.

□ 주요 내용

○ 전자상거래사업자 및 통신판매업자의 금지행위(법 21조)

- 전자상거래 또는 통신판매를 하는 사업자는 다음 각호의 1에 해당하는 행위를 하여서는 아니된다(법 21조 ①항). 1. 허위 또는 과장된 사실을 알리거나 기만적인 방법을 사용하여 소비자를 유인 또는 거래하거나 청약철회 또는 계약의 해지 등을 방해하는 행위, 2. 청약철회 등을 방해할 목적으로 주소·전화번호·인터넷도메인 이름 등을 변경 또는 폐지하는 행위, 3. 분쟁이나 불만처리에 필요한 인력 또는 설비의 부족을 상당기간 방치하여 소비자에게 피해를 주는 행위, 4. 소비자의 청약이 없음에도 불구하고 일방적으로 재화 등을 공급하고 그 대금을 청구하는 행위 및 재화 등을 공급하지 아니하고 대금만을 청구하는 행위, 5. 소비자가 재화를 구매하거나 용역을 제공받을 의사가 없음을 밝혔음에도 불구하고 전화, 모사전송, 컴퓨터 통신 등을 통하여 재화를 구매하거나 용역을 제공받도록 강요하는 행위(스팸 강요), 6. 본인의 허락을 받지 아니하거나 허락받은 범위를 넘어 소비자에 관한 정보를 이용하는 행위. 다만, 재화 등의 배송 등 소비자와의 계약이행에 불가피한 경우, 대금정산을 위해 필요한 경우, 도용방지를 위해 본인확인에 필요한 경우 등은 제외

□ 법 위반시 제재

○ 행정적 제재

- 시정권고로 공정거래위원회 또는 시·도지사는 사업자가 법에 위반하는 행위를 하거나

이 법에 따른 의무를 이행하지 아니하는 경우 시정조치에 앞서 법 위반행위를 중지토록 하거나 법에 따른 의무를 이행하도록 사업자에게 시정방안을 정하여 권고할 수 있다(전자상거래법 31조 ①항).

- 시정조치에도 불구하고 법 위반행위가 반복되거나, 시정조치에 따른 이행을 하지 아니한 경우 영업정지를 부과할 수 있으며, 기간은 15일~12월까지로서, 법 위반의 종류별, 횟수별로 다르며 위반행위가 반복될수록 그 기간도 길어짐 (전자상거래법 32조 ④항)
- 해당 위반행위와 관련한 매출액을 초과하지 아니하는 범위 안에서 과징금을 부과하며, 관련 매출액이 없거나 산정할 수 없는 경우는 5천만 원 이하 범위 내에서, 그 위반행위가 매출이나 소비자피해 발생의 직접적인 원인인 경우 그 매출액 전액, 간접원인이 되는 경우 그 매출액의 10% 범위 내에서 부과 가능하다(전자상거래법 34조).

○ 벌칙

- 시정조치명령에 응하지 아니한 자는 징역 또는 벌금(법 40조~45조) 3년 이하의 징역 또는 1억 원 이하의 벌금에 처할 수 있다. 또한 상호 등에 관한 정보에 관하여 허위의 정보를 제공한 자, 거래조건에 관하여 허위의 정보를 제공한 자는 1천만 원 이하의 벌금에 처할 수 있다.

4 기업거래정책의 주요 내용

(1) 하도급거래

□ 기본 개념

○ 하도급거래란 기업(원사업자)이 자신의 생산활동의 일부를 다른 기업(수급사업자)에게 위탁하고, 위탁받은 기업(수급사업자)은 위탁받은 부분을 생산하여 위탁한 기업(원사업자)에게 납품하는 거래를 말한다.

□ 하도급법의 주요 규제 내용

○ 하도급법의 주요 규제 내용에는 ① 원사업자 의무사항, ② 원사업자 금지사항, ③ 발주자 및 수급사업자 의무사항 등의 4개 유형으로 구분된다.

원사업자 의무	• 서면발급, 서류보존 • 선급금 지급 • 내국신용장 개설 • 설계변경, 물가변동에 따른 하도급대금 조정 및 통지 • 검사 및 검사결과 통지 • 원재료 가격 변동에 따른 하도급대금 조정협의 등 • 하도급대금 지급	• 하도급대금 지급보증 • 관세 등 환급금 지급
원사업자 금지	• 부당한 하도급대금 결정 • 물품 등 구매강제 • 부당한 위탁취소 • 부당반품 • 하도급대금 감액 • 물품구매대금 등의 부당결제 청구 • 부당한 특약의 금지	• 경제적 이익의 부당요구 • 기술자료의 부당요구 및 유용 • 부당한 대물변제 • 부당한 경영간섭 • 보복조치 • 탈법행위 등
발주자 의무	• 하도급대금 직접 지급	
수급사업자 의무	• 서류보존 • 계약이행보증(건설) • 신의칙 준수 및 원사업자의 위법행위 협조 거부	

□ 법 위반 시 제재

○ 행정적 제재(시정조치와 과징금)

- 원사업자 및 발주자에 대하여 대금 등의 지급, 법 위반행위의 중지, 기타 시정에 필요한 조치를 권고 · 명령, 시정명령 공표명령을 할 수 있다(하도급법 25조). 원사업자, 발주자 및 수급사업자에게 관련 하도급대금의 2배 이내의 범위에서 과징금을 부과할 수 있다(하도급법 25조의3).

○ 벌칙

- 원사업의 의무사항과 금지사항을 위반한 경우 하도급 대금 2배 이사의 벌금에 처할 수 있다.

행정적 제재		사법적 제재
• 시정조치 – 향후 재발방지명령, 하도급대금지급명령 – 교육이수명령, 공표명령 등 • 과징금 부과 – 하도급대금의 2배 이하 • 상습법 위반자 – 입찰참가제한요청 – 영업정지요청 등 • 과태료 부과 – 3,000만 원 이하		• 하도급 대금 2배 이하의 벌금 – 원사업자의 의무사항 – 원사업자의 금지사항 • 1억 5,000만 원 이하의 벌금 – 시정명령 불이행 – 보복조치, 탈법행위 위반 • 기타 민사상 손해배상책임도 부담(입증책임이 원사업자로 전환)

(2) 가맹거래

□ 기본 개념

○ 가맹사업은 가맹본부가 가맹점사업자로 하여금 자기의 상표·상호 등 영업표지를 사용하여 일정한 품질기준이나 영업방식에 따라 상품 또는 용역을 판매하도록 함과 아울러 이에 따른 경영 및 영업활동 등에 대한 지원·교육과 통제를 하며, 가맹점사업자는 영업표지의 사용과 경영 및 영업활동 등에 대한 지원·교육의 대가로 가맹본부에 가맹금을 지급하는 계속적인 거래관계를 말한다.

□ 가맹사업법의 주요 내용

○ 정보공개서의 등록 등: 가맹본부는 가맹희망자에게 제공할 정보공개서를 공정위에 등록해야 하며, 기재사항 중 중요사항이 변경된 경우에는 정해진 기한 이내에 공정위에 변경등록을 하여야 한다.

○ 가맹금예치제도: 가맹본부가 가맹점사업자로 하여금 가입비·입회비·가맹비·교육비 또는 계약금 등 법 제2조 제6호 가목 및 나목에 해당하는 대가를 금전으로 지급받은 경우, 이를 직접 수령할 수 없으며 대통령령으로 정해진 예치기관에 일정기간 예치하도록 하여야 한다. 다만, 가맹본부가 가맹점사업자피해보상보험계약 등을 체결한 경우에는 직접 수령이 가능하다.

○ 정보공개서 등 제공: 가맹본부는 가맹희망자에게 정보공개서 및 인근가맹점 현황문서를 제공

해야 하며, 정보공개서를 제공한 후 14일(변호사 또는 가맹거래사의 자문을 받은 경우 7일)이 지나기 전에 가맹희망자와 가맹계약을 체결할 수 없다.

○ 허위・과장된 정보제공 금지: 가맹본부는 가맹희망자나 가맹점사업자에게 정보를 제공함에 있어 사실과 다르게 정보를 제공하거나 사실을 부풀려 정보를 제공하는 행위, 계약의 체결・유지에 중대한 영향을 미치는 사실을 은폐하거나 축소하는 방법으로 정보를 제공하는 행위를 해서는 안되며, 가맹계약 체결시 예상매출액 산정서를 제공해야 한다.

○ 불공정거래행위의 금지: 가맹본부는 상품이나 용역의 공급 또는 영업의 지원 등을 부당하게 중단 또는 거절하는 행위, 가맹점사업자가 취급하는 상품 또는 용역의 가격 등 사업활동을 부당하게 구속하거나 제한하는 행위, 거래상의 지위를 이용하여 부당하게 가맹점사업자에게 불이익을 주는 행위, 가맹점사업자에게 부당하게 손해배상 의무를 부담시키는 행위 등을 하여서는 아니된다.

○ 부당한 점포환경개선 강요 금지: 가맹본부는 대통령령으로 정하는 정당한 사유 없이 점포환경개선을 강요해서는 안되며, 일부 예외사유에 해당하는 경우가 아니면 가맹본부는 가맹점사업자의 점포환경개선에 소요되는 비용 중 100분의 20~40에 해당하는 금액을 부담하여야 한다.

○ 부당한 영업시간 구속 금지: 가맹본부는 정상적인 거래관행에 비추어 부당하게 가맹점사업자의 영업시간을 구속하는 행위를 하여서는 아니된다.

○ 부당한 영업지역 침해금지: 가맹본부는 가맹계약 체결 시 가맹점사업자의 영업지역을 설정하여 가맹계약서에 기재해야 하며, 정당한 사유 없이 가맹점사업자의 영업지역 안에 동일한 업종의 직영점이나 가맹점을 설치할 수 없다.

○ 가맹계약갱신요구권 등: 가맹점사업자는 10년을 초과하지 않는 범위 내에서 계약 갱신을 요구할 수 있고, 가맹본부는 정당한 사유 없이 이를 거절하지 못한다.

○ 가맹점사업자단체의 권리: 가맹점사업자는 가맹점사업자단체를 구성할 수 있으며, 가맹본부에 대해 거래조건의 협의를 요청할 수 있다.

□ 법 위반 시 제재

○ 행정적 제재

- 공정거래위원회는 가맹사업법을 위반한 가맹본부에 대하여 시정방안을 마련하여 이에 따를 것을 권고할 수 있다.

- 공정거래위원회는 가맹사업법을 위반한 가맹본부에 대하여 가맹금의 예치, 정보공개서 등의 제공, 점포환경개선 비용의 지급, 가맹금 반환, 위반행위의 중지, 위반내용의 시정을 위한 필요한 계획 또는 행위의 보고 그 밖에 위반행위의 시정에 필요한 조치를 명할 수 있다.
- 공정거래위원회는 가맹사업법을 위반한 가맹본부에 대하여 대통령령으로 정하는 매출액에 100분의 2를 곱한 금액(단, 매출액이 없거나 산정이 곤란한 경우 5억 원)을 초과하지 아니하는 범위에서 과징금을 부과할 수 있다.

○ 벌칙

- 공정거래위원회의 고발에 의해 5년 이하의 징역 또는 3억 원 이하의 벌금에 처해질 수 있다(가맹사업법 41조). 공정거래위원회는 허위자료제출, 조사거부·방해, 정보공개서 변경 등록 미이행, 중요자료 미보관, 거짓신고 등의 행위에 대하여 과태료를 부과할 수 있다.

(3) 유통거래

□ 기본 개념

○ 막대한 구매력을 지닌 백화점, 대형마트, TV홈쇼핑 등 대규모 유통업자들의 납품업자나 매장 임차인 등 거래 상대방에 대한 불공정 거래관행이 만연되어 있다. 이에 대규모 유통업에서의 공정한 거래질서를 확립하고 대규모 유통업자와 납품업자, 매장임차인이 대등한 지위에서 상호 보완적으로 발전할 수 있도록 하고자 대규모유통업법 제정·시행(2012.1.1. 시행)되었다.

○ 직매입거래: 대규모 유통업자가 매입한 상품 중 판매되지 아니한 상품에 대한 판매책임을 부담하고 납품업자로부터 상품을 매입하는 형태의 거래를 말한다.

○ 특약매입거래: 대규모 유통업자가 매입한 상품 중 판매되지 아니한 상품을 반품할 수 있는 조건으로 납품업자로부터 상품을 외상 매입하고 상품판매 후 일정률이나 일정액의 판매수익을 공제한 상품판매대금을 납품업자에게 지급하는 형태의 거래를 말한다.

○ 위·수탁거래: 대규모 유통업자가 납품업자가 납품한 상품을 자기 명의로 판매하고 상품판매 후 일정률이나 일정액의 수수료를 공제한 상품판매대금을 납품업자에게 지급하는 형태의 거래를 말한다.

□ 대규모유통업법의 주요 내용

○ 서면의 교부: 대규모 유통업자는 납품업자 등과 계약을 체결한 즉시 납품업자 등에게 계약사항이 명시된 서면을 교부해야 한다.

○ 계약추정제도: 납품업자 등의 계약확인 통지에 대하여 대규모 유통업자가 통지를 받은 날부터 15일 이내에 회신하지 않으면 납품업자 등이 통지한 내용대로 계약이 체결된 것으로 추정한다.

○ 서류보존기간: 대규모 유통업자는 납품업자 등과 계약이 끝난 날부터 5년간 거래 상대방과 사이의 거래에 관한 서류를 보존해야 한다.

○ 상품대금 감액의 금지: 대규모 유통업자는 납품받은 상품의 대금을 정당한 사유 없이 감액하여서는 아니된다.

○ 상품판매대금의 지급 기한: 대규모 유통업자는 특약매입거래, 매장임대차거래, 위·수탁거래에서 해당 상품의 판매대금을 월 판매마감일로부터 40일 이내에 납품업자 등에게 지급하여야 한다.

○ 상품 수령 거부·지체 금지: 대규모 유통업자는 납품업자와 납품에 관한 계약을 체결한 후 정당한 사유없이 해당 상품의 전부 또는 일부의 수령을 거부하거나 지체하여서는 아니된다.

○ 상품 반품 금지: 대규모 유통업자는 정당한 사유없이 납품받은 상품의 전부 또는 일부를 반품하여서는 아니된다.

○ 판매촉진비용 부담전가 금지: 대규모 유통업자는 판매촉진행사를 실시하기 이전에 판매촉진행사에 소요되는 비용의 부담 등을 납품업자 등과 약정하지 아니하고는 이를 납품업자 등에게 부담시켜서는 아니된다.

○ 판매촉진비용의 분담: 판매촉진비용의 분담비율은 해당 판매촉진행사로 얻을 것으로 예상되는 경제적 이익의 비율에 따라 정하되 납품업자의 분담비율은 50%를 초과할 수 없다.

○ 납품업자 등의 종업원 사용 금지: 대규모 유통업자가 파견된 종업원의 제반 비용을 부담하는 등 정당한 사유가 있는 외에는 납품업자 등의 종업원을 사용하여서는 아니된다.

○ 배타적 거래 강요 금지: 대규모 유통업자는 부당하게 납품업자 등에게 배타적 거래를 하도록 하거나 납품업자 등이 다른 사업자와 거래하는 것을 방해하는 행위를 하여서는 아니된다.

○ 경영정보 제공 요구 금지: 대규모 유통업자는 부당하게 납품업자가 다른 사업자에게 공급하는 상품의 공급조건, 매장임차인이 다른 사업자의 매장에 들어가기 위한 입점조건 등 경영정

보를 제공하도록 요구하여서는 아니된다.

○ 경제적 이익 제공 요구 금지: 대규모 유통업자는 정당한 사유 없이 납품업자 등에게 자기 또는 제3자를 위하여 금전, 물품, 용역, 그 밖의 경제적 이익을 제공하게 하여서는 아니된다.

○ 매장 설비비용의 보상: 대규모 유통업자는 납품업자 등과의 거래를 중단하거나 매장 위치 · 면적 · 시설을 변경하는 경우에 납품업자 등이 지출한 설비비용 총액에서 잔여 계약기간의 상당분을 보상해야 한다.

○ 상품권 구입 요구 금지 등: 대규모 유통업자는 정당한 사유 없이 납품업자 등에게 상품권 구입을 요구하는 등 기타 이익제공 강요, 불이익제공 행위를 하여서는 아니된다.

□ 법 위반 시 제재

○ 행정적 제재

- 공정거래위원회는 대규모유통업법을 위반한 대규모 유통업자에게 시정방안을 마련하여 이에 따를 것을 권고할 수 있다.
- 공정거래위원회는 대규모유통업법을 위반한 대규모 유통업자에게 법 위반행위의 중지, 향후 재발방지, 상품판매대금의 지급, 매장 설비비용의 보상, 계약조항의 삭제 · 수정, 시정명령을 받은 사실의 공표, 시정명령을 받은 사실의 거래상대방인 납품업자 등에 대한 통지, 법 위반행위의 시정에 필요한 계획 또는 행위의 보고나 그 밖의 시정에 필요한 조치를 명할 수 있다.
- 공정거래위원회는 대규모유통업법을 위반한 대규모 유통업자에게 대통령령으로 정하는 산출방식에 따른 납품대금이나 연간 임대료를 초과하지 아니하는 범위에서 과징금을 부과할 수 있다.

○ 벌칙

- 공정거래위원회의 고발에 의해 2년 이하의 징역 또는 1억5천만 원 이하의 벌금에 처해질 수 있다(대규모유통업법 39조 1항).

5 공정거래위원회 사건처리 절차와 주요 제도

□ 사건처리 절차

○ 공정거래위원회 소관 법령에 위반되는 사건의 처리를 위하여 행해지는 행정적・준사법적 절차를 말한다.

○ 인지단계: 법 규정 위반 혐의가 있다고 인정되는 경우 직권 또는 신고에 의한 조사 가능하다(공정거래법 49조). 위반혐의는 직권인지가 원칙이고, 신고주의를 보충적으로 채택하고 있다.

○ 조사・심사 단계: 사건심사 착수보고(사건번호, 사건명부여) 후 조사권을 발동하여 본조사를 실시한다. 조사내용이 법에 위반되는 경우 심사보고서를 작성하여 위원회에 상정하고 시정명령, 과징금 납부명령 등의 조치의견을 제시한다. 사건처리를 담당하는 부서에서 심사보고서를 작성하여 결재를 받은 후, 위원회 전원회의 또는 소회의에 상정한다.

○ 심의・의결 단계: 사건심사 착수보고(사건번호, 사건명부여) 후 조사권을 발동하여 본조사를 실시한다. 심의는 위원회가 피심인과 심사관을 회의에 출석하도록 하여 대심 구조하에 사실관계 등을 확인하는 과정으로 피심인 등에 대한 본인확인, 심사관의 심사보고, 피심인의 의견진술, 심사관의 의견진술, 위원들 질문 및 사실관계 확인, 참고인 등의 심의참가, 심사관의 조치의견 발표, 피심인의 최후진술 등의 순으로 진행한다. 합의는 심의가 종료된 후 위원들만 참석하여 비공개로 위법 여부, 조치내용 등에 대해 논의・합의하는 과정을 말한다(공정거래법 43조).

○ 의결 결과 통지: 합의 결과에 대해 의결서를 작성하여 당해 심사관이 의결서 정본을 피심인에게 송달하는 절차로 이로써 피심인의 의무가 발생하거나 권리행사가 제한된다(공정거래법 45조).

○ 이의신청 및 집행정지: 공정위의 처분통지를 받은 날부터 30일 이내에 이의신청 제기가 가능하고, 이에 대해 공정위는 60일 이내에 재결을 하고 30일 내에서 기간 연장이 가능하다(공정거래법 제53조). 시정조치 명령을 행할 경우 발생할 수 있는 회복하기 어려운 손해를 예방하기 위해 직권 또는 당사자의 신청으로 집행정지가 가능하다(공정거래법 53조의2).

○ 행정소송: 공정위의 처분 또는 이의신청에 대한 재결서를 송달받은 날부터 30일 이내에 서울고등법원에 행정소송을 제기하는 것이 가능하다(공정거래법 54조, 55조). 이의신청을 하지 않고 바로 행정소송을 제기하는 것도 가능하다.

○ 공정거래위원회의 조치 유형: 위원회가 심의를 거쳐 조치할 수 있는 유형으로 재심사명령, 심의절차종료, 무혐의, 종결처리, 조사 등 중지, 경고, 시정권고, 시정명령, 고발 등이 있다.

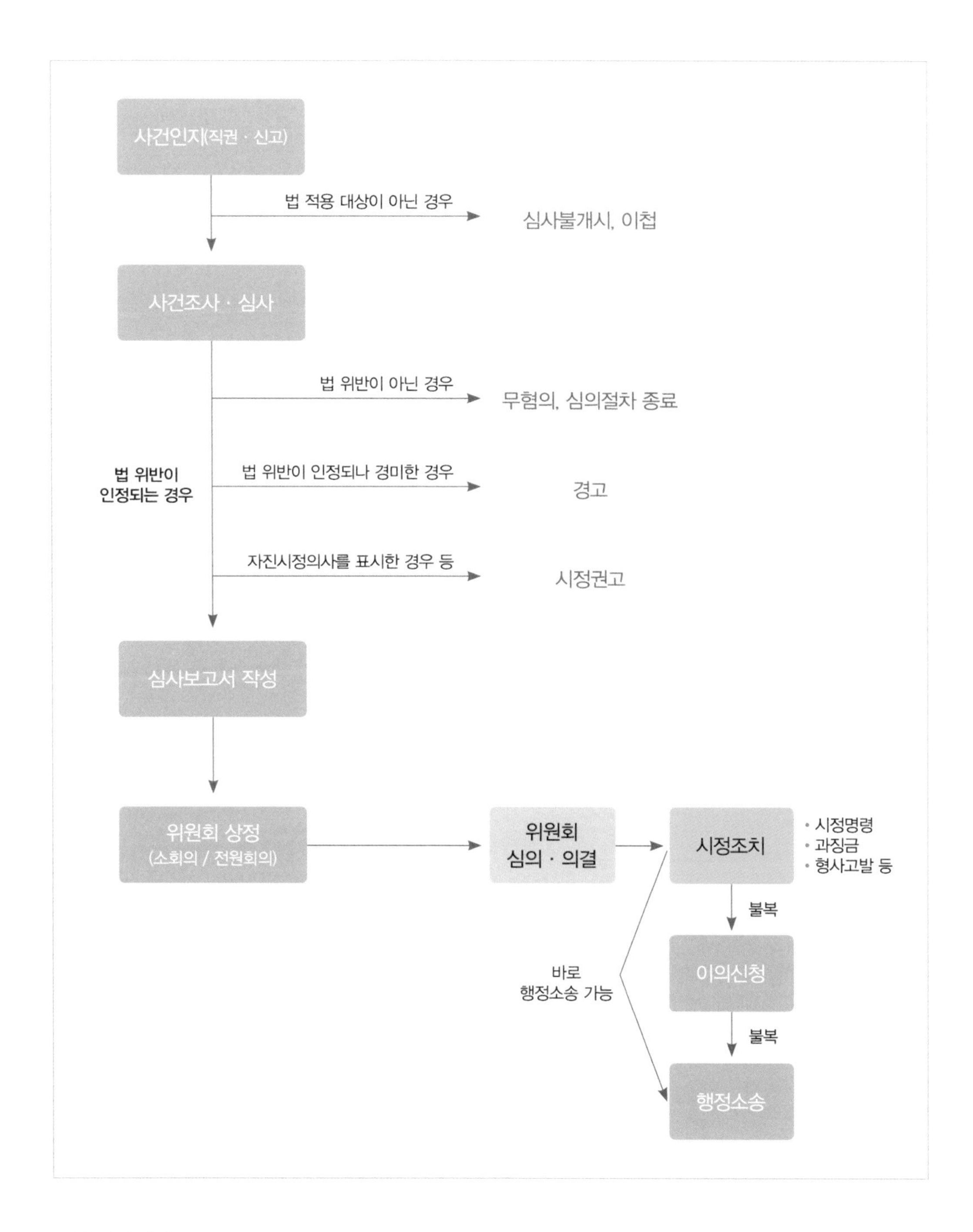

□ 동의명령제도

○ 동의명령제도란 공정거래 관련 사건에서 조사・심의를 받는 사업자가 스스로 시정방안을 제안하고 공정위가 그 시정방안의 타당성을 인정하면, 위법 여부를 확정하지 않고 사건을 신속

하게 종결하는 제도를 말한다.

○ 동의명령제도가 도입되면 기업은 법 위반 판정을 받지 않고 자율적으로 시정 방안을 마련해 신속하게 사건을 해결함으로써 사업상 불확실성을 조기에 제거하고 불공정기업 판정으로 인한 이미지 훼손을 막을 수 있으며, 이를 위한 시간과 비용을 절약할 수 있음 공정위 역시 법 집행의 효과를 통상적인 절차와 거의 동일하게 구현하면서도 피규제자의 동의를 얻어냄으로써 법 집행을 원활하게 할 수 있으며, 위법성 판단과 관련된 쟁송 등에 소요되는 행정 비용을 상당 부분 절감할 수 있다. 소비자 등 피해자의 입장에서도 사안에 따라서는 통상의 시정 조치에는 포함되기 어려운 가격 인하, 손해보상 등 보다 직접적이고 다양한 시정 수단을 통해 실질적인 구제를 받을 수 있다.

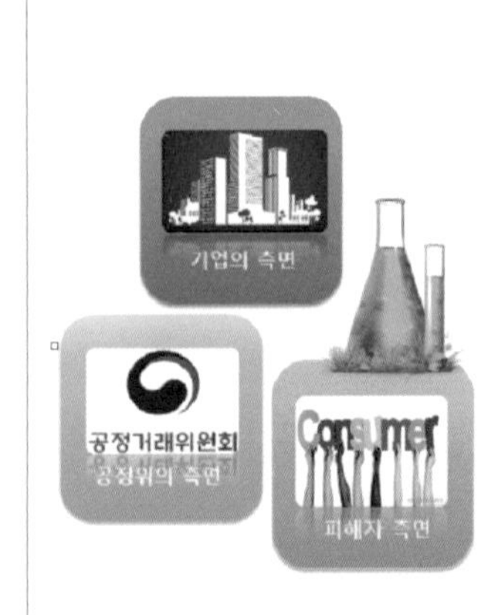

01 기업의 측면

법 위반 판정을 받지 않고 자율적으로 시정방안을 마련해 신속하게 사건을 해결함으로써 사업상 불확실성을 조기에 제거하고 불공정기업 판정으로 인한 이미지 훼손을 막을 수 있으며, 이를 위한 시간과 비용을 절약할 수 있음

02 공정위의 측면

법 집행의 효과와 통상적인 절차와 거의 동일하게 구현하면서도 피규제자의 동의를 얻어냄으로써 법 집행을 원활하게 할 수 있으며, 위법성 판단과 관련된 쟁송 등에 소요되는 행정비용을 상당부분 절감할 수 있음

03 소비자 등 피해자의 측면

사안에 따라서는 통상의 시정조치에 포함되지 어려운 가격인하, 손해보상 등 보다 직접적이고 다양한 시정 수단을 통해 실질적인 구제를 받을 수 있음

[동의의결절차 흐름도]

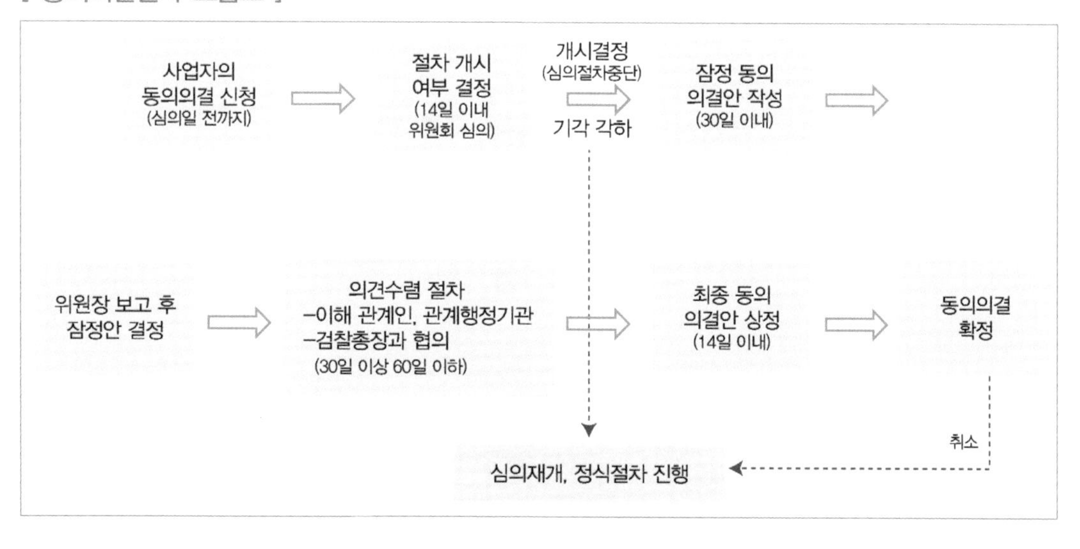
사업자의
동의의결 신청
(심의일 전까지)
절차 개시
여부 결정
(14일 이내
위원회 심의)
개시결정
(심의절차중단)
기각 각하
잠정 동의
의결안 작성
(30일 이내)
위원장 보고 후
잠정안 결정
의견수렴 절차
-이해 관계인, 관계행정기관
-검찰총장과 협의
(30일 이상 60일 이하)
최종 동의
의결안 상정
(14일 이내)
동의의결
확정
취소
심의재개, 정식절차 진행

6 2019년 1월 개정 표준가맹계약서(외식업종)

프랜차이즈(외식업종) 표준계약서

제 1 장 총 칙

제1조 (목 적)

이 표준계약서는 외식업을 영업으로 하는 가맹사업에 있어서 가맹본부와 가맹점사업자 간에 공정한 계약조건에 따른 가맹계약을 체결하도록 하기 위한 표준적 계약조건을 제시함을 목적으로 한다.

제2조 (용어의 정의)

이 계약서에서 사용된 용어는 다음 각 호와 같은 의미를 갖는다.

1. "가맹사업"이라 함은 가맹본부가 가맹점사업자(가맹희망자를 포함한다)로 하여금 자신의 상표・서비스표・상호・간판 그 밖의 영업표지(이하 "영업표지"라 한다)를 사용하여 일정한 품질기준이나 영업방식에 따라 외식업을 영위함과 아울러 이에 따른 경영 및 영업활동 등에 대한 지원・교육과 통제를 하고, 가맹점사업자는 이에 대한 대가로 가맹본부에 가맹금을 지급하는 것을 내용으로 하는 계속적인 거래관계를 말한다.
2. "가맹본부"라 함은 가맹계약과 관련하여 가맹점사업자에게 가맹점운영권을 부여하는 사업자를 말한다.
3. "가맹점사업자"라 함은 가맹계약과 관련하여 가맹본부로부터 가맹점운영권을 부여받은 사업자를 말한다.
4. "가맹금"이라 함은 명칭이나 지급형태의 여하에 관계없이 가맹점사업자가 가맹계약에 따

본인은 본 페이지의 내용에 대한 설명을 듣고, 이를 완전히 이해하였음	(인)

라 가맹본부에 지급하는 대가를 말하며, 최초가맹금, 계속가맹금, 계약이행보증금을 포함한다.

5. "최초가맹금"이라 함은 가입비 · 입회비 · 계약금 · 할부금 · 오픈지원비 · 최초교육비 등 명칭을 불문하고 가맹점사업자가 가맹점운영권을 부여받아 가맹사업에 착수하기 위하여 가맹본부에 지급하는 대가를 말한다.
6. "계속가맹금"이라 함은 상표사용료, 교육비, 경영지원비 등 명칭을 불문하고 가맹점사업자가 가맹사업에 착수한 이후 가맹사업을 유지하기 위하여 영업표지의 사용과 영업활동 등에 관한 지원 · 교육, 그 밖의 사항과 관련하여 가맹본부에 정기적으로 또는 비정기적으로 지급하는 모든 대가를 말한다.
7. "계약이행보증금"이란 가맹점사업자가 가맹본부로부터 공급받는 상품의 대금 등에 관한 채무액이나 이와 관련한 손해배상액의 지급을 담보하기 위하여 가맹본부에 지급하는 대가를 말한다.
8. "영업비밀"이라 함은 공공연히 알려져 있지 아니하고 독립된 경제적 가치를 가지는 것으로서, 가맹본부의 상당한 노력에 의하여 비밀로 유지된 생산방법, 판매방법, 그 밖에 영업활동에 유용한 기술상 또는 경영상의 정보를 말한다.

제3조 (계약당사자의 지위)

① 가맹본부와 가맹점사업자는 상호 간에 독립한 사업자로서 대등한 관계에서 이 건 가맹계약을 체결한다.

② 가맹본부와 가맹점사업자 사이에는 상호 간에 대리관계나 위임관계, 사용자와 피용자 관계, 동업자 관계 등 여하한 특별한 관계도 존재하지 아니한다.

제4조 (신의성실의 원칙)

가맹본부와 가맹점사업자는 이 가맹계약에 따라 가맹사업을 영위함에 있어서 각자의 업무를 신의에 따라 성실하게 수행하여야 한다.

본인은 본 페이지의 내용에 대한 설명을 듣고, 이를 완전히 이해하였음	(인)

제5조 (가맹본부의 준수사항)

가맹본부는 이 계약에서 정한 의무 외에 다음 각 호의 사항을 준수한다.

1. 가맹사업의 성공을 위한 사업구상
2. 상품이나 용역의 품질관리와 판매기법의 개발을 위한 계속적 노력
3. 가맹점사업자에 대하여 합리적 가격과 비용에 의한 점포설비의 설치, 상품 또는 용역 등의 공급
4. 가맹점사업자와 그 직원에 대한 교육・훈련
5. 가맹점사업자의 경영・영업활동에 대한 지속적인 조언과 지원
6. 가맹계약기간 중 가맹점사업자의 영업지역에서 자기의 직영점을 설치하거나 가맹점사업자와 동일한 업종의 가맹점을 설치하는 행위의 금지
7. 가맹점사업자와의 대화와 협상을 통한 분쟁해결 노력
8. 특정 가맹점사업자에 대한 보복 목적의 관리 및 감독, 근접출점, 출혈 판촉행사, 사업자단체활동 등을 이유로 한 불이익 제공 행위 금지
9. 분쟁 조정신청, 공정거래위원회의 조사 및 서면실태조사 협조 등을 이유로 한 보복 조치 금지

제6조 (가맹점사업자의 준수사항)

가맹점사업자는 이 계약에서 정한 의무 외에 다음 각 호의 사항을 준수한다.

1. 가맹사업의 통일성 및 가맹본부의 명성을 유지하기 위한 노력
2. 가맹본부의 공급계획과 소비자의 수요충족에 필요한 적정한 재고유지 및 상품진열
3. 가맹본부가 상품 또는 용역에 대하여 제시하는 적절한 품질기준의 준수
4. 제3호의 규정에 의한 품질기준의 상품 또는 용역을 구입하지 못하는 경우 가맹본부가 제공하는 상품 또는 용역의 사용
5. 가맹본부가 사업장의 설비와 외관, 운송수단에 대하여 제시하는 적절한 기준의 준수

본인은 본 페이지의 내용에 대한 설명을 듣고, 이를 완전히 이해하였음	(인)

6. 취급하는 상품·용역이나 영업활동을 변경하는 경우 가맹본부와의 사전 협의
7. 상품 및 용역의 구입과 판매에 관한 회계장부 등 가맹본부의 통일적 사업경영 및 판매전략의 수립에 필요한 자료의 유지와 제공
8. 가맹점의 업무현황 및 제7호의 규정에 의한 자료의 확인과 기록을 위한 가맹본부의 임직원 그 밖의 대리인의 사업장 출입 허용
9. 가맹본부의 동의를 얻지 아니한 경우 사업장의 위치변경 또는 가맹점운영권의 양도금지
10. 가맹계약기간 중 가맹본부와 동일한 업종을 영위하는 행위의 금지
11. 가맹본부의 영업기술이나 영업비밀의 누설 금지
12. 가맹본부의 영업표지 기타 지적재산권에 대한 침해사실을 인지하는 경우 가맹본부에 대한 침해사실의 통보와 금지조치에 필요한 적절한 협력

제7조 (불공정거래행위의 금지)

가맹본부는 다음 각 호의 어느 하나에 해당하는 행위로서 가맹사업의 공정한 거래를 저해할 우려가 있는 행위를 하거나 제3자에게 이를 행하도록 하지 아니한다.

1. 가맹점사업자의 귀책으로 보기 어려운 행위 등을 이유로 가맹점사업자에게 상품이나 용역의 공급 또는 영업지원 등을 중단 또는 거절하거나 그 내용을 현저히 제한하는 행위
2. 가격구속, 거래상대방 구속, 상품 또는 용역의 판매제한, 영업지역 준수강제 등의 방법으로 가맹점사업자가 취급하는 상품 또는 용역의 가격, 거래상대방, 거래지역이나 가맹점사업자의 사업활동을 가맹본부의 상표권 보호, 상품 또는 용역의 동일성 유지 등 가맹사업경영에 필수적인 수준에 비추어 과도하게 구속하거나 제한하는 행위
3. 거래상 지위를 이용하여 구입강제, 경제적 이익제공 또는 비용부담 강요, 가맹점사업자에게 불리한 계약조항의 설정 또는 변경, 경영간섭, 판매목표 강제 등의 방법으로 가맹점사업자에게 불이익을 주는 행위
4. 계약의 목적과 내용, 발생할 손해 등에 비하여 과중한 위약금 또는 지연손해금을 설정·부과하는 행위

본인은 본 페이지의 내용에 대한 설명을 듣고, 이를 완전히 이해하였음	(인)

5. 경쟁가맹본부의 가맹점사업자를 자기와 거래하도록 유인하여 자기의 가맹점사업자의 영업에 불이익을 주는 행위 등 제1호 내지 제4호 외의 행위로서 가맹사업의 공정한 거래질서를 저해할 우려가 있는 행위

제 2 장　개점의 준비

제8조 (가맹점의 표시)

이 계약에 의하여 가맹점사업자가 개설하게 되는 가맹점의 표시는 다음과 같다.

(1) 점포명 :

(2) 상호 및 대표자 :

(3) 점포 소재지 :

(4) 점포 규모 : ㎡

(5) 영업지역 : 별첨 [1]에 표시된 지역

제9조 (가맹점운영권의 부여)

① 가맹본부는 가맹점사업자가 계약기간 중에 가맹본부의 영업시스템에 따라 외식업을 운영하도록 하기 위하여 필요한 범위에서 가맹점사업자에게 다음 각 호의 권리를 부여한다.

1. 가맹본부의 영업표지의 사용권
2. 가맹사업과 관련하여 등기・등록된 권리나 영업비밀의 사용권
3. 상품 또는 원・부재료(이하 "원・부재료 등"이라 한다)를 공급받을 권리
4. 노하우(know-how) 전수, 지도, 교육 기타 경영지원을 받을 권리
5. 기타 가맹본부가 본 계약상의 영업과 관련하여 보유하는 권리로서 당사자가 사용허가의 대상으로 삼은 권리

② 이 계약에서 가맹점사업자에게 사용이 허가된 영업표지의 표시는 별첨 [2]와 같다.

본인은 본 페이지의 내용에 대한 설명을 듣고, 이를 완전히 이해하였음	(인)

제10조 (지식재산권의 확보)

① 가맹본부는 가맹사업에 사용하는 영업표지에 대한 배타적 독점권을 확보하여야 한다.

② 가맹본부는 가맹점사업자에게 사용을 허가한 각종 권리의 진정성과 적법성 및 대항력에 대하여 책임을 진다.

③ 가맹본부가 사용을 허가한 지식재산권이 기간 만료 등으로 인하여 더 이상 사용할 수 없게 된 경우 가맹본부는 가맹본부의 책임과 비용으로 가맹점사업자에게 이를 대체할 수 있는 수단을 제공하여야 하며 이로 인하여 발생한 손해를 배상할 책임을 진다.

제11조 (계약의 발효일과 계약기간)

이 계약은 20 년 월 일부터 발효되며 그 기간은 계약 발효일로부터 20 년 월 일까지 ( )년간으로 한다.

제12조 (영업지역의 보호)

① 가맹점사업자의 영업지역은 별첨 [1]과 같이 하며, 가맹본부는 계약기간 중 가맹점 사업자의 영업지역에서 가맹점사업자와 동일한 업종의 자기 또는 계열회사의 직영점이나 가맹점을 개설하지 아니한다.

② 가맹본부는 계약기간 중 또는 계약갱신 과정에서 가맹점사업자의 영업지역을 축소할 수 없다. 다만, 계약갱신 과정에서 다음 각 호의 어느 하나에 해당하는 경우에는 가맹점사업자와의 합의를 통해 영업지역을 조정할 수 있다.

1. 재건축, 재개발 또는 신도시 건설 등으로 인하여 상권의 급격한 변화가 발생하는 경우
2. 해당 상권의 거주인구 또는 유동인구가 현저히 변동되는 경우
3. 소비자의 기호변화 등으로 인하여 해당 상품·용역에 대한 수요가 현저히 변동되는 경우
4. 제1호부터 제3호까지의 규정에 준하는 경우로서 기존 영업지역을 그대로 유지하는 것이

본인은 본 페이지의 내용에 대한 설명을 듣고, 이를 완전히 이해하였음	(인)

현저히 불합리하다고 인정되는 경우

③ 가맹점사업자는 가맹본부와 약정한 영업지역을 준수하며, 영업지역을 벗어나 다른 가맹점의 영업지역을 침범하지 아니한다. 가맹점사업자가 자신의 영업지역을 벗어나 다른 가맹점사업자의 영업지역에 속한 고객에게 영업활동을 하는 경우 가맹본부는 다음 각 호의 어느 하나의 조치를 취하여 가맹점사업자 상호 간의 이해관계를 합리적으로 조정할 수 있다.

1. 가맹본부가 두 가맹점사업자 간의 보상금 지불에 대한 중재안을 제시
2. 영업지역을 침해받은 가맹점사업자의 영업지역 조정 요구가 있는 경우 매출액 현황 조사 등 필요한 조치 수행
3. 특정 가맹점사업자가 다른 가맹점사업자의 영업지역을 반복적으로 침해하여 다른 가맹점사업자의 영업과 가맹본부의 가맹사업 경영에 심각한 손해를 가한 경우 그 가맹점사업자에게 행위의 시정을 요구하고 손해배상 청구

④ 가맹본부는 가맹점사업자가 영업지역 내의 다른 점포로의 이전 승인을 요청하는 경우 이전희망 점포가 기존 점포 승인 당시의 승인요건을 충족하면 이를 조건없이 승인한다.

제13조 (점포의 설비)

① 가맹점사업자의 점포설비(인테리어)는 가맹사업 전체의 통일성과 독창성을 유지할 수 있도록 가맹본부가 정한 사양에 따라 설계・시공한다(기존시설을 변경하는 경우에도 같다). 가맹본부는 기본적인 설계도면과 시방서를 마련하고 계약체결 이후 가맹점사업자에게 이를 제공하여야 한다.

② 가맹점사업자는 가맹본부가 정한 사양에 따라 직접 시공하거나 가맹본부 또는 가맹본부가 지정한 업체를 통해 시공할 수 있다.

③ 가맹점사업자가 점포 설비에 관한 시공을 하는 경우 가맹본부는 공사의 원활한 진행을 위하여 자신의 비용으로 직원을 파견할 수 있다.

④ 가맹점사업자가 가맹본부 또는 가맹본부가 지정한 업체를 통해 시공하는 경우 가맹본부는

본인은 본 페이지의 내용에 대한 설명을 듣고, 이를 완전히 이해하였음	(인)

영업설비기간 · 공사세부내역 · 구체적인 부담액 · 담보기간 등 구체적인 내용을 가맹점사업자와 협의하여 정하며, 협의한 내용을 가맹점사업자에게 서면으로 제공한다.

⑤ 점포설비에 따른 제반 인 · 허가는 이 계약체결일로부터 (　　)일 이내에 가맹점사업자가 자신의 책임과 비용으로 취득한다. 다만, 가맹본부가 직접 시공한 경우 또는 가맹본부가 지정하거나 권유한 업체를 통하여 시공한 경우에는 당사자 간 협의하여 그 책임과 비용을 분담할 수 있다.

⑥ 가맹본부는 점포의 시설, 장비, 인테리어 등의 노후화가 객관적으로 인정되는 경우 또는 위생 · 안전의 결함이나 이에 준하는 사유로 인하여 가맹사업의 통일성을 유지하기 어렵거나 정상적인 영업에 현저한 지장을 주는 경우에는 점포환경개선을 요구 또는 권유할 수 있다. 단, 노후화에 대한 객관적인 인정 시점은 최근 개선일로부터 최소 (　　)년 [커피업종(예시) : 5년, 치킨업종(예시) : 7년]으로 한다.

⑦ 가맹본부는 공사의 원활한 진행을 위하여 가맹점사업자에게 공사에 필요한 설계도면 제공 및 공사의 감리를 진행하며, 가맹점사업자는 이에 대한 대가로 실측 및 설계도면 제공비 (　　)원과 공사감리비 3.3㎡당 (　　)원을 가맹본부에게 지급한다. 다만 가맹점사업자가 가맹본부 또는 가맹본부가 지정한 업체에게 공사를 의뢰하는 경우에는 그러하지 아니하다.

⑧ 가맹점사업자가 가맹본부와 직접 공사 계약을 하고 가맹본부가 공사업체에 이를 다시 도급하는 경우에는 가맹본부는 해당 가맹점사업자에게 공사업체와 체결하는 도급 금액 정보 및 도급계약서를 제공하여야 한다.

⑨ 가맹본부는 가맹점사업자의 점포환경개선에 간판교체비용, 인테리어 공사비용(장비 · 집기의 교체비용을 제외한 실내건축공사에 소요되는 일체의 비용을 말한다)이 소요될 경우에는 그 금액의 20%(점포의 확장 또는 이전을 수반하는 경우에는 40%)를 부담한다. 다만, 가맹본부의 권유 또는 요구가 없음에도 가맹점사업자가 자발적 의사에 의하여 점포환경을 개선하거나 가맹점사업자의 귀책사유로 위생 · 안전 및 이와 유사한 문제가 발생하여 불가피하게 점포환경을 개선하는 경우는 그러하지 아니하다.

본인은 본 페이지의 내용에 대한 설명을 듣고, 이를 완전히 이해하였음	(인)

제14조 (가맹점사업자 피해보상보험계약 등의 체결)

① 가맹본부는 가맹점사업자의 피해를 보상하기 위하여 다음 각 호의 어느 하나에 해당하는 계약(이하 "가맹점사업자 피해보상보험 등"이라 한다)을 체결할 수 있다.

1. 「보험업법」에 따른 보험계약
2. 가맹점사업자 피해보상금의 지급을 확보하기 위한 「금융감독기구의 설치 등에 관한 법률」 제38조에 따른 기관의 채무지급보증계약
3. 공정거래위원회의 인가를 받아 설립된 공제조합과의 공제계약

② 가맹본부가 가맹점사업자 피해보상보험 등을 체결한 경우, 가맹본부는 가맹점사업자로부터 최초가맹금을 직접 수령할 수 있다.

제 3 장 가맹점사업자의 부담

제15조 (최초가맹금)

① 가맹점사업자가 가맹본부에 지급하여야 할 최초가맹금의 내역은 다음 표와 같다.

최초가맹금 내역	금액 (단위: 천 원)	포함내역	지급 기한	반환 조건	반환될 수 없는 사유
가입비		장소선정 지원비, 가맹사업운영매뉴얼 제공비, 오픈지원비 등			
최초교육비					
합계					

본인은 본 페이지의 내용에 대한 설명을 듣고, 이를 완전히 이해하였음	(인)

② 가맹점사업자는 가맹점 영업이 개시되거나 계약체결일로부터 ( )일이 경과할 때까지 제1항의 최초가맹금 중 다음 표에 기재된 내역을 가맹본부가 지정하는 아래 금융회사에 예치하여야 한다. 다만, 가맹본부가 제14조의 가맹점사업자 피해보상보험 등을 체결한 경우에는 가맹본부가 직접 지급받을 수 있다.

예치가맹금 내역	금액(단위: 천 원)
가입비	
최초교육비	
합계	

* 예치금융회사: 은행 지점 부
  계좌번호: 예금주:

③ 가맹본부는 다음 각 호의 어느 하나에 해당하는 경우에 위 예치기관의 장에게 예치가맹금의 지급을 요청할 수 있다.

1. 가맹점사업자가 영업을 개시한 경우
2. 가맹계약 체결일로부터 2개월이 경과한 경우

제16조 (가맹금의 반환)

① 가맹점사업자 또는 가맹희망자는 다음 각 호의 어느 하나에 해당하는 경우에 이 계약의 체결일로부터 4개월 이내(제3호의 경우 가맹본부의 영업중단일로부터 4개월 이내)에 가맹본부에 서면으로 가맹금의 반환을 청구할 수 있다. 이 경우 반환하는 가맹금의 금액은 가맹계약의 체결 경위, 금전이나 그 밖에 지급된 대가의 성격, 가맹계약기간, 계약이행기간, 가맹사업당사자의 귀책정도 등을 고려하여 당사자의 협의에 의하여 결정한다.

1. 가맹본부가 등록된 정보공개서를 제공하지 아니하거나 정보공개서를 제공한 날로부터 14일(제45조에 따라 변호사 또는 가맹거래사의 자문을 받은 경우에는 7일)이 지나지 아니하였음에도 가

본인은 본 페이지의 내용에 대한 설명을 듣고, 이를 완전히 이해하였음	(인)

맹금을 수령(가맹금을 예치하는 경우에는 예치)하거나 가맹계약을 체결한 경우

2. 가맹본부가 가맹희망자에게 정보를 제공함에 있어 허위 또는 과장된 정보를 제공하거나 중요사항을 누락하여 계약 체결에 중대한 영향을 준 것으로 인정되는 경우

3. 가맹본부가 정당한 사유 없이 가맹사업을 일방적으로 중단한 경우

② 가맹점사업자는 계약기간 내에 자기의 귀책사유 없는 사유로 계약이 해지되는 등 가맹계약이 중도에 종료되는 경우에는 영업표지 사용료, 영업시스템의 계속적 이용료 등과 같이 전체 계약기간에 대한 선급금의 성질을 갖는 가맹금 중 미경과 잔여계약기간의 비율에 해당하는 금액의 반환을 청구할 수 있다. 다만, 이는 손해배상의 청구에 영향을 미치지 아니한다.

③ 제2항의 경우에 최초교육비 등과 같이 계약기간에 따른 선급금의 성질을 갖지 않는 가맹금 중 이행이 완료된 급부의 대가에 해당하는 가맹금에 관하여는 공평의 관념에 어긋나지 않는 범위에서 당사자의 약정에 따라 반환하지 아니할 수 있다.

④ 제2항에 의해 가맹본부가 가입비의 일부를 반환해야 하는 경우에는 가맹점사업자의 청구가 있는 날로부터 (　)일 이내에 반환하여야 한다.

※ 가맹사업법 제10조 제2항에 의하여 가맹점사업자의 청구가 있는 날로부터 1개월을 초과할 수 없음

제17조 (계속가맹금)

① 가맹점사업자가 가맹본부에 지급하여야 할 계속가맹금의 내역은 다음 표와 같다. 계속가맹금에는 가맹점사업자가 가맹본부로부터 공급받는 상품 · 원재료 · 부재료 등에 대하여 가맹본부에 지급하는 대가 중 적정한 도매가격을 넘는 대가를 포함한다.

본인은 본 페이지의 내용에 대한 설명을 듣고, 이를 완전히 이해하였음	(인)

계속가맹금 내역	금액 (단위: 천 원)	지급기한	반환조건	반환될 수 없는 사유
영업표지 사용료				
수시교육비				
광고비				
판촉비				
상품, 원・부재료 마진				
합계				

주1) 내역을 구분하지 않고 지급받는 경우에는 합계만 기재한다.
주2) 상품・원・부재료에 이윤을 부가하여 가맹금을 수취하는 경우, 정확한 금액을 기재하기 어려운 때에는 (전년도 상품, 원・부재료 공급 이윤 총액/전년도 말 기준 총 가맹점 개수)의 값을 기재한다.

② 가맹점사업자는 분기 종료 후 (　　)일까지 직전 분기의 총매출액을 서면 또는 POS시스템을 통하여 가맹본부에게 통지하여야 한다.

제18조 (계약이행보증금)

① 가맹점사업자는 영업표지 사용료, 광고・판촉비(가맹점사업자가 부담하게 되는 금액에 한한다) 등 계속가맹금 및 상품 등의 대금과 관련한 채무액 또는 손해배상액의 지급을 담보하기 위하여 직전연도 전체 가맹점사업자의 1회 평균 상품 등의 대금 (원・부재료 대금 포함)의 3배 이내에서 계약이행보증금으로 (　　　)원을 가맹본부에게 지급하거나 이에 상당하는 계약이행보증보험증권 또는 담보를 제공하여야 한다.

② 전항의 계약이행보증금을 금전으로 지급하는 경우, 가맹점사업자는 가맹점 영업이 개시되거나 계약체결일로부터 (　)일이 경과할 때까지 위 금전을 제15조 제2항에 지정된 금융기관에 예치하여야 한다. 다만, 가맹본부가 제14조의 가맹점사업자 피해보상보험 등을 체결한 경우에는 가맹본부에 직접 지급할 수 있다.

본인은 본 페이지의 내용에 대한 설명을 듣고, 이를 완전히 이해하였음	(인)

③ 계약이 기간만료 또는 해지 등의 사유로 인하여 종료된 경우 가맹본부는 기간만료일 또는 해지일로부터 (   )일 이내에 가맹점사업자에게 계약이행보증금으로 잔존 채무액과 손해배상액을 정산한 잔액을 상환하고 정산서를 교부하여야 한다.

④ 물적담보가 제공된 경우에는 가맹본부는 가맹점사업자로부터 잔존 채무액과 손해배상액을 지급받음과 동시에 물적담보의 말소에 필요한 서류를 담보권설정자에게 교부하여야 한다.

⑤ 가맹본부는 가맹점사업자가 적정한 계약이행보증금 등을 제공하였음에도 인적보증 등 담보를 추가로 요구해서는 아니 된다.

第19조 (최저임금 인상 등 비용부담 증가로 인한 가맹금의 조정)

① 가맹점사업자는 최저임금 인상 등으로 인해 비용이 증가하는 경우 가맹본부에게 가맹금의 조정을 요청할 수 있다.

② 가맹본부는 제1항에 따른 요청이 있은 날부터 10일 이내에 가맹금 조정을 위한 협의를 개시하며, 천재지변이나 전시・사변 등의 부득이한 사유 없이 협의를 거부하거나 게을리 하지 아니한다.

제 4 장 영업활동의 조건

第20조 (교육 및 훈련)

① 가맹본부가 정한 교육 및 훈련과정을 이수하지 아니하는 자는 가맹점의 관리자로 근무할 수 없다.

② 가맹본부의 교육훈련은 다음 표와 같이 구분하여 실시한다.

본인은 본 페이지의 내용에 대한 설명을 듣고, 이를 완전히 이해하였음	(인)

교육훈련과정	실시시기	가맹점사업자 부담비용 (단위: 천 원)
최초교육		
정기교육	연 ( )회	
특별교육		

③ 정기교육은 이를 실시하기 ( )일 전에 그 교육계획을 수립하여 가맹점사업자에게 서면으로 통지한다.

④ 특별교육은 이를 실시하기 ( )일 전에 장소와 시간을 정하여 서면으로 통지한다.

⑤ 가맹본부는 실비를 기준으로 교육비용을 산출하고, 그 산출근거를 명시한 서면에 의하여 가맹점사업자에게 그 지급을 요구하여야 한다.

⑥ 가맹점사업자는 자신이 비용을 부담하여 가맹본부에게 교육 및 훈련요원의 파견을 요청할 수 있다.

제21조 (경영지도)

① 가맹본부는 가맹점사업자의 경영활성화를 위하여 경영지도를 할 수 있다.

② 가맹점사업자는 자신의 비용부담으로 가맹본부에게 경영지도를 요청할 수 있다. 다만, 가맹점사업자가 부담하여야 할 비용은 가맹금에 포함된 통상의 경영지도 비용을 초과한 부분에 한한다.

③ 제2항의 요청을 받은 가맹본부는 경영지도계획서를 가맹점사업자에 제시하여야 한다.

④ 제3항의 경영지도계획서에는 경영지도내용, 기간, 경영진단 및 지도관계자의 성명, 소요비용 등이 포함되어야 한다.

본인은 본 페이지의 내용에 대한 설명을 듣고, 이를 완전히 이해하였음	(인)

⑤ 가맹본부는 경영지도결과 및 경영개선 방안을 경영지도 후 ( )일 이내에 가맹본부 담당자가 가맹점사업자에게 직접 방문하여 서면으로 제시하고 이를 설명하도록 한다.

제22조 (감독 및 통제)

① 가맹본부는 가맹점사업자의 경영상태를 파악하기 위하여 월(주) ( )회 점포를 점검하고 가맹점사업자에 그 결과를 지체 없이 통지하여야 하며 기준에 위반하는 사항에 대해 시정을 요구할 수 있다.

② 점포의 점검은 청결, 위생, 회계처리, 각종설비관리, 원·부재료관리 등의 상태를 대상으로 한다.

③ 가맹본부는 점포관리기준을 가맹점사업자에게 제시하고, 제시 후 ( )일부터 그 기준에 의하여 점검한다. 점포관리기준을 변경하는 경우에도 같다.

제23조 (주방기기의 설치 및 유지)

① 가맹점사업자는 가맹본부가 제시한 모델과 동일한 주방기기를 설치 및 사용하여야 한다.

② 가맹점사업자가 주방기기를 설치하는 경우 공사의 원활한 진행을 위하여 가맹본부는 자신의 비용으로 직원을 파견하여 지원할 수 있다.

③ 가맹본부는 가맹사업의 통일적인 운영을 위하여 가맹점사업자에게 일정 사양의 주방기기를 직접 공급하거나 업체를 지정하여 공급하도록 할 수 있으며 구체적인 내역과 가격은 별첨 [4]와 같다.

④ 제3항의 경우 가맹점사업자는 가맹본부 또는 가맹본부가 지정한 업체로부터 공급받은 주방기기의 수리를 가맹본부에 의뢰할 수 있다.

⑤ 제4항의 경우 가맹본부는 수리비의 견적 및 수리에 소요되는 기간을 즉시 통지하여야 하고, 수리가 불가능한 때에는 이유를 명시하여 소정기일 내에 회수하여야 하며 이유 없이 신품의 교체를 강요할 수 없다.

본인은 본 페이지의 내용에 대한 설명을 듣고, 이를 완전히 이해하였음	(인)

제24조 (POS 등 설비 및 기기]

① 가맹점사업자는 가맹점운영에 필요한 POS 등 설비 및 기기를 구비하여야 한다.

② 가맹본부는 가맹점사업자의 요청이 있는 경우 가맹점 영업에 필요한 설비 · 기기를 유상으로 대여할 수 있다. 이 경우 대여할 설비 및 기기의 내역, 대여비용 등 구체적인 사항은 당사자 간에 합의하여 별도로 결정한다.

③ 가맹점사업자는 대여받은 설비 · 기기를 제3자에게 양도하거나 담보로 제공할 수 없다.

④ 가맹점사업자는 대여받은 설비 · 기기를 자신의 비용으로 유지 · 보수한다.

⑤ 가맹점사업자가 대여받은 설비 · 기기를 멸실 · 훼손한 경우에는 구입가격에서 감가상각한 금액으로 배상한다.

제25조 (광고)

① 가맹본부는 가맹사업 및 가맹점 영업의 활성화를 위하여 전국단위 및 지역단위로 광고를 시행할 수 있다. 다만, 해당 지역 가맹점사업자 과반수의 반대가 있는 경우에는 그러하지 아니하다.

② 광고의 목적 · 횟수 · 시기 · 매체 등에 관한 기본적 사항은 가맹본부가 정하는 바에 의한다. 이와 관련하여 필요한 세부사항은 가맹본부가 합리적으로 결정하여 시행하고 위 세부사항을 기재한 서면으로 가맹점사업자에게 사후 통지한다.

③ 전국단위 광고에 소요되는 비용은 가맹본부가 (　)%, 해당 가맹점사업자가 (　)%씩 각각 분담한다. 가맹점사업자 간의 개별 분담액은 광고시행 직전 분기의 각 가맹점사업자의 총매출액 비율에 따라 산정한다.

④ 가맹본부는 당해 분기에 지출한 광고비 중에서 각 가맹점사업자가 부담해야 할 금액을 다음 분기 첫 달의 말일까지 명세서를 첨부하여 통지하고, 가맹점사업자는 그 통지를 받은 날로부터 (　)일 이내에 지급한다.

본인은 본 페이지의 내용에 대한 설명을 듣고, 이를 완전히 이해하였음	(인)

⑤ 가맹점사업자는 자기의 비용으로 영업지역 내에서 광고를 시행할 수 있다. 이 경우 가맹점사업자는 광고의 계획과 문안, 기타 광고와 관련된 세부사항에 관하여 사전에 가맹본부의 승인을 받아야 한다.

⑥ 가맹본부는 사업연도 중 가맹점사업자가 비용의 일부라도 부담한 광고를 시행한 경우 다음 각 호의 사항을 사업연도 종료 후 3개월 이내에 가맹점 사업자에게 통보하여야 한다.

1. 해당 사업연도에 실시한 광고(해당 사업연도에 일부라도 비용이 집행된 경우를 포함한다. 이하 같다)별 명칭, 내용 및 실시기간
2. 해당 사업연도에 광고를 위하여 전체 가맹점사업자로부터 지급받은 금액
3. 해당 사업연도에 실시한 광고로 집행한 비용 및 가맹점사업자가 부담한 총액

⑦ 가맹점사업자가 광고매체별 광고 횟수, 광고단가 등 세부 산출 근거가 포함된 광고집행 내역의 열람을 요구하는 경우 가맹본부는 열람의 일시, 장소를 정하여 이를 열람할 수 있도록 한다.

제26조 (판촉)

① 가맹본부는 가맹사업 및 가맹점 영업의 활성화를 위하여 전국단위 및 지역단위로 할인판매, 경품제공, 이벤트 등과 같은 판촉활동을 시행할 수 있다. 다만, 해당 지역 가맹점사업자 30% 이상이 판촉활동의 시행 여부 및 판촉행사의 주요내용에 반대가 있는 경우에는 그러하지 아니하다.

② 제1항의 절차에 따라 판촉행사를 실시하는 경우에 가맹본부는 판촉행사의 주요내용(판촉시기, 판촉물품의 종류, 가맹본부와 가맹점사업자 간의 비용분담 기준)을 포함한 판촉계획을 사전에 가맹점사업자에게 제공하여야 한다.

③ 가맹점에서 판매하는 상품의 할인비용이나 제공하는 경품 · 기념품 등의 비용, 판촉활동을 위한 통일적 팜플렛 · 전단 · 리플렛 · 카달로그의 제작 비용, 온라인 · 모바일 상품권 발행비용 등 판촉행사에 소요되는 비용은 가맹본부와 가맹점사업자가 균등하게 분담한다.

본인은 본 페이지의 내용에 대한 설명을 듣고, 이를 완전히 이해하였음	(인)

④ 가맹점사업자는 자기의 비용으로 자기 지역 내에서 판촉활동을 할 수 있다. 이 경우 가맹점사업자는 판촉활동의 구체적 내용에 관하여 가맹본부와 사전에 협의하여야 한다.

⑤ 가맹본부는 사업연도 중 가맹점사업자가 일부라도 비용을 부담한 판촉행사를 시행한 경우 다음 각 호의 사항을 사업연도 종료 후 3개월 이내에 가맹점사업자에게 통보하여야 한다.

1. 해당 사업연도에 실시한 판촉활동(해당 사업연도에 일부라도 비용이 집행된 경우를 포함한다. 이하 같다)별 명칭, 내용 및 실시기간
2. 해당 사업연도에 판촉활동을 위하여 전체 가맹점사업자로부터 지급받은 금액
3. 해당 사업연도에 실시한 판촉활동으로 집행한 비용 및 가맹점사업자가 부담한 총액

⑥ 가맹점사업자가 세부 산출 근거가 포함된 판촉행사 집행 내역의 열람을 요구하는 경우 가맹본부는 열람의 일시, 장소를 정하여 이를 열람할 수 있도록 한다.

제27조 (원·부재료 등의 조달과 관리)

① 가맹본부가 가맹점사업자에게 공급하여야 할 원・부재료 등의 내역 및 가격은 별첨 [3]과 같다. 다만, 물가인상 기타 경제여건의 변동으로 인하여 원・부재료 등의 공급내역, 가격의 변경이 필요할 경우 가맹본부는 변경내역, 변경사유 및 변경가격 산출 근거를 가맹점사업자에 서면으로 제시하고 양 당사자가 협의하여 결정한다.

② 가맹본부는 가맹점사업자가 제1항에 따른 원・부재료 등의 납품대금을 신용카드로 결제하려는 경우 이를 거절하거나 현금결제를 강요하여서는 아니된다.

③ 가맹본부는 가맹사업의 목적달성에 필요한 합리적 사유가 있는 경우에는 원・부재료 등의 공급원을 자기 또는 특정한 제3자로 한정할 수 있다.

④ 가맹본부와 가맹점사업자는 관련 법률에서 정한 설비와 장비를 갖추고 원・부재료 등의 성질에 적합한 방법으로 운반・보관하여야 한다.

⑤ 가맹점사업자는 공급받은 원・부재료 등을 가맹본부의 허락 없이 타인에게 제공하거나 대여할 수 없다.

본인은 본 페이지의 내용에 대한 설명을 듣고, 이를 완전히 이해하였음	(인)

제28조 (원·부재료 등의 직접 조달)

① 가맹본부가 공급하지 아니하거나 합리적 사유 없이 공급을 지연하는 원・부재료 등 및 가맹본부로부터 사전에 승인을 얻은 원・부재료 등은 가맹점사업자가 직접 조달하여 판매할 수 있다. 이 경우 가맹점사업자는 브랜드의 동일성을 해치지 않도록 하여야 한다.

② 가맹본부는 가맹점사업자가 제2항에 의하여 직접 조달하는 원・부재료 등에 대하여 품질관리기준을 제시하고 그 기준의 준수 여부를 검사할 수 있다. 이 경우 가맹점사업자는 가맹본부의 품질검사에 협조하여야 한다.

제29조 (원·부재료 등의 검사와 하자통지의무)

① 가맹점사업자는 원・부재료 등을 공급받는 즉시 수량 및 품질을 검사하여야 하고, 하자를 발견하였을 경우 지체 없이 이를 서면으로 가맹본부에게 통지하여야 한다.

② 가맹점사업자가 원・부재료 등의 성질상 수령 즉시 하자를 발견할 수 없는 경우에는 6개월 이내에 이를 발견하여 통지하고 완전물로 교환을 청구할 수 있다.

③ 가맹점사업자가 제1항 및 제2항의 검사를 태만히 하여 이로 인한 손해가 발생한 경우에는 가맹본부에 대하여 반품・수량보충 또는 손해배상을 청구할 수 없다. 다만, 가맹본부가 상품 등에 하자가 있음을 알면서 공급한 경우에는 제2항의 기간과 상관없이 가맹본부에 손해배상 등을 청구할 수 있다.

④ 가맹본부는 그의 상표를 사용하여 공급한 원・부재료 등의 하자로 인하여 소비자 등 제3자가 입은 손해에 대하여 책임이 있다. 다만, 가맹본부가 공급하지 않은 원・부재료 등을 가맹점사업자가 판매하여 제3자에게 손해를 가한 경우나 가맹점사업자의 보관상의 주의의무위반, 가맹점사업자의 상품제공상의 별도 과실로 인한 경우에는 이에 대한 책임을 지지 아니한다.

⑤ 계약이 기간만료, 해지 등으로 인하여 종료한 때에는 가맹점사업자는 공급된 원・부재료 등의 중에서 완전물을 가맹본부에 반환할 수 있고, 이에 대하여 가맹본부는 공급가격으로 상환하여야 한다. 다만, 가맹점사업자의 책임있는 사유로 인하여 해지된 경우에는 그러하지 아니

본인은 본 페이지의 내용에 대한 설명을 듣고, 이를 완전히 이해하였음	(인)

하다.

⑥ 제5항의 경우에 하자 있는 원・부재료 등에 대하여는 그 상태를 감안하여 가맹본부와 가맹점사업자의 협의에 의하여 상환가격을 결정한다.

제30조 (원·부재료 등 공급의 중단)

① 가맹본부는 다음 각 호의 어느 하나에 해당하는 경우에는 ( )일 전에 해당 사유를 적시한 서면으로 예고하고 가맹점사업자에 대한 원・부재료 등의 공급을 중단할 수 있다. 다만, 위 기간 중 가맹점사업자가 해당 사유를 시정한 경우에는 그러하지 아니하다.

1. 가맹점사업자가 ( )개월에 걸쳐 3회 이상 원・부재료 등에 관한 대금 등의 지급의무를 지체하는 경우
2. 가맹점사업자가 2회 이상 정기납입경비의 지급을 연체하는 경우
3. 가맹점사업자가 정기납입경비의 산정을 위한 총매출액 또는 매출액 증가비율을 3회 이상 허위로 통지하는 경우
4. 가맹본부의 품질관리기준을 ( )개월에 걸쳐 3회 이상 위반하는 경우
5. 가맹점사업자가 가맹본부와의 협의 없이 점포 운영을 3일 이상 방치하는 경우
6. 가맹점사업자가 가맹본부와 약정한 판매촉진활동을 이행하지 않는 경우
7. 가맹점사업자가 정당한 사유 없이 제13조 제5항에 의한 노후 점포설비의 교체・보수 요청에 따르지 않는 경우
8. 가맹점사업자가 가맹본부로부터 본 계약상의 의무위반을 지적받고 상당한 기간 내에 시정조치를 취하지 않는 경우

② 가맹본부는 다음 각 호의 어느 하나에 해당하는 경우에는 즉시 원・부재료 등의 공급을 중단할 수 있다.

1. 가맹점사업자에게 파산 신청이 있거나 강제집행절차 또는 회생절차가 개시된 경우
2. 가맹점사업자가 발행한 어음・수표가 부도 등으로 지급거절된 경우

본인은 본 페이지의 내용에 대한 설명을 듣고, 이를 완전히 이해하였음	(인)

3. 천재지변, 중대한 일신상의 사유 등으로 가맹점사업자가 더 이상 가맹사업을 경영할 수 없게 된 경우
4. 가맹점사업자가 공연히 허위사실을 유포함으로써 가맹본부의 명성이나 신용을 뚜렷이 훼손하거나 가맹본부의 영업비밀 또는 중요 정보를 유출하여 가맹사업에 중대한 장애를 초래한 경우
5. 가맹점사업자가 가맹사업의 운영과 관련되는 법령의 위반사실을 통보받은 후 10일 이내에 이를 시정하지 아니한 경우
6. 가맹점사업자의 가맹사업과 관련한 가맹본부의 시정요구에 따른 후에 다시 같은 위반행위를 2회 이상 반복한 경우
7. 가맹점사업자가 가맹점 운영과 관련된 행위로 형사처벌을 받은 경우
8. 가맹점사업자가 공중의 건강이나 안전에 급박한 위해를 일으킬 염려가 있는 방법이나 형태로 가맹점을 운영하는 경우
9. 가맹점사업자가 정당한 사유 없이 연속하여 7일 이상 영업을 중단한 경우

③ 제1항 및 제2항의 경우 가맹본부는 원·부재료 등의 공급중단조치를 취함과 동시에 재공급 조건을 가맹점사업자에 서면으로 통지하여야 한다.

제31조 (영업)

① 가맹점사업자는 주 (　)일 이상 월 (　)일 이상 개장하여야 하고, 연속하여 (　)일 이상 임의로 휴업할 수 없다.

② 가맹점사업자가 특정일에 점포를 열지 못할 특별한 사정이 있는 경우에는 이를 3일 전부터 매장 입구에 개시하여 고객이 알 수 있도록 하여야 한다.

③ 가맹점사업자가 일정기간 휴업할 경우에는 사전에 가맹본부에게 그 사유를 서면으로 통지하고 가맹본부의 승인을 얻어야 한다.

④ 영업시간은 (　)부터 (　)까지로 한다.

본인은 본 페이지의 내용에 대한 설명을 듣고, 이를 완전히 이해하였음	(인)

⑤ 가맹본부는 가맹점사업자가 심야영업시간대(오전 1시부터 오전 6시까지)의 매출이 저조하여 영업시간 단축을 요구한 날이 속한 달의 직전 6개월 동안 영업손실이 발생함에 따라 영업시간 단축을 요구하거나 질병의 발병과 치료 등 불가피한 사유로 인하여 영업시간의 단축을 요구하는 경우에는 이를 허용한다.

제32조 (복장)

① 가맹점사업자와 종업원은 가맹점 영업과 관련하여 가맹본부가 지정한 복장을 착용하여야 한다.

② 가맹본부는 복장의 색상, 규격을 가맹점사업자에게 서면으로 통지한다.

③ 가맹본부는 가맹점사업자의 청구에 따라 종업원의 복장을 공급할 수 있다.

④ 가맹점사업자는 임직원 및 종업원이 외식업소에 근무하는 자로서의 품격에 어긋나지 않는 복장상태를 유지하도록 하여야 한다.

제33조 (보고의무)

① 가맹점사업자는 가맹점 영업과 관련하여 영업장부와 회계자료를 성실히 작성 · 유지하여야 한다.

② 가맹점사업자는 년(월, 주) ( )회 매출상황과 회계원장 등을 가맹본부에 서면 또는 POS시스템을 통하여 보고하여야 한다.

③ 가맹점사업자는 가맹본부가 파견한 경영지도원의 서면에 의한 요구가 있을 때에는 영업장부 등 관련서류를 제시하여야 한다.

④ 가맹점사업자는 가맹본부로부터 사용허가를 받은 영업표지와 특허권 등에 대한 침해를 이유로 제3자가 소를 제기한 경우에는 이를 가맹본부에 보고하여야 한다.

제34조 (보험)

① 가맹본부는 가맹점사업자가 영업상 과실, 상품의 하자, 점포의 화재 등으로 가맹점 이용 고객

본인은 본 페이지의 내용에 대한 설명을 듣고, 이를 완전히 이해하였음	(인)

이나 제3자에게 부담하는 손해배상책임을 보장하기 위하여 책임보험에 가입할 것을 권유할 수 있다.

② 가맹점사업자는 자신의 책임으로 보험업자, 보험의 종류, 피보험자를 정한다.

제35조 (영업양도 및 담보제공)

① 가맹점사업자는 가맹본부의 승인을 얻어 영업을 양도, 임대하거나 영업재산을 담보로 제공(이하 "영업양도 등"이라 한다)할 수 있다.

② 제1항의 경우 가맹점사업자는 영업양도일(또는 영업임대일, 담보제공일. 이하 같다) ( )일 전에 가맹본부에 대하여 서면으로 영업양도 등의 승인을 요청하여야 한다.

③ 가맹본부는 전항의 승인을 요청받은 날로부터 ( )일 이내에 그 사유를 명시한 서면으로 승인 또는 거절의 의사를 표시하여야 한다. 가맹본부가 이 기간 중에 이유를 적시하여 거절하지 않으면 영업양도 등을 승인한 것으로 본다.

④ 가맹점사업자가 영업 양도의 승인을 요청한 경우 가맹본부는 영업양도 승인조건으로 점포환경 개선을 요구하지 아니한다.

⑤ 영업양도의 경우 영업양수인은 가맹점사업자의 가맹본부에 대한 권리와 의무를 승계한다.

⑥ 영업양수인, 영업임차인은 제15조의 최초가맹금의 지급의무가 면제된다. 다만, 양도 등에 따라 가맹본부에게 초래된 행정적 실비 및 소정의 교육비, 계약이행보증금은 면제되지 아니한다.

⑦ 가맹본부는 영업양수인이 요청하는 경우에는 영업양도인의 잔여 계약기간 대신에 완전한 계약기간을 영업양수인에게 부여할 수 있다. 이 경우에는 신규계약을 체결하여야 한다.

⑧ 가맹본부가 가맹사업을 타인에게 양도하는 경우 가맹점사업자는 가맹계약을 종료하고 계약관계에서 탈퇴할 수 있다. 이 경우 가맹본부는 가맹점사업자에 대하여 제16조 제2항의 금원을 반환하여야 한다.

⑨ 가맹본부는 가맹점운영권의 양도와 관련된 분쟁을 예방하기 위하여, 승인 전후를 불문하고

본인은 본 페이지의 내용에 대한 설명을 듣고, 이를 완전히 이해하였음	(인)

양도인의 투자비 내역, 영업 현황 등의 자료를 양수희망자 또는 양수인에게 제공할 수 있다.

第36조 (영업의 상속)

① 가맹점사업자의 상속인은 가맹점 영업을 상속할 수 있다.

② 상속인이 영업을 상속할 경우에는 상속개시일로부터 3개월 이내에 상속사실을 가맹본부에게 통지하여야 한다.

③ 상속인이 미성년자, 피성년후견인, 피한정후견인에 해당하거나 이에 준하는 사유가 있는 경우 가맹본부는 영업의 상속을 승인하지 아니할 수 있으며, 이 경우 가맹계약은 종료한다. 다만, 가맹본부는 상속인에게 제39조 제2항 및 제3항의 금원을 지급하여야 한다.

④ 상속인에 대해서는 제15조의 최초가맹금이 면제된다. 단, 소정의 교육비, 계약이행보증금은 면제되지 아니한다.

제 5 장 계약의 갱신, 해지, 종료

第37조 (계약의 갱신과 거절)

① 가맹본부는 가맹점사업자가 가맹계약기간 만료 전 180일부터 90일까지 사이에 가맹계약의 갱신을 요구하는 경우에는 정당한 사유가 없으면 이를 거절하지 못한다. 다만 가맹점사업자가 다음 각 호의 어느 하나에 해당하는 경우에는 갱신을 거절할 수 있다.

1. 가맹계약상의 가맹금 등의 지급의무를 지키지 아니한 경우
2. 다른 가맹점사업자에게 통상적으로 적용되는 계약조건이나 영업방침을 가맹점사업자가 수락하지 아니한 경우
3. 가맹점의 운영에 필요한 점포・설비의 확보나 법령상 필요한 자격・면허・허가의 취득에 관한 가맹본부의 중요한 영업방침을 지키지 아니한 경우

본인은 본 페이지의 내용에 대한 설명을 듣고, 이를 완전히 이해하였음	(인)

4. 상품의 품질을 유지하기 위하여 필요한 조리법, 식자재 구입 및 관리 또는 서비스기법의 준수에 관하여 가맹본부가 정한 영업방침을 지키지 아니한 경우

5. 가맹본부의 가맹사업 경영에 필수적인 지식재산권의 보호에 관하여 가맹본부가 정한 영업방침을 지키지 아니한 경우

6. 다른 가맹본부가 통상적으로 요구하는 비용에 의하여 가맹본부가 가맹점사업자에게 정기적으로 실시하는 교육·훈련의 준수에 관한 가맹본부의 영업방침을 지키지 아니한 경우.

② 제1항의 가맹점사업자의 계약갱신요구권은 최초 가맹계약기간을 포함한 전체 가맹계약기간이 10년을 초과하지 아니하는 범위 내에서만 행사할 수 있다.

③ 가맹본부가 제1항에 따른 갱신요구를 거절하는 경우에는 갱신을 요구받은 날로부터 15일 이내에 가맹점사업자에게 거절사유를 적은 서면으로 통지하여야 한다.

④ 가맹본부가 제1항 단서의 어느 사유를 들어 계약만료 전 180일부터 90일까지 갱신하지 않는다는 사실을 서면으로 통지하거나 제3항의 거절통지를 한 경우가 아니면, 가맹계약은 종전계약과 동일한 조건으로 (   )년간 갱신된 것으로 본다.

⑤ 다음 각 호의 어느 하나에 해당하는 경우에는 제4항을 적용하지 아니한다.

1. 가맹점사업자가 계약만료 60일 전까지 이의를 제기한 경우
2. 천재지변 등 양 당사자에게 책임 없는 사유로 인하여 가맹계약을 유지하기 어려운 경우
3. 가맹본부나 가맹점사업자에게 파산신청이 있거나 강제집행절차 또는 회생절차가 개시된 경우
4. 가맹본부나 가맹점사업자가 발행한 어음·수표가 부도 등으로 지급거절된 경우
5. 가맹점사업자에게 중대한 일신상의 사유가 발생하여 더 이상 가맹사업을 경영할 수 없게 된 경우

제38조 (계약의 해지)

① 가맹본부는 가맹점사업자에게 제30조 제1항 각호의 사유가 있는 경우에는 가맹계약을 해지

본인은 본 페이지의 내용에 대한 설명을 듣고, 이를 완전히 이해하였음	(인)

할 수 있다. 이 경우 가맹계약을 해지하기 위해서는 가맹점사업자에게 2개월 이상의 유예기간을 두고 계약의 위반사실을 구체적으로 밝히고 이를 시정하지 아니하면 그 계약을 해지한다는 사실을 서면으로 2회 이상 통지하여야 하고, 이 절차를 거치지 아니한 가맹계약의 해지는 그 효력이 없다.

② 가맹본부는 가맹사업의 거래를 지속하기 어려운 경우로서 다음 각 호의 어느 하나에 해당하는 경우에는 제1항의 절차를 거치지 아니하고 계약을 해지할 수 있다.

1. 가맹점사업자에게 파산신청이 있거나 강제집행절차 또는 회생절차가 개시된 경우
2. 가맹점사업자가 발행한 어음 · 수표가 부도 등으로 지급거절된 경우
3. 천재지변, 중대한 일신상의 사유 등으로 가맹점사업자가 더 이상 가맹사업을 경영할 수 없게 된 경우
4. 가맹점사업자가 공연히 허위사실을 유포함으로써 가맹본부의 명성이나 신용을 뚜렷이 훼손하거나 가맹본부의 영업비밀 또는 중요정보를 유출하여 가맹사업에 중대한 장애를 초래한 경우
5. 가맹점사업자가 가맹사업의 운영과 관련되는 법령의 위반사실을 통보받은 후 10일 이내에 이를 시정하지 아니한 경우
6. 가맹점사업자가 제1항 후문에 따른 가맹본부의 시정요구에 따른 후 다시 같은 위반행위를 2회 이상 반복한 경우
7. 가맹점사업자가 가맹점운영과 관련된 행위로 형사처벌을 받은 경우
8. 가맹점사업자가 공중의 건강이나 안전에 급박한 위해를 일으킬 염려가 있는 방법이나 형태로 가맹점을 운영하는 경우
9. 가맹점사업자가 정당한 사유 없이 연속하여 7일 이상 영업을 중단한 경우

③ 가맹점사업자는 가맹본부가 약정한 원 · 부재료 등의 공급, 경영지원 등을 정당한 이유 없이 이행하지 않거나 지체하는 경우 등 이 계약상의 의무를 불이행하는 경우에는 상당한 기간을 정하여 서면으로 그 시정을 요구하고 그래도 시정하지 않을 경우에는 가맹계약을 해지할 수 있다.

본인은 본 페이지의 내용에 대한 설명을 듣고, 이를 완전히 이해하였음	(인)

④ 가맹점사업자는 다음 각 호의 어느 하나에 해당하여 재정상태가 객관적으로 악화됨에 따라 본 계약의 유지가 어렵다고 합리적 · 객관적으로 판단되는 경우에는 최고 없이 즉시 계약을 해지할 수 있다.

1. 가맹본부가 파산한 경우
2. 가맹본부가 발행한 어음 · 수표가 부도 등으로 지급거절된 경우
3. 가맹본부가 (가)압류, 가처분, 강제집행, 체납처분 또는 이와 유사한 법적 · 행정적 처분을 당한 경우
4. 천재지변으로 가맹점 운영이 곤란한 경우

⑤ 가맹본부와 가맹점사업자는 계약기간 중에도 서면에 의하여 양 당사자가 합의하여 해지할 수 있다. 다만, 해지를 원하는 당사자는 상대방에 대하여 「약관의 규제에 관한 법률」 제8조(손해배상액의 예정)에 위반되지 아니하는 범위 내에서 금 (   )원을 위약금으로 지급하여야 하며, 이는 손해배상액의 예정으로서의 성격을 갖는다.

제39조 (계약의 종료와 조치)

① 계약이 기간만료나 해지로 인하여 종료된 경우, 가맹점사업자는 지체 없이 가맹본부의 상호 · 간판 등 영업표지의 사용을 중단하고 이를 철거 내지 제거하여야 하며, 가맹본부가 제공한 설비, 전산시스템 등 영업관련 자산을 가맹본부에 반환하여야 한다.

② 제1항의 규정에도 불구하고 가맹점사업자가 계약이행보증금을 지급한 경우에는 가맹본부로부터 제18조 제3항의 정산잔액과 정산서를 받을 때까지(계약이행보증보험증권이나 물적 담보를 제공한 경우에는 잔존 채무 · 손해배상액의 통지서를 받을 때까지) 제1항의 의무이행을 거절할 수 있다. 가맹본부가 제16조 제2항에 의하여 가맹금의 일부를 반환해야 하는 경우에도 또한 같다.

③ 제1항의 철거 · 원상복구의 비용은 계약이 가맹점사업자의 귀책사유로 종료되는 경우에는 가맹점사업자가 부담하고 가맹본부의 귀책사유로 종료되는 경우에는 가맹본부가 부담한다. 다만, 합의해지의 경우에는 가맹본부와 가맹점사업자가 협의하여 비용을 분담할 수 있다.

본인은 본 페이지의 내용에 대한 설명을 듣고, 이를 완전히 이해하였음	(인)

④ 가맹본부는 가맹계약서를 가맹사업의 거래가 종료된 날부터 3년간 보관하여야 한다.

제 6 장 기 타

제40조 (가맹점사업자의 비밀유지, 경업금지 의무)

① 가맹점사업자는 계약 및 가맹점 운영상 알게 된 가맹본부의 조리법 등 영업비밀을 계약기간은 물론 계약종료 후에도 제3자에게 누설해서는 아니된다.

② 가맹점사업자는 가맹본부의 허락 없이 교육과 세미나 자료 기타 가맹점운영과 관련하여 가맹본부의 영업비밀이 담긴 관계서류의 내용을 인쇄 또는 복사할 수 없다.

③ 가맹점사업자는 계약의 존속 중에 가맹본부의 허락 없이 자기 또는 제3자의 명의로 가맹본부의 영업과 동종의 영업을 하지 않는다.

제41조 (개량기술의 사용)

가맹점사업자가 가맹본부로부터 지원받은 영업노하우 등 기술과 관련하여 독자적으로 기술을 개량한 경우, 개량기술에 대한 소유권은 가맹점사업자에게 있는 것으로 한다. 다만, 가맹본부는 기술개발비, 예상수익, 원천기술의 기여분, 개량기술의 가치 등이 반영된 정당한 대가를 지급하고 그 소유권의 이전이나 실시권, 사용권 등의 설정을 가맹점사업자에게 청구할 수 있다.

제42조 (지연이자)

계약의 일방당사자가 본 계약과 관련하여 상대방에게 부담하는 일체의 금전지급의무를 지체하는 경우에는 미지급액에 대하여 지급기일의 다음 날부터 지급하는 날까지 연 ( )%의 비율에 의한 지연이자를 가산하여 지급한다.

제43조 (손해배상)

이 계약의 당사자는 상대방의 계약위반이나 불법행위로 인한 손해에 대하여 본 계약상 구제수단

본인은 본 페이지의 내용에 대한 설명을 듣고, 이를 완전히 이해하였음	(인)

외에 별도로 손해배상을 청구할 수 있다.

① 이 계약의 당사자는 상대방의 계약위반이나 불법행위로 인한 손해에 대하여 본 계약상 구제수단 외에 별도로 손해배상을 청구할 수 있다.

② 가맹점사업자는 가맹본부 또는 그 소속 임원의 위법행위 또는 가맹사업의 명성이나 신용을 훼손하는 등 사회상규에 반하는 행위로 인해 손해가 발생한 경우 가맹본부에게 본 계약 상 구제수단 외에 별도로 손해배상을 청구할 수 있다.

제44조 (분쟁의 해결)

① 이 계약의 당사자는 이 계약의 해석 또는 이 계약에 의하여 명시되지 아니한 사항에 관하여 다툼이 있을 경우 우선적으로 대화와 협상을 통하여 분쟁을 해결하도록 최선을 다한다.

② 제1항에 의한 해결이 되지 아니한 경우에는「가맹사업거래의 공정화에 관한 법률」제22조에 따라 한국공정거래조정원의 가맹사업거래분쟁조정협의회에 조정을 신청하거나 다른 법령에 의하여 설치된 중재기관에 중재를 신청할 수 있다.

③ 가맹본부 및 가맹점사업자의 협의에 의하여 제2항에 의한 중재를 신청하지 아니하는 경우, 이 계약에 관한 분쟁의 관할법원은 가맹점사업자의 주소지나 점포소재지를 관할하는 법원으로 한다. 다만, 가맹본부와 가맹점사업자가 합의하여 관할법원을 달리 정하는 경우에는 그러하지 아니하다.

제45조 (정보공개서의 자문)

① 가맹본부는 이 계약을 체결하기 전에 가맹희망자에게 정보공개서를 제공하고 충분한 숙고기간을 부여하여야 하며 정보공개서의 이해를 돕기 위하여 가맹거래사 또는 변호사의 자문을 받을 수 있다는 사실을 고지하여야 한다.

② 가맹점사업자는 제1항의 자문을 받은 경우 자문일자가 기재된 확인서를 가맹본부에 제출하여야 한다.

본인은 본 페이지의 내용에 대한 설명을 듣고, 이를 완전히 이해하였음	(인)

제46조 (정보공개서 및 가맹계약서의 수령일)

① 가맹점사업자는 가맹금의 일부를 지급하거나 이 계약을 체결하는 날로부터 14일(제45조의 자문을 받은 경우에는 7일) 이상 이전인 20 년 월 일에 가맹본부로부터 관련 정보공개서를 제공받았음을 확인한다.

② 가맹점사업자는 가맹본부가 가맹금을 최초로 수령한 날(가맹금을 예치한 경우에는 예치한 날, 예치하기로 합의한 경우에는 예치 예정일)과 이 계약을 체결한 날 중 빠른 날 전인 20 년 월 일에 이 계약서를 사전제공 받았음을 확인한다.

별첨 [1] : 영업지역의 표시

별첨 [2] : 가맹점사업자에게 사용이 허가된 영업표지의 표시

별첨 [3] : 공급 원 · 부재료 등의 내역

별첨 [4] : 공급 주방기기 등의 내역

가맹본부와 가맹점사업자는 이 가맹계약서에 열거된 각 조항을 면밀히 검토하고 충분히 이해하였으며, 이 계약의 체결을 증명하기 위하여 계약서 2통을 작성하여 각각 기명 · 날인한 후 각 1통씩 보관한다.

20 년 월 일

본인은 본 페이지의 내용에 대한 설명을 듣고, 이를 완전히 이해하였음	(인)

[가맹본부]

대　　표　　자 :　　　　　(인)

사업자등록번호 :

상　　　　　호 :

주　　　　　소 :

연　　락　　처 :

[가맹점사업자]

성　　　　　명 :　　　　　(인)

생 년 월 일 :

점　　포　　명 :

주　　　　　소 :

연　　락　　처 :

본인은 본 페이지의 내용에 대한 설명을 듣고, 이를 완전히 이해하였음	(인)

별첨 [1] : 영업지역의 표시

※ 영업지역을 표시한 지도를 첨부하여 주십시오

본인은 본 페이지의 내용에 대한 설명을 듣고, 이를 완전히 이해하였음	(인)

별첨 [2] : 가맹점사업자에게 사용이 허가된 영업표지의 표시

(1) 허용대상 영업표지

영업표지 견본	
등록번호(출원번호)	
등록결정(심결) 연월일	
존속기간 (예정) 만료일	
지정상품 또는 지정서비스업	
등록권리자	

(2) 영업표지 사용방법 : 간판, 상징물, 홍보물, 집기 비품, 문구류 등에 표시

(3) 영업표지의 사용기간 : 이 계약의 효력이 존속되는 기간과 원칙적으로 동일함

(4) 영업표지의 사용지역 : 별도 약정이 없는 한 해당 영업지역 내로 한정됨

본인은 본 페이지의 내용에 대한 설명을 듣고, 이를 완전히 이해하였음	(인)

별첨 [3] : 공급 원·부재료 등의 내역

연번	원·부재료명	공급가격

본인은 본 페이지의 내용에 대한 설명을 듣고, 이를 완전히 이해하였음	(인)

별첨 [4] : 공급 주방기기의 내역

연번	주방기기명	공급가격

본인은 본 페이지의 내용에 대한 설명을 듣고, 이를 완전히 이해하였음	(인)

7 2019년 1월 개정 표준가맹계약서(편의점업종)

프랜차이즈(편의점업종) 표준계약서

제 1 장 총 칙

제1조 (목 적)

이 표준계약서는 편의점업을 영업으로 하는 가맹사업 중 “완전가맹형”으로 계약을 체결하는 가맹본부와 가맹점사업자 간에 공정한 계약조건에 따른 가맹계약을 체결하도록 하기 위한 표준적 계약조건을 제시함을 목적으로 한다.

제2조 (용어의 정의)

이 계약서에서 사용된 용어는 다음과 같다.

① “가맹사업”이라 함은 가맹본부가 가맹점사업자(가맹희망자를 포함한다)로 하여금 자신의 상표・서비스표・상호・간판 그 밖의 영업표지(이하 “영업표지”라 한다)를 사용하여 일정한 품질기준이나 영업방식에 따라 편의점업을 영위함과 아울러 이에 따른 경영 및 영업활동 등에 대한 지원・교육과 통제를 하고, 가맹점사업자는 이에 대한 대가로 가맹본부에 가맹금을 지급하는 것을 내용으로 하는 계속적인 거래관계를 말한다.

② “가맹본부”라 함은 가맹계약과 관련하여 가맹점사업자에게 가맹점운영권을 부여하는 사업자를 말한다.

③ “가맹점사업자”라 함은 가맹계약과 관련하여 가맹본부로부터 가맹점운영권을 부여받은 사업자를 말한다.

본인은 본 페이지의 내용에 대한 설명을 듣고, 이를 완전히 이해하였음	(인)

④ "가맹금"이란 명칭이나 지급형태가 어떻든 간에 다음 각 호의 어느 하나에 해당하는 대가를 말한다. 단, 가맹본부에 귀속되지 아니하는 것으로서 소비자의 구매수단으로 인하여 신용카드사, 상품권 발행회사에 지급하는 수수료, 직불전자지급수단 · 선불전자지급수단, 전자화폐, 전자지급결제대행 서비스 등에 대하여 발생하는 수수료나 할인금은 제외한다.

1. 가입비 · 입회비 · 가맹비 · 교육비 또는 계약금 등 가맹점사업자가 영업표지의 사용허락 등 가맹점운영권이나 영업활동에 대한 지원 · 교육 등을 받기 위하여 가맹본부에 지급하는 대가
2. 가맹점사업자가 가맹본부로부터 공급받는 상품의 대금 등에 관한 채무액이나 손해배상액의 지급을 담보하기 위하여 가맹본부에 지급하는 대가
3. 가맹점사업자가 가맹점운영권을 부여받을 당시에 가맹사업을 착수하기 위하여 가맹본부로부터 공급받는 정착물 · 설비 · 상품의 가격 또는 부동산의 임차료 명목으로 가맹본부에 지급하는 대가
4. 가맹점사업자가 가맹본부와의 계약에 의하여 허락받은 영업표지의 사용과 영업활동 등에 관한 지원 · 교육에 대하여 지급하는 대가
5. 그 밖에 가맹희망자나 가맹점사업자가 가맹점운영권을 취득하거나 유지하기 위하여 가맹본부에 지급하는 모든 대가

⑤ "영업비밀"이라 함은 공공연히 알려져 있지 아니하고 독립된 경제적 가치를 가지는 것으로서, 가맹본부의 상당한 노력에 의하여 비밀로 유지된 생산방법, 판매방법, 그 밖에 영업활동에 유용한 기술상 또는 경영상의 정보를 말한다.

⑥ "점포환경개선"이란 가맹점 점포의 기존 시설, 장비, 인테리어 등을 새로운 디자인이나 품질의 것으로 교체하거나 신규로 설치하는 것을 말한다. 이 경우 점포의 확장을 또는 이전을 수반하거나 수반하지 아니하는 경우를 모두 포함한다.

⑦ "영업지역"이란 가맹점사업자가 가맹계약에 따라 상품 또는 용역을 판매하는 지역을 말한다.

본인은 본 페이지의 내용에 대한 설명을 듣고, 이를 완전히 이해하였음	(인)

제3조 (가맹사업의 합의)

① 가맹점사업자는 가맹본부와 (   ) 가맹사업과 관련하여 가맹본부의 (   ) 시스템 및 (   ) 영업표지를 사용할 것을 약정한다.

② 가맹본부와 가맹점사업자는 가맹사업을 영위함에 있어서 사업운영에 필요한 관계법령을 준수하고 각자의 업무를 신의에 따라 성실하게 수행하여야 한다.

③ 이 계약은 20 년 월 일부터 발효되며 그 기간은 계약 발효일로부터 20 년 월 일까지 (   )년간으로 한다.

제4조 (당사자의 지위)

① 가맹본부와 가맹점사업자는 상호 간에 독립한 사업자로서 대등한 관계에서 이 건 가맹계약을 체결한다.

② 가맹본부와 가맹점사업자 사이에는 상호 간에 대리관계나 위임관계, 사용자와 피용자 관계, 동업자 관계 등 여하한 특별한 관계도 존재하지 아니한다.

③ 가맹점사업자는 자신의 책임과 부담으로 가맹점을 운영하고, 종업원을 고용하는 등 사업주로서의 모든 권리와 의무를 가진다.

제5조 (가맹점사업자의 권리와 권리행사의 한계)

① 가맹본부는 가맹계약기간 동안 가맹점사업자에게 다음 각 호의 권리를 부여한다.

1. 가맹본부가 제공하는 경영노하우 및 운영에 관한 각종 정보를 제공받아 이를 사용하는 권리
2. 가맹점사업자의 경영을 위하여 가맹본부가 제공하는 가맹본부의 상표 등의 지식재산권 및 영업표지를 사용할 권리
3. 가맹본부가 제공 또는 대여하는 각종 서식·장비 및 내·외장 시설을 사용할 권리
4. 기타 가맹본부가 이 계약상의 영업과 관련하여 보유하는 권리로서 당사자가 사용허가의 대상으로 삼은 권리

본인은 본 페이지의 내용에 대한 설명을 듣고, 이를 완전히 이해하였음	(인)

5. 특정 가맹점사업자에 대한 보복 목적의 관리 및 감독, 근접출점, 출혈 판촉행사, 사업자 단체활동 등을 이유로 한 불이익 제공 행위에 대항할 권리
6. 분쟁 조정신청, 공정거래위원회의 조사 및 서면실태조사 협조 등을 이유로 한 보복 조치에 대항할 권리

② 가맹점사업자는 제1항의 권리를 행사할 경우 다음 각 호의 행위를 해서는 아니된다.

1. (　　) 시스템에 유해한 행위 및 제3장에서 규정하는 영업활동의 내용에 위배되는 매입・판매・기타 영업을 하는 행위
2. 가맹본부의 특허, 디자인・상표권, 실용신안, 영업비밀 등 지식재산권을 침해하거나 또는 침해할 우려가 있는 행위
3. 가맹본부의 영업표지・로고, 기타 이미지 도안 등을 가맹사업 이외의 목적으로 사용하여 가맹본부의 신뢰에 해를 끼치는 행위
4. 가맹본부의 영업기술이나 영업비밀을 누설하는 행위
5. 가맹계약기간 중 가맹본부와 동일한 업종을 영위하는 행위
6. 가맹본부의 동의를 얻지 아니하고 사업장의 위치변경 또는 가맹점 운영권에 대한 질권의 설정, 양도, 증여 등 기타 당사자 간 권리변동을 수반하는 행위

제6조 (가맹점사업자의 투자비용)

① 가맹점의 경영을 위한 가맹점사업자의 다음 각 호의 초기 투자비용은 다음과 같다.

		금액	지급기한
1	가맹점가입비		
2	상품준비금		
3	소모품준비금		
4	시설・인테리어		
5	집기		
6	기타		
	합계		

본인은 본 페이지의 내용에 대한 설명을 듣고, 이를 완전히 이해하였음	(인)

② 가맹본부는 투자비용 중 시설 · 인테리어[내장공사, 전기공사, 정수설비, 냉장부대시설(한전부담금, 설계비 포함), 냉난방기 등] 공사 비용에 대한 내역을 가맹점 개점 후 1개월 이내에 가맹점사업자에게 제공하기로 한다.

第7조 (가맹금의 반환)

① 가맹본부는 다음 각 호의 어느 하나에 해당하는 경우에는 가맹희망자나 가맹점사업자가 서면으로 요구하는 날부터 1개월 이내에 가맹금을 반환하여야 한다. 이 경우 반환하는 가맹금의 금액은 가맹계약의 체결 경위, 금전이나 그 밖에 지급된 대가의 성격, 가맹계약기간, 계약이행기간, 가맹사업당사자의 귀책정도 등을 고려하여 당사자의 협의에 의하여 결정한다.

1. 가맹본부가 등록된 정보공개서 및 인근가맹점 현황문서(이하 "정보공개서 등"이라고 한다)를 제공하지 아니하거나 정보공개서를 제공한 날로부터 14일(제47조에 따라 변호사 또는 가맹거래사의 자문을 받은 경우에는 7일)이 지나지 아니하였음에도 가맹금을 수령(가맹금을 예치하는 경우에는 예치)하거나 가맹계약을 체결한 경우로서 가맹희망자 또는 가맹점사업자가 가맹계약 체결 전 또는 가맹계약 체결 후 4개월 이내에 가맹금의 반환을 요구하는 경우
2. 가맹본부가 가맹희망자에게 정보를 제공함에 있어 허위 또는 과장된 정보를 제공하거나 중요사항을 누락하여 가맹희망자가 가맹계약 체결 전에 가맹금의 반환을 요구하는 경우
3. 제2호의 행위를 통하여 계약 체결에 중대한 영향을 준 것으로 인정되어 가맹점 사업자가 가맹계약의 체결일부터 4개월 이내에 가맹금의 반환을 요구하는 경우
4. 가맹본부가 정당한 사유 없이 가맹사업을 일방적으로 중단한 경우로서 가맹점사업자가 가맹사업중단일로부터 4개월 이내에 가맹금의 반환을 요구하는 경우

② 가맹점사업자는 제3항에 따라 가맹금의 반환을 요구하고자 할 때에는 다음 각 호의 사항이 기재된 서면으로 요구하여야 한다.

1. 가맹금의 반환을 요구하는 가맹점사업자 또는 가맹희망자의 주소 · 성명
2. 가맹본부가 허위 또는 과장된 정보를 제공하거나 중요사항을 누락한 사실
3. 가맹본부가 허위 또는 과장된 정보를 제공하거나 중요사항을 누락하여 계약체결에 중대한

본인은 본 페이지의 내용에 대한 설명을 듣고, 이를 완전히 이해하였음	(인)

영향을 준 것으로 인정되는 사실

4. 가맹본부가 정당한 이유없이 가맹사업을 일방적으로 중단한 사실과 그 일자
5. 반환대상이 되는 가맹금의 금액
6. 가맹본부가 정보공개서를 제공하지 아니한 사실 또는 정보공개서를 제공한 날부터 14일(제47조에 따라 변호사 또는 가맹거래사의 자문을 받은 경우에는 7일)이 지나지 아니한 상태에서 가맹희망자로부터 가맹금을 수령하거나 가맹희망자와 가맹계약을 체결한 사실과 그 날짜

③ 가맹점사업자는 계약기간 내에 자기의 귀책사유 없는 사유로 계약이 해지되는 등 가맹계약이 중도에 종료되는 경우에는 영업표지 사용료, 영업시스템의 계속적 이용료 등과 같이 전체 계약기간에 대한 선급금의 성질을 갖는 가맹금 중 잔여계약기간의 비율에 해당하는 금액의 반환을 청구할 수 있다. 단, 이는 손해배상의 청구에 영향을 미치지 아니한다.

④ 제3항의 경우에 최초교육비 등과 같이 계약기간에 따른 선급금의 성질을 갖지 않는 가맹금 중 이행이 완료된 급부의 대가에 해당하는 가맹금에 관하여는 공평의 관념에 어긋나지 않는 범위에서 당사자의 약정에 따라 반환하지 아니할 수 있다.

제8조 (가맹점사업자의 확인사항)

① (　　) 시스템은 가맹본부의 투자와 노력으로 독자적으로 개발한 가맹본부의 고유한 경영노하우이자 기업비밀로서 보호하여야 한다.

② 가맹본부의 상호, 상표, 서비스마크, 배포하는 자료, 상품진열 등에 대한 지적재산권은 가맹본부가 갖는다.

③ 가맹점사업자는 가맹사업의 통일성 및 가맹본부의 명성을 유지하기 위해 노력하여야 한다.

④ 가맹점사업자는 취급하는 상품의 품질 및 사업장의 위생을 적정하게 유지하여야 한다.

⑤ 가맹점사업자는 가맹본부가 사업장에 제공한 설비・집기 일체를 자기 책임 하에 성실하게 유지・관리하여야 한다.

⑥ 가맹점사업자는 가맹본부가 이 계약에서 정한 사항의 이행을 위하여 필요한 경우 가맹본부의

본인은 본 페이지의 내용에 대한 설명을 듣고, 이를 완전히 이해하였음	(인)

사업장 출입을 허용하여야 한다.

제 2 장 개점의 준비

제9조 (입지선정)

① 가맹점사업자는 자신의 판단과 책임 하에 점포의 입지를 선정한다.

② 가맹본부는 제1항의 입지선정과 관련하여 해당 지역의 행정구역상의 구분, 시장의 특성, 주요한 근린시설, 업종특성에 따른 매출성향 등을 고려하여 해당 점포의 실사를 통하여 가맹점사업자에게 조언을 할 수 있다.

③ 가맹점사업자의 입지선정과 관련하여 가맹본부의 조언이 있는 경우라도 최종 결정은 가맹점사업자 스스로의 책임하에 결정하며, 점포의 매출액 및 수익액은 가맹점사업자의 관리능력이나 여건의 변화에 의하여 변동될 수 있음을 충분히 고려하고 확인한다. 또한 가맹점사업자 자신의 책임으로 점포 개점과 관련된 인허가 사항 및 상가규약 등을 확인하고 절차를 진행하여야 한다.

제10조 (교육)

① 가맹본부는 가맹점사업자의 원활한 경영을 위하여 교육 및 훈련을 실시하며, 가맹점사업자는 교육 및 훈련의 전 과정을 일정수준 이상의 성적으로 수료하여야 한다.

② 가맹본부는 가맹점사업자의 점포 운영 능력 향상을 위해 정기적으로 교육훈련을 실시할 수 있으며, 이 경우 가맹점사업자는 교육훈련에 적극적으로 참여하여야 한다. 이때의 교육비용은 가맹본부와 가맹점사업자가 협의하여 정하도록 하며, 가맹점사업자는 필요시 자신의 비용부담으로 가맹본부에 특별교육 및 훈련요원의 파견을 요청할 수 있다.

③ 가맹본부는 개점시 가맹점사업자의 교육 성적이 정하는 일정 수준에 미달하는 경우 가맹점사업자에게 ( )회의 재교육의 기회를 부여한다. 그러나 가맹점사업자가 재교육 후에도 불합격

본인은 본 페이지의 내용에 대한 설명을 듣고, 이를 완전히 이해하였음	(인)

한 경우 가맹본부는 계약을 해지할 수 있으며, 점포공사비 지급 및 집기류 등의 반환에 대하여는 제15조 제1항 및 제2항이 준용된다.

제11조 (점포(시설·인테리어))

① 가맹본부는 가맹점사업자의 점포(시설 · 인테리어)를 가맹본부가 정한 점포공사표준사양의 범위 내에서 가맹본부의 부담으로 실시하고, 가맹점사업자에게 가맹계약기간 동안 제공한다.

② 가맹점사업자는 문서로 가맹본부의 사전 승인을 얻지 않고서는 가맹본부가 실시한 시설, 인테리어 등 점포공사를 변경하거나 점포공사표준사양 외의 추가공사를 할 수 없다.

제12조 (대여설비 및 상품 등의 점검)

① 가맹본부는 제11조에서 정하는 개점에 필요한 점포공사가 완성된 경우 대여설비 및 상품 · 소모품 등을 가맹점사업자에게 인도한다. 이때 가맹본부가 제공하는 대여설비의 목록 등은 별첨Ⅰ로 한다.

② 가맹점사업자는 제1항에 따라 인도받은 대여설비의 상태, 상품 및 소모품 등의 수량 · 상태를 점검하고 이상이 없다는 것을 문서로서 즉시 확인한다. 단, 가맹점사업자는 7일 이내에 이의를 제기할 수 있으며, 이후에는 하자와 수량 부족이 없는 완전한 상태로서 인도가 된 것으로 본다.

제13조 (인·허가)

① 이 계약에 따른 가맹점 운영을 위하여 필요한 영업신고증, 사업자등록증, 관련 자격증 및 면허증 등의 제반 인 · 허가는 영업개시일 전까지 가맹점사업자의 책임과 비용으로 취득하여야 하고, 필요에 따라 갱신하여야 한다.

② 가맹점사업자가 제1항의 의무를 이행하지 않아서 발생하는 일체의 법적 책임은 가맹점사업자에게 있다.

본인은 본 페이지의 내용에 대한 설명을 듣고, 이를 완전히 이해하였음	(인)

第14조 (개점일)

① 가맹점사업자의 개점일은 점포공사 등의 진척상황을 감안해서 가맹본부와 가맹점사업자가 협의하여 진행한다.

② 가맹본부 또는 가맹점사업자가 각각 귀책사유로 인하여 개점일이 지연되는 경우 발생하는 손해에 대하여는 귀책사유가 있는 당사자가가 부담한다.

第15조 (개점 전 계약해지)

① 가맹점사업자가 불가피한 사유로 개점일 이전에 계약을 해지하고자 할 경우에는 가맹본부에 대하여 (   )일 전까지 문서로써 의사표시를 하고, 위약금 (   )원을 지급한다. 또한 가맹본부가 점포 건물의 점포 내・외장 공사에 착수한 이후에는 투입된 점포공사비용 일체를 별도로 지급한다.

② 가맹점사업자의 제1항에 따른 해지의 의사표시가 가맹본부가 대여・제공하는 집기・설비의 설치 후에 이루어진 경우, 가맹점사업자는 자신의 부담으로 해당 집기・설비를 철거하고 이를 가맹본부에 반환하여야 한다.

③ 가맹본부 또는 가맹점사업자가 각각 사정으로 인하여 개점일 이전에 계약을 해지하고자 하는 경우 점포 내・외장공사의 원상회복 및 집기・설비의 철거 비용 및 위약금 (   )원을 해지사정이 있는 당사자가 부담한다.

第16조 (개점 점검)

① 가맹점사업자는 개점일 전까지 가맹본부에 대하여 점포시설 및 초도물품 등에 대하여 점검 및 진열을 완료하여야 한다.

② 가맹점사업자는 개점에 앞서 직접 실시한 점포의 설비와 비품의 구입 등에 관하여 가맹본부가 정한 기준과 사양을 준수하였는지 여부와 시설공사의 완전성과 가맹사업의 이미지 통일성을 준수하였는지 등에 대하여 가맹본부로부터 점검을 받아야 한다.

본인은 본 페이지의 내용에 대한 설명을 듣고, 이를 완전히 이해하였음	(인)

③ 가맹본부는 다음 각 호의 어느 하나에 해당하는 경우에는 가맹점사업자에 대한 개점을 거부하거나 보류할 수 있다.

1. 가맹점사업자의 사업장에 적정 직원이 채용되지 않아 정상적인 운영이 어렵다고 판단되는 경우
2. 가맹본부 또는 가맹본부가 지정하는 공급자로부터 정해진 초도물품과 상품 기타 기기의 공급 주문을 완료하지 않은 경우
3. 가맹점 사업자가 가맹점 개설에 소요되는 비용의 지급을 가맹점 개점 전까지 완료하지 못한 경우
4. 그 밖에 가맹점사업자의 귀책사유로 개점이 연기되는 경우
5. 기타 객관적으로 판단하여 정상적인 운영이 어렵다고 인정되는 경우

④ 제3항의 각호의 사유로 계약이 해지되는 경우 가맹점사업자는 가맹본부에게 위약금 (　　)원 및 시설・인테리어 잔존가 및 철거・운반비용을 가맹본부에 지급하기로 한다.

제 3 장 영업활동

제17조 (영업시간)

① 가맹점사업자의 영업시간은 (　　)시부터 (　　)시로 하되, 다음 각 호의 경우에 해당하여 가맹점사업자가 영업시간 단축을 요구하는 경우 가맹본부는 이를 허용하여야 한다.

1. 심야 영업시간대(오전 0시부터 오전 6시까지)의 매출이 그 영업에 소요되는 비용에 비하여 저조하여 직전 3개월 동안 영업손실이 발생하는 경우 가맹점사업자가 서면으로 영업시간 단축을 요구하는 경우
2. 가맹점사업자가 질병의 발병과 치료 등 불가피한 사유로 인하여 필요 최소한의 범위에서 영업시간 단축을 요구하는 경우
3. 기타 가맹본부에 요청하여 사전 승인을 얻은 경우

본인은 본 페이지의 내용에 대한 설명을 듣고, 이를 완전히 이해하였음	(인)

② 명절 당일, 직계가족의 경조사 등으로 가맹점주가 영업시간 단축을 요구 하는 경우 가맹본부는 특별한 사유가 없는 한 이를 허용한다. 이를 위해 가맹본부는 명절휴무 6주 전에 POS 등을 통해 휴무신청에 대해 공지하고, 휴무를 신청한 가맹점주에게 명절 당일로부터 4주 전까지 승인 여부를 통지한다. 다만, 영업시간 단축신청을 불허하는 경우에는 그 이유를 포함하여 서면으로 통지한다.

第18조 (영업지역의 보호)

① 가맹점사업자의 영업지역은 별첨 Ⅱ로 한다.

② 가맹본부는 계약기간 중 또는 계약갱신 과정에서 가맹점사업자의 영업지역을 축소할 수 없다. 다만, 계약갱신 과정에서 다음 각 호의 어느 하나에 해당하여 기존 영업지역을 변경하고자 하는 경우 가맹점사업자와 합의하여야 한다.

1. 재건축, 재개발 또는 신도시 건설 등으로 인하여 상권의 급격한 변화가 발생하는 경우
2. 해당 상권의 거주인구 또는 유동인구가 현저히 변동되는 경우
3. 소비자의 기호변화 등으로 인하여 해당 상품・용역에 대한 수요가 현저히 변동되는 경우
4. 제1호부터 제3호까지의 규정에 준하는 경우로서 기존 영업지역을 그대로 유지하는 것이 현저히 불합리하다고 인정되는 경우

③ 가맹본부는 정당한 사유없이 가맹계약기간 중 가맹점사업자의 영업지역 안에서 가맹점사업자와 동일한 업종(수요층의 지역적・인적 범위, 취급품목, 영업형태 및 방식 등에 비추어 동일하다고 인식될 수 있을 정도의 업종을 말한다)의 자기 또는 계열회사(「독점규제 및 공정거래에 관한 법률」 제2조 제3호에 따른 계열회사를 말한다)의 직영점이나 가맹점을 설치하는 행위를 하여서는 아니된다.

第19조 (상품매입 및 재고유지 관리)

① 가맹점사업자는 가맹본부가 제공하는 표준 상품진열안내서를 기초로 하여 적합한 상품의 구색과 LAY OUT 및 진열 표준화를 가맹본부의 지도하에 실행하여야 하며, 결품, 상품의 부

본인은 본 페이지의 내용에 대한 설명을 듣고, 이를 완전히 이해하였음	(인)

족, 상품의 선도 또는 품질의 저하 등이 발생하지 않도록 최적의 발주 및 상품관리를 해야 한다.

② 가맹점사업자는 제1항의 상품관리를 위해서 가맹본부가 추천하는 상품을 가맹본부 및 가맹본부가 지정한 거래처로부터 매입한다. 만일 그 외의 자로부터 상품을 매입하고자 할 때에는 사전에 가맹본부에 문서로 승인 요청을 받아야 한다.

③ 가맹점사업자는 상품매입에 대한 모든 거래명세 서류를 가맹본부에 지체없이 송부하여야 하고 거래명세에 대한 전산 데이터를 해당일에 지체없이 등록하여야 한다.

④ 가맹점사업자는 통상의 판매실적에 의거한 적절한 발주를 통해 적정 상품 재고를 유지하여야 한다.

제20조 (판매가격 결정)

가맹점사업자는 가맹본부의 권장에 따른 판매가격을 기준으로 하여 자신의 판단으로 판매가격을 결정한다. 단, 가맹점사업자가 가맹본부가 제시한 표준판매가격과 판매가격을 다르게 정하고자 하는 경우에는 사전에 그 내역을 문서로써 가맹본부에 통지해야 하며, 가맹본부는 정당한 이유없이 이를 거절하지 못한다.

제21조 (광고 및 마케팅)

① 가맹본부는 필요한 경우 가맹본부의 부담으로 다음 각 호의 판매촉진활동을 할 수 있다.

1. 가맹점에서 사용하는 홍보물의 제공
2. (　　) 시스템 및 (　　) 영업표지를 고양시키기 위한 판매촉진 활동

② 가맹점사업자는 자기의 부담으로 가맹본부의 통일성을 해치지 않는 범위 내에서 영업을 위해 필요한 판매촉진활동을 할 수 있다.

③ 가맹본부가 상품이나 서비스를 구매하는 고객에 대해 마일리지 적립, 할인 등의 보상을 할 경우 가맹점사업자는 자신의 판단으로 이에 참여하고, 이에 따른 비용은 가맹본부와 가맹점

본인은 본 페이지의 내용에 대한 설명을 듣고, 이를 완전히 이해하였음	(인)

사업자가 제30조에서 정한 비율(가맹수수료비율)로 부담하기로 한다.

제22조 (POS 등록)

① 가맹점사업자는 모든 매출액 및 수입금 등을 POS에 등록하여야 한다.

② 가맹점사업자는 자가소비하는 상품에 대해서는 그 당시 판매가격으로 매출등록을 하여야 한다.

③ 가맹점사업자가 제1항 또는 제2항의 어느 하나를 위반하는 경우에 가맹본부는 이를 확인한 즉시 가맹점사업자에 대하여 상품공급・전산지원・각종 장려금(초기 안정화 지원금 포함)을 중단할 수 있다.

④ 가맹점사업자는 가맹점의 상품 운영에 있어 발주마감 시간 및 정산시간을 준수하고, POS시스템을 이용한 정확한 스캐닝 판매, 일 단위 단품별 마감을 하여야 한다.

제23조 (매출액 송금)

① 가맹점사업자는 매일의 총매출액(상품매출액 및 부가세 등을 포함한 총수입금액) 및 판매장려금, 대행수납금(공과금 등 일체), 대행판매(로또, 스포츠 토토, 선불카드, 상품권 등 일체), 기타 잡수입금의 합계를 가맹본부가 지정하는 금융기관에 개설된 계좌로 송금해야 한다. 다만, 가맹본부와 가맹점사업자가 별도로 사전 협의한 경우 그에 따른다.

② 가맹점사업자가 정당한 이유없이 제1항을 위반한 경우 가맹본부는 가맹점사업자에게 상품공급, 전산지원, 제 장려금 지급, 초기안정화 지원금 등을 중단할 수 있다. 또한 정당한 이유가 없으면 가맹점사업자는 지체 1일당(공휴일 제외) 연 (　)%의 비율로 계산한 지체송금수수료를 가맹본부에게 지불한다. 동 수수료는 연 20% 이내로 한다.

③ 이 조에서 정하지 않은 사항은 특약으로 정하도록 한다.

제24조 (점포시설 등 관리)

① 가맹점사업자는 가맹본부의 문서에 의한 승낙없이 가맹점의 경영・영업활동에 사용하는 대

본인은 본 페이지의 내용에 대한 설명을 듣고, 이를 완전히 이해하였음	(인)

여설비, 본건점포, 부속건축물, 기계, 서비스 상품 운영용 기기, 집기, 조명기구, 비품, 간판류 등의 모든 물건(이하 "영업용물건"이라 한다)의 사양 · 설비를 변경(또는 처분)할 수 없다.

② 대여설비 및 영업용물건의 유지 · 관리 및 보수와 그 위탁에 대해서는 별첨 Ⅲ에 따른다.

③ 가맹본부는 가맹점사업자의 점포에 출입하여 영업용물건의 사양 및 그 수리, 도장, 청소상태 등 유지 · 보수 및 관리 상태를 조사할 수 있다. 또한 가맹본부에 대한 대중의 이미지, 인식 등을 고양하기 위하여 필요한 경우 가맹점사업자에게 영업용물건의 관리 상태에 관한 개선을 요구할 수 있고, 가맹점사업자는 이에 따라야 한다.

제25조 (점포의 환경개선)

① 가맹본부는 제11조에 따른 점포의 시설 · 인테리어를 가맹점사업자가 부담하여 실시한 경우 다음 각 호에 해당하는 정당한 사유가 있을 때에는 점포환경개선을 요구할 수 있다.

1. 점포의 시설, 장비, 인테리어 등의 노후화가 객관적으로 인정되는 경우
2. 위생 또는 안전의 결함이나 이에 준하는 사유로 인하여 가맹사업의 통일성을 유지하기 어렵거나 정상적인 영업에 현저한 지장을 주는 경우

② 가맹본부는 제11조에 따른 점포의 시설 · 인테리어를 가맹점사업자가 부담하여 실시한 경우 가맹점사업자의 점포환경개선에 소요되는 비용으로서 점포의 확장 또는 이전을 수반하지 아니하는 경우에는 간판 교체비용과 인테리어 공사비용(장비 · 집기의 교체비용을 제외한 실내건축공사에 소요되는 일체의 비용을 말한다)의 100분의 20, 점포의 확장 또는 이전을 수반하는 경우에는 위의 비용의 100분의 40을 부담하여야 한다. 다만, 다음 각 호의 어느 하나에 에 해당하는 경우에는 그러하지 아니하다.

1. 가맹본부의 권유 또는 요구가 없음에도 가맹점사업자의 자발적 의사에 의하여 점포환경개선을 실시한 경우
2. 가맹점사업자의 귀책사유로 인하여 위생 · 안전 및 이와 유사한 문제가 발생하여 불가피하게 점포환경개선을 하는 경우

본인은 본 페이지의 내용에 대한 설명을 듣고, 이를 완전히 이해하였음	(인)

③ 가맹점사업자는 제2항의 가맹본부부담액을 청구하려면 가맹본부에 공사계약서 등 공사비용을 증명할 수 있는 서류를 제출하여야 한다.

④ 가맹본부는 전항에 따른 지급청구일부터 90일 이내에 가맹본부부담액을 가맹점사업자에게 지급하여야 한다. 다만, 가맹본부와 가맹점사업자가 별도의 협의가 있는 경우에는 1년의 범위에서 가맹본부부담액을 분할하여 지급할 수 있다.

⑤ 가맹본부는 점포환경개선이 끝난 날부터 3년 이내에 가맹본부의 책임없는 사유로 계약종료(계약의 해지 또는 영업양도를 포함한다)되는 경우에는 가맹본부부담액 중 나머지 기간에 비례하는 부담액에 한해서는 이를 지급하지 아니하거나 이미 지급한 경우에는 환수할 수 있다.

제26조 (손해부담 및 보험가입)

① 가맹점사업자는 이 계약에 달리 명시된 사항을 제외하고는 자신의 책임과 부담으로 가맹점을 운영하므로 점포 운영과 관련된 모든 손해를 부담한다.

② 가맹점사업자는 제1항의 손해에 대비하기 위하여 보험에 가입할 수 있다. 단, 가입한 보험의 손실보상 범위를 초과하는 가맹점사업자의 자산 등의 손실분에 대하여는 가맹점사업자가 그 위험을 부담한다.

③ 가맹본부는 도난 · 화재 등에 대비하기 위하여 가맹본부를 보험금 수취인으로 하는 각종 보험에 가맹본부의 명의와 비용으로 가입할 수 있다.

제 4 장 회계

제27조 (회계자료 작성·제공 및 세금신고의 협력)

① 가맹본부는 가맹점사업자의 경영상황에 대한 회계자료를 가맹본부의 부담으로 작성하여 다음 달 ( )일까지 가맹점사업자에게 제공한다. 또한 가맹본부는 이 회계자료에 반영되어 있는

본인은 본 페이지의 내용에 대한 설명을 듣고, 이를 완전히 이해하였음	(인)

범위 내에서 가맹점사업자의 경영에 관련한 세무신고를 위하여 정보・자료를 제공하고 협력한다.

② 가맹점사업자는 가맹본부가 제1항에서 제공하는 자료를 기초로 하여 가맹점사업자의 책임과 비용부담으로 세무신고를 하여야 한다. 단, 부가가치세 및 원천징수세와 가맹점사업자의 정산보고서 작성을 위한 세무대행수수료에 대해서는 가맹본부가 가맹점사업자의 위탁을 받아 그 납부를 대행할 수 있으며, 납부내역은 상호계산계정에서 정산하도록 한다.

제28조 (실재고 및 현장입점 조사)

① 가맹본부는 가맹점사업자가 적정한 재고품 관리를 행하도록 하기 위하여 재고품의 출입 변동시마다 장부에 기재한다. 이때, 재고금액의 산정방식은 가맹본부와 가맹점사업자가 협의하여 정하기로 한다.

② 가맹본부는 다음 각 호와 같이 가맹점사업자의 재고 상품・유가증권 등에 대한 실재고조사를 실시할 수 있다.

1. 가맹본부는 가맹본부의 비용으로 연 ( )회 또는 필요하다고 인정되는 경우에 가맹점사업자의 재고 상품・유가증권 등에 대한 실재고조사를 실시할 수 있다. 이 경우 가맹점사업자는 정당한 이유없이 이를 거부할 수 없다.
2. 가맹점사업자는 자신의 부담으로 가맹본부에게 실재고조사의 실시를 요구할 수 있다.
3. 가맹본부는 가맹점사업자에게 사전에 구두 또는 문서로 통지하고 실재고조사를 실시하되, 긴급한 경우는 통지없이 실시할 수 있다.
4. 가맹본부는 실재고조사의 결과를 가맹점사업자에게 문서로 통지하며, 가맹점사업자가 자료의 확인시점에서 (　　)시간 이내에 문서로서 이의를 제기하지 않으면 실재고조사 결과가 확정된 것으로 한다. 가맹점사업자가 이의를 제기할 경우 가맹본부는 재조사를 실시하며 이때의 비용부담은 상호 협의하는 것으로 한다.
5. 실재고조사의 결과 장부상 재고와의 불일치에 대한 처리 등은 별첨 Ⅳ에서 정하는 바에 따른다.

본인은 본 페이지의 내용에 대한 설명을 듣고, 이를 완전히 이해하였음	(인)

③ 가맹본부는 가맹점사업자의 경영상태를 파악하기 위하여 필요하다고 판단되는 경우에는 재고상품 · 판매가격 · 매출액 · 현금 · 영업용 물건 및 전표 등에 대하여 현장입점조사를 실시할 수 있다.

제29조 (상호계산계정)

① 가맹본부와 가맹점사업자는 이 계약을 바탕으로 상호거래상의 대차 및 그 결제를 가맹본부가 가맹점사업자를 위하여 순차 기장하는 상호계산절차와 결제방식에 따라 계속적으로 처리한다.

② 상호계산계정의 내용 및 상호계산계정에 계리하는 채권 · 채무 및 정산방법은 별첨 Ⅴ로 정한다.

③ 상호계산개정은 개점일에 개설하고, 이 계약이 종료한 경우에 제43조에 따라 폐쇄하여 정산한다.

제 5 장 영업이익의 배분

제30조 (가맹수수료)

① 가맹점사업자는 가맹점의 경영을 위한 가맹본부의 지원의 대가로 월 매출이익의 ( )%의 금액(이하 "가맹수수료"라 한다)을 매월 ( )일에 가맹본부에게 지급한다(부가가치세 별도).

② 제1항에서 정하는 가맹수수료율은 별첨 Ⅵ에 따라 조정할 수 있다.

제31조 (최저임금 인상 등 비용부담 증가로 인한 가맹수수료의 조정)

① 가맹점사업자는 최저임금 인상 등으로 인해 비용이 증가하는 경우 가맹본부에게 가맹수수료의 조정을 신청할 수 있다.

② 가맹본부는 제1항에 따른 신청이 있은 날부터 10일 이내에 가맹수수료 조정을 위한 협의를 개시하며, 천재지변이나 전시 · 사변 등의 부득이한 사유 없이 협의를 거부하거나 게을리 하

본인은 본 페이지의 내용에 대한 설명을 듣고, 이를 완전히 이해하였음	(인)

지 아니한다.

第32條 (영업지원금 및 장려금)

가맹본부는 가맹점사업자가 초기안정화 단계에서 손실을 보전해 주는 등 초기안정화를 돕기 위하여 가맹점사업자에게 초기안정화 지원금을 지급할 수 있으며, 가맹점사업자의 운영에 대하여 장려금제도를 운영할 수 있다. 다만, 가맹점사업자가 본 계약에서 정한 사항을 위반하여 가맹본부로부터 시정요청을 받고도 이를 시정하지 않을 경우에는 가맹본부는 가맹점사업자에게 지급하기로 한 일체의 지원금 등을 중단할 수 있다.

第33條 (정산금)

가맹본부는 가맹점사업자에게 매월 ( )일에 가맹점사업자의 영업실적에 따른 이익배분금을 포함한 정산금을 계산하여 지급하는 것으로 한다.

제 6 장 계약의 갱신, 해지, 종료

第34條 (영업양도)

① 가맹점사업자는 어떠한 경우에도 가맹본부로부터 사전에 문서에 의한 승낙을 받지 않고 이 계약에 기초한 권리·의무 기타 계약상 지위의 전부 또는 일부를 제3자에게 이전 또는 양도하거나 담보설정을 하는 등의 처분을 할 수 없다.

② 가맹점사업자가 제3자에게 영업을 양도하고자 하는 경우, 문서로써 가맹본부에 통지하고 승인을 받아야 한다. 이에 대하여 가맹본부는 양수인이 가맹자격과 조건에 비추어 자격을 갖추었는지 여부와 가맹점사업자의 양도요청시점의 계약준수 상태 등을 고려하여 승인 여부를 판단할 수 있으며, 승인하는 경우 제36조의 중도해지규정을 적용하지 않는다.

③ 영업양도의 경우 영업양수인은 가맹점사업자의 가맹본부에 대한 권리와 의무를 승계한다.

본인은 본 페이지의 내용에 대한 설명을 듣고, 이를 완전히 이해하였음	(인)

④ 가맹본부는 영업양수인이 요청하는 경우에는 영업양도인의 잔여계약기간 대신에 완전한 계약기간을 영업양수인에게 부여할 수 있다. 이 경우에는 신규계약을 체결하여야 한다.

제35조 (계약의 갱신과 거절)

① 가맹본부는 가맹점사업자가 가맹계약기간 만료 전 180일부터 90일까지 사이에 가맹계약의 갱신을 요구하는 경우에는 정당한 사유가 없으면 이를 거절하지 못한다. 단, 가맹점사업자가 다음 각 호의 어느 하나에 해당하는 경우에는 갱신을 거절할 수 있다.

1. 가맹점사업자가 이 계약상의 금전지급의무를 지키지 아니한 경우
2. 다른 가맹점사업자에게 통상적으로 적용되는 계약조건이나 영업방침을 가맹점사업자가 수락하지 아니하는 경우
3. 가맹사업의 유지를 위하여 필요하다고 인정되는 것으로서 다음 각 목의 어느 하나에 해당하는 가맹본부의 중요한 영업방침을 가맹점사업자가 지키지 아니한 경우
   가. 가맹점의 운영에 필요한 점포・설비의 확보나 법령상 필요한 자격・면허・허가의 취득에 관한 사항
   나. 판매하는 상품이나 용역의 품질을 유지하기 위하여 필요한 제조공법 또는 서비스기법의 준수에 관한 사항
   다. 가맹본부의 가맹사업 경영에 필수적인 지식재산권의 보호에 관한 사항
   라. 가맹본부가 가맹점사업자에게 실시하는 정기적인 교육・훈련의 준수에 관한 사항. 단, 가맹점사업자가 부담하는 교육・훈련비용이 같은 업종의 다른 가맹본부가 통상적으로 요구하는 비용보다 뚜렷하게 높은 경우는 제외한다.

② 제1항의 가맹점사업자의 계약갱신요구권은 최초 가맹계약기간을 포함한 전체 가맹계약기간이 10년을 초과하지 아니하는 범위 내에서만 행사할 수 있다.

③ 가맹본부가 제1항에 따른 갱신요구를 거절하는 경우에는 갱신을 요구받은 날로부터 15일 이내에 가맹점사업자에게 거절사유를 적은 서면으로 통지하여야 한다.

본인은 본 페이지의 내용에 대한 설명을 듣고, 이를 완전히 이해하였음	(인)

④ 가맹본부가 제1항 단서의 어느 사유를 들어 계약만료 전 180일부터 90일까지 갱신하지 않는다는 사실의 통지 또는 조건의 변경에 대한 통지를 서면으로 하거나 제3항의 거절통지를 한 경우가 아니면, 가맹계약은 종전계약과 동일한 조건으로 갱신된 것으로 본다.

⑤ 다음 각 호의 어느 하나에 해당하는 경우에는 제4항을 적용하지 아니한다.

1. 가맹점사업자가 계약만료 60일 전까지 이의를 제기한 경우
2. 천재지변 등 양 당사자에게 책임 없는 사유로 인하여 가맹계약을 유지하기 어려운 경우
3. 가맹본부나 가맹점사업자에게 파산신청이 있거나 강제집행절차 또는 회생절차가 개시된 경우
4. 가맹본부나 가맹점사업자가 발행한 어음・수표가 부도 등으로 지급거절된 경우
5. 가맹점사업자에게 중대한 일신상의 사유가 발생하여 더 이상 가맹사업을 경영할 수 없게 된 경우

제36조 (임의 중도해지 및 위약금)

① 가맹본부와 가맹점사업자가 개점 후 계약기간 중에 이 계약을 중도해지하려는 경우에는 상대방에게 해지일로부터 90일 전에 문서로 통보하기로 한다.

② 제1항에 따라 계약을 해지하는 경우에는 가맹본부 또는 가맹점사업자는 위약금으로서 다음 각 호에서 정하는 금액을 상대방에게 지급하기로 한다(월 평균 이익배분금은 해지일이 속한 달의 전월부터 12개월간으로 계산한다).

1. 개점일 이후 3년 미 경과 시 : 상대방 월 평균 이익배분금 × 6개월
2. 개점일 이후 3년 경과 시 : 상대방 월 평균 이익배분금 × 4개월
3. 개점일 이후 4년 경과 시 : 상대방 월 평균 이익배분금 × 2개월

※ 상대방 월 평균 이익배분금이라 함은 가맹점사업자의 경우 '가맹수수료율', 가맹본부의 경우 '1-가맹수수료율'에 매출이익을 곱한 금원을 말한다.

③ 경쟁 브랜드의 근접출점, 재건축・재개발 등으로 상권이 급격히 악화된 경우, 질병・자연재

본인은 본 페이지의 내용에 대한 설명을 듣고, 이를 완전히 이해하였음	(인)

해 등으로 인해 가맹점 운영이 더 이상 불가한 경우 등 가맹점주의 책임없는 사유 발생 이후 (　　)개월 이상 상당한 정도의 영업수익률 악화가 지속되는 경우 가맹본부는 이를 고려하여 영업위약금을 감경한다.

④ 경쟁 브랜드의 근접출점, 재건축・재개발 등으로 상권이 급격히 악화된 경우, 질병・자연재해 등으로 인해 가맹점 운영이 더 이상 불가한 경우 등 가맹점주의 책임없는 사유로 인해 (　　)개월 이상 영업적자가 누적되는 경우 가맹본부는 영업위약금을 면제한다.

⑤ 가맹점사업자가 제3항 및 제4항에 따라 위약금 감경・면제를 요청하였음에도 불구하고 가맹본부가 제2항에 따른 위약금을 청구하기 위해서는 가맹점사업자에게 계약해지에 대한 귀책사유가 있음을 입증해야 한다.

제37조 (가맹본부의 계약해지)

① 가맹본부는 가맹점사업자가 다음 각호에 위반하는 행위를 하는 경우 가맹계약을 해지할 수 있다. 이 경우 가맹계약을 해지하기 위해서는 가맹점사업자에게 2개월 이상의 유예기간을 두고 계약의 위반사실을 구체적으로 밝히고 이를 시정하지 아니하면 그 계약을 해지한다는 사실을 서면으로 2회 이상 통지하여야 한다.

1. 가맹점사업자가 가맹본부의 서면에 의한 승낙없이 가맹점의 영업 및 주요 자산을 양도한 경우
2. 가맹점사업자가 가맹본부의 서면에 의한 승낙없이 가맹점의 경영의 전반적・실질적인 부분에 관여하지 않고 방치한 경우
3. 가맹점사업자가 정당한 이유없이 가맹점의 영업을 중단한 경우
4. 기타 정당한 이유없이 이 계약을 이행하지 않은 것이 가맹계약을 계속하기 어려운 중대한 계약위반에 해당하는 경우

② 가맹본부는 가맹사업의 거래를 지속하기 어려운 경우로서 다음 각 호의 어느 하나에 해당하는 경우에는 제1항의 절차를 거치지 아니하고 계약을 해지할 수 있다.

본인은 본 페이지의 내용에 대한 설명을 듣고, 이를 완전히 이해하였음	(인)

1. 가맹점사업자에게 파산 신청이 있거나 강제집행절차 또는 회생절차가 개시된 경우
2. 가맹점사업자가 발행한 어음・수표가 부도 등으로 지불정지된 경우
3. 천재지변, 중대한 일신상의 사유 등으로 가맹점사업자가 더 이상 가맹사업을 경영할 수 없게 된 경우
4. 다음 각 목의 어느 하나에 해당하여 가맹사업에 중대한 장애를 초래한 경우
   가. 가맹점사업자가 공연히 허위사실을 유포함으로써 가맹본부의 명성이나 신용을 뚜렷이 훼손한 경우
   나. 가맹점사업자가 가맹점과 관련되는 법령을 위반하여 다음의 해당하는 행정처분을 받음으로써 가맹본부의 명성이나 신용을 뚜렷이 훼손한 경우
      1) 그 위법사실을 시정하라는 내용의 행정처분
      2) 그 위법사실을 처분사유로 하는 과징금・과태료 등 부과처분
      3) 그 위법사실을 처분사유로 하는 영업정지명령
   다. 가맹점사업자가 가맹본부의 영업비밀 또는 중요정보를 유출한 경우
5. 가맹점사업자가 가맹점 운영과 관련되는 법령을 위반하여 이를 시정하라는 내용의 행정처분(과징금・과태료 등의 부과처분을 포함한다)을 통보받고도 행정청이 정한 시정기한(시정기한을 정하지 아니한 경우에는 통보받은 날부터 10일) 내에 시정하지 않는 경우
6. 가맹점사업자가 가맹점 운영과 관련되는 법령을 위반하여 자격・면허・허가 취소 또는 영업정지 명령(15일 이내의 영업정지 명령을 받은 경우는 제외한다) 등 그 시정이 불가능한 성격의 행정처분을 받은 경우. 단, 법령에 근거하여 행정처분을 갈음하는 과징금 등의 부과처분을 받은 경우는 제외한다.
7. 가맹점사업자가 제1항에 따른 가맹본부의 시정요구에 따라 위반사항을 시정한 날부터 1년(계약갱신이나 재계약된 경우에는 종전 계약기간에 속한 기간을 합산한다) 이내에 다시 같은 사항을 위반하는 경우. 단, 가맹본부가 시정을 요구하는 서면에 다시 같은 사항을 1년 이내에 위반하는 경우에는 제1항의 절차를 거치지 아니하고 가맹계약이 해지될 수 있다는 사실을 누락한 경우는 제외한다.

본인은 본 페이지의 내용에 대한 설명을 듣고, 이를 완전히 이해하였음	(인)

8. 가맹점사업자가 가맹점 운영과 관련된 행위로 형사처벌을 받은 경우

9. 가맹점사업자가 공중의 건강이나 안전에 급박한 위해를 일으킬 염려가 있는 방법이나 형태로 가맹점을 운영하는 경우

10. 가맹점사업자가 정당한 사유 없이 연속하여 7일 이상 영업을 중단한 경우

제38조 (가맹점사업자의 계약해지)

① 가맹점사업자는 가맹본부가 다음 각 호의 어느 하나에 해당하는 경우에 한하여 가맹본부에게 사전에 문서로 통지 또는 최고를 하고 그 문서가 도달된 후 7 일 이상이 경과하여도 가맹본부가 개선하거나 의무를 이행하지 않은 경우는 문서 통지로써 이 계약을 해지할 수 있다.

1. 가맹본부가 약정한 상품 등의 공급・경영지원 등을 정당한 이유없이 이행하지 않거나 지체하는 경우 정당한 이유 없이 대금지급의무를 위반하는 경우

2. 기타 정당한 이유없이 이 계약을 이행하지 않은 것이 중대한 계약위반에 해당하는 경우

② 가맹점사업자는 가맹본부가 다음 각 호의 어느 하나에 해당하는 경우에 한하여 가맹점사업자는 사전에 통지 또는 최고를 하지 않고 곧바로 이 계약을 해지할 수 있다.

1. 회생 또는 파산 절차의 개시를 신청하거나 또는 타인의 신청 등에 의하여 회생 또는 파산 절차가 개시된 경우

2. 채권자에 의하여 자산・부채의 전반적인 관리 또는 정리를 받은 경우

3. 천재지변으로 가맹점 운영이 곤란한 경우

제39조 (계약위반 중도해지 및 위약금)

① '가맹본부' 또는 '가맹점사업자'가 제37조, 제38조에 따라 계약을 해지하는 경우 귀책사유 있는 당사자는 다음 각 호 중 하나의 위약금을 지급하여야 한다(월 평균 이익배분금은 해지일이 속한 달의 전월부터 12개월간으로 계산한다).

1. 개점일 이후 3년 미 경과 시 : 상대방 월 평균 이익배분금 × ( )개월

본인은 본 페이지의 내용에 대한 설명을 듣고, 이를 완전히 이해하였음	(인)

2. 개점일 이후 3년 경과 시 : 상대방 월 평균 이익배분금 × (   )개월

3. 개점일 이후 4년 경과 시 : 상대방 월 평균 이익배분금 × (   )개월

※ 상대방 월 평균 이익배분금이라 함은 가맹점사업자의 경우 '가맹수수료율', 가맹본부의 경우 '1-가맹수수료율'에 매출이익을 곱한 금원을 말한다.

② 가맹점사업자의 귀책사유로 계약이 해지되는 경우, 가맹점사업자는 가맹본부가 부담한 시설・인테리어 잔존액과 철거・보수비용을 가맹본부에 별도로 배상하여야 한다.

③ 가맹본부의 귀책사유로 계약이 해지되는 경우, 가맹본부가 시설・인테리어 잔존액과 철거・보수 비용을 부담하여야 한다.

제 7 장 계약해지 이후의 조치

제40조 (권리상실)

이 계약의 종료시 가맹점사업자는 이 계약에 기한 가맹점의 경영에 관한 모든 권리를 상실하며, 상실한 후에는 가맹본부의 지적재산권을 침해하거나 부정경쟁이 되는 행위를 해서는 아니된다.

제41조 (정산재고조사)

계약기간 만료나 계약해지 및 기타 사유로 이 계약이 종료한 경우에는 가맹본부는 이 계약의 종료와 동시에 사업장 내에 입회해서 모든 영업용물건・매상금・현금・재고상품을 점유・관리할 수 있으며, 즉시 재고조사를 실시하는 것으로 하고, 가맹점사업자는 원활하고 신속한 정산종료를 위하여 가맹본부에 협력하여야 한다.

제42조 (원상회복)

가맹점사업자는 이 계약의 종료에 따라 다음 각 항에서 정하는 바에 따라 원상회복 의무를 지체없이 이행하여야 한다.

본인은 본 페이지의 내용에 대한 설명을 듣고, 이를 완전히 이해하였음	(인)

① 가맹점의 영업을 중지하고 폐점하여야 한다.

② 가맹점시스템 및 기타 경영기밀에 속하는 모든 정보자료 · 서식 용구 등을 가맹본부에 반환하고, 가맹본부를 표시하는 모든 간판 · 공작물 · 점포 내 · 외장을 파기 내지 제거하고 가맹본부의 확인을 받아야 한다.

③ 가맹본부의 대여설비를 철거하고 파손부위를 수리한 후 가맹본부가 통보한 기일 내에 지정한 장소에 반환하여야 하며, 가맹본부는 가맹점사업자의 비용으로 이를 대신할 수 있다. 단, 계약종료에 대한 귀책사유가 가맹본부에 있는 때에는 가맹본부의 부담으로 한다.

④ 가맹점사업자는 가맹계약 종료로 인한 폐점을 위한 재고조사, 정산수수료 등에 필요한 폐점수수료 (　　)원을 가맹본부에 지급한다. 단, 불가피한 사유로 계약이 종료하거나 계약종료에 대한 귀책사유가 가맹본부에 있는 때에는 가맹점사업자는 이를 부담하지 아니한다.

제43조 (상호계산계정의 폐쇄)

① 가맹본부와 가맹점사업자 간의 상호계산계정은 계약해지일부터 ( )일 이내에 폐쇄하기로 하며 영업용 물건 등의 관리 · 회복 과정이나 이 계약에 바탕한 가맹본부와 가맹점사업자 간의 원상회복 등 정산과정에서 발생하는 모든 채권 · 채무는 상호계산계정의 해당 차변 및 대변에 계리하도록 한다.

② 위 제1항의 약정에도 불구하고 상호계산계정에 계리되지 않은 채권 · 채무에 대해서는 가맹본부가 별도로 작성하는 가맹점사업자의 최종정산합의서에 계리한다.

③ 가맹본부는 가맹점사업자에 대해 이 계약의 종료일부터 ( )일 이내에 최종정산합의서를 가맹점사업자에게 교부한다. 이 경우, 가맹점사업자는 이 계약 종료일부터 ( )일 이내에 정산을 위한 모든 자료를 가맹본부에 제출해야 하며, 비협력 등 가맹점사업자의 귀책사유에 의해서 최종정산합의서의 작성이 ( )일 이내에 불가능할 경우에는 가맹본부의 자료만으로 최종정산합의서를 작성한다.

④ 가맹본부가 교부한 최종정산합의서에 대하여 가맹점사업자는 수령 후 (　　)일 내에 문서로

본인은 본 페이지의 내용에 대한 설명을 듣고, 이를 완전히 이해하였음	(인)

이의를 제기할 수 있으며, 그 기간 내에 이의가 없을 경우에 그 기간이 경과한 날에 최종정산 합의서의 정산액은 확정된다.

⑤ 제4항에 따라 최종정산합의서의 정산액이 확정된 경우에는 최종정산합의서 상의 채무자는 채권자에 대하여 ( )일 이내에 채무금 전액을 변제하기로 한다. 단, 가맹본부와 가맹점사업자는 채무변제일 전에 지급받을 은행계좌, 지급받을 금액 등이 기재된 최종정산합의서를 확인 · 제공하기로 한다.

⑥ 제5항에 따른 최종정산합의서는 채무자의 채무변제 의무에는 아무런 영향을 미치지 아니하나, 채무변제일까지 채무금 전액이 변제된 경우에는 영수증에 갈음할 수 있다.

제 8 장 기타

제44조 (개량기술의 사용)

가맹점사업자가 가맹본부로부터 지원받은 영업노하우 등 기술과 관련하여 독자적으로 기술을 개량한 경우, 개량기술에 대한 소유권은 가맹점사업자에게 있는 것으로 한다. 다만, 가맹본부는 기술개발비, 예상수익, 원천기술의 기여분, 개량기술의 가치 등이 반영된 정당한 대가를 지급하고 그 소유권의 이전이나 실시권, 사용권 등의 설정을 가맹점사업자에게 청구할 수 있다.

제45조 (손해배상)

이 계약의 당사자는 상대방의 계약위반이나 불법행위로 인한 손해에 대하여 이 계약상 구제수단이 있는 경우 그에 따르고 그 외의 경우에는 별도로 손해배상을 청구할 수 있다.

① 이 계약의 당사자는 상대방의 계약위반이나 불법행위로 인한 손해에 대하여 본 계약상 구제수단 외에 별도로 손해배상을 청구할 수 있다.

② 가맹점사업자는 가맹본부 또는 그 소속 임원의 위법행위 또는 가맹사업의 명성이나 신용을 훼손하는 등 사회상규에 반하는 행위로 인해 손해가 발생한 경우 가맹본부에게 본 계약 상

본인은 본 페이지의 내용에 대한 설명을 듣고, 이를 완전히 이해하였음	(인)

구제수단 외에 별도로 손해배상을 청구할 수 있다.

제46조 (분쟁해결)

① 이 계약의 당사자는 이 계약의 해석 또는 이 계약에 의하여 명시되지 아니한 사항에 관하여 다툼이 있을 경우 우선적으로 대화와 협상을 통하여 분쟁을 해결하도록 최선을 다한다.

② 제1항에 의한 해결이 되지 아니한 경우에는 「가맹사업거래의 공정화에 관한 법률」 제22조에 따라 한국공정거래조정원의 가맹사업거래분쟁조정협의회에 조정을 신청하거나 다른 법령에 의하여 설치된 중재기관에 중재를 신청할 수 있다.

③ 가맹본부 및 가맹점사업자의 협의에 의하여 제2항에 의한 중재를 신청하지 아니하는 경우, 이 계약에 관한 분쟁의 관할 법원은 가맹점사업자의 주소지나 점포소재지를 관할하는 법원으로 한다. 다만, 가맹본부와 가맹점사업자가 합의하여 관할법원을 달리 정하는 경우에는 그러하지 아니하다.

제47조 (정보공개서의 자문)

① 가맹본부는 이 계약을 체결하기 전에 가맹희망자에게 정보공개서를 제공하고 충분한 숙고기간을 부여하여야 하며, 정보공개서의 이해를 돕기 위하여 가맹거래사 또는 변호사의 자문을 받을 수 있다는 사실을 고지하여야 한다.

② 가맹점사업자는 가맹본부의 비용으로 제1항의 자문을 받은 경우 자문일자가 기재된 확인서를 가맹본부에 제출하여야 한다.

가맹본부와 가맹점사업자는 이 가맹계약서에 열거된 각 조항을 면밀히 검토하고 충분히 이해하였으며, 이 계약의 체결을 증명하기 위하여 계약서 2통을 작성하여 각각 기명·날인한 후 각 1통씩 보관한다.

20 년 월 일

본인은 본 페이지의 내용에 대한 설명을 듣고, 이를 완전히 이해하였음	(인)

[가맹본부]

대 표 자: (인)

사업자등록번호:

상 호:

주 소:

연 락 처:

[가맹점사업자]

성 명: (인)

생 년 월 일:

점 포 명:

주 소:

연 락 처:

본인은 본 페이지의 내용에 대한 설명을 듣고, 이를 완전히 이해하였음	(인)

저자
소개

변호사 **백광현**

- 고려대학교 법과대학 법학과 졸업
- 사법연수원 수료(36기)
- 법무법인(유한) 바른 공정거래팀 파트너변호사
- 공정거래위원회 정보공개심의회 위원
- 서울대학교 전문분야 법학연구과정 수료(공정거래와 한국의 미래)
- 공정경쟁연합회 공정거래법 전문연구과정 수료(제6기)
- 고려대학교 법학전문대학원 겸임교수(공정거래법 실무)
- 모의공정거래위원회 경연대회 자문변호사
- LH건설하도급 및 노무관리 외부자문단 자문위원
- Steptoe & Johnson LLP(International Legal Trainee)
- 한국경제, 삼일인포마인, 머니투데이, 이투데이 등 칼럼위원(공정거래 분야)